LECTURES

Classiques
et
Modernes

Marie-Louise Michaud Hall
Department of Romance Languages
Dartmouth College

C. Régis Michaud
Department of Modern Languages
United States Naval Academy

THE ODYSSEY PRESS   *NEW YORK*

First Edition

Pour

Anne-Marie

Table des Matières

ix

Lectures Classiques et Modernes

Le Moyen Age
[IXᵉ–XVᵉ siècles]

A l'origine, la littérature des pays de l'Europe occidentale est le monopole d'érudits, gens d'église surtout, qui écrivent en latin. Elle ne commence vraiment qu'avec l'emploi écrit de la langue de tous les jours. *Le Serment de Strasbourg,* prononcé en 842 par Louis le Germanique pour confirmer son alliance avec son frère, le roi de France Charles le Chauve, est le plus ancien document en langue populaire française.

LITTÉRATURE ÉPIQUE. Les premières grandes œuvres de la littérature française du Moyen Age ont, comme fond, les guerres entre les rois, les nobles, et les guerres contre l'infidèle—les Croisades (1096–1291). L'héroïsme, le dévouement à un idéal chrétien et chevaleresque font l'intérêt des *Chansons de geste,* longs poèmes épiques qui chantent les exploits de Charlemagne et de ses compagnons, Roland, Olivier, l'archevêque Turpin, etc. *La Chanson de Roland* (fin du XIᵉ siècle), dont l'auteur est inconnu, est le chef-d'œuvre du genre. C'est la première grande œuvre de la littérature française; on y trouve, avec l'élément du merveilleux, le sentiment de la «douce France,» et le triomphe de la chrétienté sur les musulmans.

ROMANS BRETONS. Au XIIᵉ siècle, des romans, en prose et en vers, racontent des légendes et des histoires païennes où le sens historique existe à peine: *Romans antiques,* et surtout *Romans arthuriens* (ou *bretons*). Ceux-ci exaltent les exploits du roi Arthur et des douze chevaliers de la Table Ronde, expriment l'idéal de la chevalerie et de l'amour courtois qui oblige à faire des prouesses pour la «dame de son cœur.» La légende de *Tristan et Iseut,* par le Normand Béroul et l'Anglo-Normand Thomas, contient des éléments de mystère et exprime la fatalité de l'amour.

1

Les *Lais* de Marie de France (p. 4) sont de petits poèmes d'un charme simple au sujet d'amours tendres et malheureuses. Chrétien de Troyes écrit de longs poèmes arthuriens où il fait preuve d'un précoce souci de psychologie amoureuse, que nous trouvons aussi dans *Le Roman de la rose* (XIIIe siècle) par Guillaume de Lorris.

LITTÉRATURE SATIRIQUE. Parallèle à cette littérature, qui est plutôt aristocratique, est celle qui était destinée surtout au peuple et aux bourgeois. Les *Fabliaux*, petits contes en vers, descriptifs et satiriques, ont pour but de faire rire. Le meilleur exemple de ce genre est *Le Roman de Renart*, recueil vivant de contes en vers courts dans lesquels les animaux représentent les hommes. Paraît aussi la seconde partie du *Roman de la rose*, par Jean de Meung [mœ̃] (1240?-1305?), bon exemple de réalisme et de satire de la bourgeoisie et de l'amour.

LITTÉRATURE DRAMATIQUE. Le théâtre a son origine dans l'Église. Les scènes de la vie du Christ, de la Vierge et des saints sont dramatisées et font partie du culte. Devenues trop burlesques et profanes, elles sortent de l'église et sont représentées sur les places publiques. Elles deviennent les *Mystères*, grandes scènes de l'histoire religieuse, et les *Miracles*, qui montrent l'intervention de la Vierge pour sauver les pécheurs. Parallèlement se développe le théâtre séculier: moralités, farces, soties. *La Farce de Maître Pathelin* (XVe siècle) (p. 9) est le chef-d'œuvre du genre et la première vraie comédie avant Molière.

LITTÉRATURE LYRIQUE. Aux XIVe et XVe siècles, la poésie devient plus personnelle. On cultive les genres poétiques intimes, on écrit des poèmes plus courts. Un prince, Charles d'Orléans (1391-1465), dans ses ballades, rondeaux et chansons, dépeint l'amour, la nature, les regrets de l'exilé. Un vagabond, François Villon (p. 7), est le premier vrai poète. Sa poésie porte l'empreinte de sa vie déréglée, avec ses regrets de la fuite du temps et la nature illusoire de la beauté et de la jeunesse, ses remords de malfaiteur, sa hantise de la mort, et ses aspirations vers une vie honnête et sûre. *Le Grand Testament* est un recueil de ses poèmes dont les meilleurs sont de charmantes ballades: *Ballade des dames du temps jadis, Ballade pour prier Notre-Dame*.

L'HISTOIRE. Au Moyen Age, l'histoire est représentée par quatre noms. Villehardouin (1150–1212), dans sa *Conquête de Constantinople*, décrit exactement ce qu'il a vu pendant la quatrième Croisade. Joinville (1224–1317) écrit une *Vie de Saint Louis*, remarquable par la couleur et le pittoresque. Froissart (1337–1405?), chroniqueur de la guerre de Cent ans, a aussi le don descriptif. Commines (1447–1511), avec ses *Mémoires*, cherche la formule des règles de la diplomatie. Ces chroniqueurs contribuent à faire du français une langue claire et souple, une langue littéraire dont les qualités se trouvent déjà dans les premiers textes que nous donnons.

Marie de France [fin du XIIe siècle]

*De la vie de Marie de France on ne sait que peu de
chose. Elle est née à Compiègne, au nord de Paris, et
a vécu à la cour d'Angleterre. Poète, elle est l'auteur
d'une douzaine de Lais, courtes compositions narra-
tives qui procèdent directement de contes bretons.*

———— •◦—

Le Laüstic [1]

Je vais vous dire une aventure dont les anciens Bretons firent un
lai. Son nom est Laüstic: ainsi l'appellent-ils en leur pays. C'est
«rossignol» en français et «nightingale» en anglais.

Dans le pays de Saint-Malo était une ville fameuse. Deux
5 chevaliers y demeuraient et y avaient deux fortes maisons. Telle
était l'excellence de ces deux barons que la ville en avait bonne
renommée. L'un avait épousé une femme sage, courtoise et toujours bien parée; c'est merveille d'ouïr les soins qu'elle prenait
d'elle [2] selon les meilleurs usages du temps. L'autre était un
10 bachelier bien connu parmi ses pairs pour sa prouesse, sa grande
valeur et son accueil généreux. Il était de tous les tournois,
dépensait et donnait volontiers ce qu'il avait.

Il aima la femme de son voisin. Il lui fit si grandes requêtes,
si grandes prières, il y avait si grand bien en lui, qu'elle l'aima
15 plus que toute chose, tant pour le bien qu'elle en ouït dire que
parce qu'il habitait près d'elle. Ils s'entr'aimèrent sagement et
bien. Ils tinrent leur amour très secret et prirent garde qu'ils ne
fussent aperçus, ni surpris, ni soupçonnés. Et ils le pouvaient
facilement faire, car leurs demeures étaient proches. Voisines
20 étaient leurs maisons, leurs donjons et leurs salles; il n'y avait ni
barrière ni séparation, fors [3] une haute muraille de pierre brune.
De la chambre où la dame couchait, quand elle se tenait à la

---

[1] le laüstic, the nightingale.   [2] d'elle = d'elle-même.
[3] fors = sauf, except.

4

fenêtre, elle pouvait parler à son ami, et lui à elle de l'autre côté; ils entr'échangeaient leurs gages d'amour en les jetant et en les lançant. Rien ne les troublait. Ils étaient tous deux bien aises, fors qu'ils ne pouvaient du tout [4] venir ensemble à leur volonté, car la dame était étroitement gardée quand son ami était dans la 5 ville. Mais ils en avaient dédommagement soit de jour, soit de nuit, dans les paroles qu'ils se disaient; car nul ne les pouvait empêcher de venir à leurs fenêtres, et là, de se voir.

Longtemps ils s'entr'aimèrent, tant que l'été arriva; les bois et les prés reverdirent, les vergers fleurirent. Les oiselets menèrent, 10 à voix très douce, leur joie au sommet des fleurs. Ce n'est pas merveille si celui qui aime s'y adonne [5] alors davantage. Et le chevalier et la dame s'y adonnèrent de tout leur cœur, par paroles et par regards. Les nuits, quand la lune luisait et que son seigneur était couché, souvent elle quittait son côté, se levait, s'enveloppait 15 de son manteau. Elle venait s'appuyer à la fenêtre pour son ami qu'elle savait là; lui faisait de même et veillait la plus grande partie de la nuit. Ils avaient grande joie à se regarder, puisqu'ils ne pouvaient avoir plus.

Tant et tant elle se leva, tant et tant elle s'accouda que son sire 20 en fut irrité. Maintes fois il voulut savoir pourquoi elle se levait et où elle allait.

«Sire, lui répondait la dame, celui-là ignore la joie en ce monde, qui n'écoute pas le laüstic chanter; c'est pour l'entendre que je viens m'accouder ici. Si douce est sa voix dans la nuit que l'ouïr 25 m'est un grand délice; et j'ai tel plaisir de cette jouissance que je ne peux fermer les yeux et dormir.»

Quand le sire entendait ce qu'elle disait, il jetait un ris [6] courroucé et méchant. Il réfléchit tant qu'il trouve ceci: il prendra le laüstic au piège. Il n'a valet en sa maison qui ne fasse engin, 30 rets ou lacet; puis ils vont les mettre dans le verger. Pas de coudrier ni de châtaignier où ils n'aient disposé lacs et glu.[7] Tant qu'ils [8] prennent le laüstic. Alors ils l'apportent tout vif [9] au seigneur. Quand il le tient, il en est très joyeux. Il vient dans la chambre de la dame. 35

---

4 **du tout** = pas du tout.   5 **s'y adonne**, gives himself up to (love).
6 **un ris** = un rire.   7 **lacs et glu**, snares and birdlime.
8 **Tant qu'ils** = Tant et si bien qu'ils.   9 **vif** = vivant.

«Dame,[10] fait-il, où êtes-vous? Venez ici, que je vous parle! J'ai pris dans un piège le laüstic, à cause duquel vous avez tant veillé. Désormais vous pouvez reposer en paix; il ne vous éveillera plus!» Quand la dame l'entend, elle est dolente et courroucée. Elle le
5 demande à son seigneur. Et lui occit [11] l'oiselet avec emportement; il lui rompt le cou avec ses deux mains; puis il fait une chose trop vilaine à conter: il jette le corps sur la dame, si qu'il [12] lui ensanglante sa robe un peu au-dessus de la poitrine. Et il sort de la chambre.

10   La dame prend le corps tout petit. Elle pleure durement, elle maudit ceux qui firent les engins et les lacs et prirent traîtreusement le laüstic; car ils lui ont retiré une grande joie.

«Lasse,[13] dit-elle, le malheur est sur moi! Je ne pourrai plus me lever la nuit ni m'accouder à la fenêtre d'où j'avais coutume de
15 voir mon ami. Il croira que je l'aime moins; c'est chose dont je suis assurée. Aussi faut-il que j'avise; [14] je lui ferai tenir [15] le laüstic, je lui manderai l'aventure.»

En une pièce de samit, brodée d'or, où elle raconte tout par écrit, elle enveloppe le petit oiseau. Elle appelle un sien valet.
20 Elle le charge de la porter à son ami. Il vient au chevalier. De la part de la dame, il lui fait un salut, lui conte tout son message et lui présente le laüstic.

Quand il lui eut tout dit et montré, le chevalier, qui l'avait bien écouté, fut dolent de l'aventure; mais il n'agit point en vilain ni
25 en homme lent. Il fit forger un vaisselet. Il n'y entra ni fer ni acier; tout entier il fut en or fin, avec de bonnes pierres très chères et très précieuses; on y mit un couvercle qui fermait très bien. Il y déposa le laüstic; puis il fit sceller la châsse et toujours la porta avec lui.

30   Cette aventure fut contée; on ne put la celer longtemps. Les Bretons en firent un lai. On l'appelle le Laüstic.

Les Lais de Marie de France, fin du XIIe siècle, transposés en français moderne par Paul Tuffrau, 1932.

---

[10] **Dame** = Madame.   [11] **occit,** kills.   [12] **si qu'il** = si bien qu'il.
[13] **Lasse** = Hélas.   [14] **j'avise,** I decide.   [15] **ferai tenir** = enverrai.

François Villon [1431–?]

*devient maître ès arts de la Sorbonne, mais fréquente
de mauvais compagnons et mène une vie déréglée. Il
est emprisonné plusieurs fois pour vol et assassinat. Il
exprime ses regrets dans deux recueils de vers, Le Petit
Testament (1456) et Le Grand Testament (1461).
Banni de Paris, il disparaît vers le sud-ouest en 1463.*

L'Épitaphe

*[En forme de ballade que fit Villon pour lui et
ses compagnons, s'attendant à être pendu avec eux]*

Villon est condamné à être pendu à la potence et il pense aux
autres potences qui sont dressées à Montfaucon, aujourd'hui
englobé dans le Nord-Est de Paris.

Frères humains qui après nous vivez,
N'ayez [1] les cœurs contre nous endurcis,
Car, si pitié de nous pauvres avez,
Dieu en aura plus tôt de vous merci.[2]
Vous nous voyez ci [3] attachés, cinq, six;
Quand de [4] la chair, que trop avons nourrie,
Elle est piéça [5] dévorée et pourrie,
Et nous, les os, devenons cendre et poudre.
De notre mal personne ne s'en rie,
Mais priez Dieu que tous nous veuille absoudre!

Si vous clamons [6] frères, pas n'en devez [7]
Avoir dédain, quoique fûmes occis
Par justice. Toutefois, vous savez

---

[1] N'ayez = N'ayez pas.   [2] merci = miséricorde, pity.   [3] ci = ici.
[4] Quand de = Quant à.   [5] piéça = depuis longtemps (*lit.* a piece of time).
[6] clamons = proclamons.   [7] pas n'en devez = vous n'en devez pas.

7

Que tous hommes n'ont pas bon sens assis; [8]
Excusez-nous, puisque sommes transis,[9]
Envers [10] le fils de la Vierge Marie,
Que sa grâce ne soit pour nous tarie,
Nous préservant de l'infernale foudre.
Nous sommes morts; âme ne nous harie,[11]
Mais priez Dieu que tous nous veuille absoudre!

La pluie nous a bués [12] et lavés,
Et le soleil desséchés et noircis;
Pies, corbeaux, nous ont les yeux cavés [13]
Et arraché la barbe et les sourcils.
Jamais nul temps nous ne sommes rassis; [14]
Puis çà, puis là, comme le vent varie,
A son plaisir sans cesser nous charrie,
Plus becquetés d'oiseaux que dés à coudre.[15]
Ne soyez donc de notre confrérie;
Mais priez Dieu que tous nous veuille absoudre!

Envoi

Prince Jésus, qui sur tous as maîtrie,
Garde qu'Enfer n'ait de nous seigneurie.
A [16] lui, n'ayons que faire ni que soudre.[17]
Hommes, ici n'a point [18] de moquerie,
Mais priez Dieu que tous nous veuille absoudre!

Villon, *Œuvres*, éd. L. Thuasne, 1923.

---

[8] **assis,** sound, well-balanced.   [9] **transis,** dead.
[10] **Envers** = **Auprès de,** To.   [11] **harie,** bothers, torments.
[12] **bués** = **passés à la vapeur,** steamed, soaked.
[13] **cavés** = **creusés,** dug out.   [14] **rassis** = **en repos,** at rest.
[15] **dés à coudre,** thimbles.   [16] **A** = **Avec.**
[17] **n'ayons que faire ni que soudre,** let's have no truck nor trade; **soudre** = **résoudre** (*lit.* solve).
[18] **n'a point** = **il n'y a point.**

La Farce de Maître Pathelin

*est le chef-d'œuvre de la farce et du théâtre comique
du Moyen Age. On croit qu'elle fut composée vers 1464
par Guillaume Alecis, prêtre normand. Sa valeur vient
de sa verve comique, de son dialogue dramatique, et de
l'esquisse vivante des caractères. C'est un vaudeville
adroitement construit,. avec une situation toujours
amusante de dupeur dupé.*

La Scène du Tribunal

Maître Pathelin, avocat sans cause, achète six aunes de drap
au drapier Guillaume et lui dit de venir chercher son argent
chez lui. Guillaume arrive chez Pathelin. Il trouve l'avocat,
qui prétend être malade, en proie au délire! D'un autre côté,
Agnelet, berger, est accusé par son maître Guillaume, d'avoir
tué et assommé ses brebis. Le berger choisit Pathelin comme
avocat. Guillaume et Pathelin se retrouvent maintenant devant le juge.

PATHELIN (*salue le juge*).   Monsieur le juge, que le ciel vous
accorde bonne chance et ce que votre cœur désire!

LE JUGE.   Soyez le bienvenu, monsieur, et couvrez-vous. Asseyez-
vous ici.

PATHELIN.   Certes! Je suis bien. Je suis ici plus à mon aise, 5
sauf votre respect.[1]

LE JUGE.   S'il y a quelque chose à présenter, qu'on se hâte,
afin que je puisse lever la séance.

LE DRAPIER.   Mon avocat arrive. Il termine une affaire, monsieur le juge. Vous me feriez plaisir de l'attendre.   10

LE JUGE.   Hé, certes! J'ai affaire ailleurs. Si la partie adverse est
là, acquittez-vous de votre besogne sans plus attendre. Et quoi?
N'êtes-vous pas le demandeur?

[1] sauf **votre respect,** with all due respect to you.

9

LE DRAPIER.   Si.

LE JUGE.   Où est l'accusé? Est-il ici en personne?

LE DRAPIER.   Oui, le voilà là-bas qui ne souffle mot, mais Dieu sait ce qu'il pense.

5 LE JUGE.   Puisque vous êtes tous les deux présents, soumettez votre cas.

LE DRAPIER.   Eh bien! Voici donc ce que je lui demande, monsieur le juge. La vérité est que, pour l'amour de Dieu et par charité, je l'ai élevé quand il était petit, et, pour être bref, quand 10 j'ai vu qu'il était capable d'aller dans les champs, j'ai fait de lui mon berger et je l'ai mis à garder mes bêtes. Mais aussi vrai que vous êtes là assis, monsieur le juge, il m'a fait un tel massacre de moutons, que sans mentir ...

LE JUGE.   Écoutons un peu! (au drapier) N'était-il pas à vos 15 gages?

PATHELIN.   En effet! Car s'il s'était amusé à le garder sans le payer ...

LE DRAPIER (apercevant Pathelin qui se cache le visage dans ses mains).   Je renie Dieu, si ce n'est pas vous, vraiment vous!

20 LE JUGE.   Quoi? Vous levez la main bien haut! Avez-vous mal aux dents, maître Pierre?

PATHELIN.   Oui, elles me font si mal que jamais je n'ai senti telle rage. Je n'ose lever le visage. Pour l'amour de Dieu, dites-lui de continuer.

25 LE JUGE. (au drapier).   Allons! Continuez vos explications. En avant! Concluez vite et clairement.

LE DRAPIER (à part).   C'est lui, sans aucun doute, par la croix où Jésus s'étendit. (à Pathelin) C'est à vous, maître Pierre, que j'ai vendu six aunes de drap.

30 LE JUGE. (à Pathelin).   Qu'est-ce qu'il me chante avec son drap?

PATHELIN.   Il se trompe. Il croit en venir à l'objet de son discours et il ne peut y parvenir, parce qu'il est trop ignorant.

LE DRAPIER (au juge).   Que je sois pendu si un autre que lui a pris mon drap! Par la sanglante gorge! [2]

35 PATHELIN.   Comme le méchant homme va chercher loin des arguments pour produire son acte d'accusation! Il veut dire (comme il est obstiné!) que son berger avait vendu la laine—je

---

[2] **Par la sanglante gorge!** For heaven's sake! (*lit.* by the bloody throat).

l'ai bien compris—dont a été fait le drap de ma robe. Il prétend que son berger le vole et qu'il lui a dérobé la laine de ses brebis.

LE DRAPIER (*à Pathelin*). Que Dieu m'envoie une semaine de malheurs si ce n'est pas vous qui l'avez!

LE JUGE. Paix! Par le diable! Vous bavardez. Ne pouvez-vous 5 revenir à votre sujet, sans occuper la Cour d'un tel bavardage?

PATHELIN (*riant*). J'ai mal aux dents et je ne puis m'empêcher de rire. Il est déjà si nerveux qu'il ne sait où il en est. Il faut que nous le lui remettions en mémoire.

LE JUGE (*au drapier*). Allons! Revenons à nos moutons. Qu'est- 10 ce qui leur est arrivé?

LE DRAPIER. Il m'a pris six aunes de drap à neuf francs.

LE JUGE. Nous prenez-vous pour des béjaunes ou des sots? Où vous croyez-vous?

PATHELIN. Parbleu! Il se moque de vous. Qu'il est homme de 15 bien par sa mine! [3] Mais je conseille qu'on interroge un peu la partie adverse.

LE JUGE. Vous avez raison. (*à part*) Il lui parle; il se peut donc qu'il le connaisse. (*au berger*) Viens ici! Parle!

LE BERGER. Bê! 20

LE JUGE. En voilà des façons! [4] Que veux-tu dire avec ton bê? Est-ce que tu me prends pour une chèvre? Parle-moi.

LE BERGER. Bê!

LE JUGE. Que Dieu t'envoie la fièvre chaude! Te moques-tu de moi? 25

PATHELIN. Il faut croire qu'il est fou ou têtu, ou qu'il se croit parmi ses bêtes.

LE DRAPIER (*à Pathelin*). Je renie Dieu si vous n'êtes pas celui qui a pris mon drap et pas un autre! (*au juge*) Ah, monsieur le juge, vous ne savez pas par quelle ruse ... 30

LE JUGE. Eh! Taisez-vous! Êtes-vous idiot? Laissez ce détail et revenons au fait!

LE DRAPIER. Bien, monsieur le juge, mais l'affaire me touche de près.[5] Cependant, par ma foi, ma bouche, dorénavant, n'en dira plus un mot. Une autre fois il en ira du drap volé comme il 35

---

[3] **Qu'il est homme de bien par sa mine!** What an honest man he is, if we are to judge by his looks! He certainly looks like a good fellow!
[4] **En voilà des façons,** That's no way to act!
[5] **me touche de près,** concerns me personally.

pourra. Il convient que je l'avale sans mâcher.[6] Je disais donc que j'avais donné six aunes ..., je veux dire mes brebis.[7] Je vous en prie, monsieur le juge, pardonnez-moi. Ce joli coco, mon berger, quand il devait être aux champs ..., il me dit que j'aurais six écus d'or 5 quand j'irais chez lui ... Non! je veux dire, qu'il y a trois ans que mon berger s'était loyalement engagé à garder mes brebis et à n'y faire ni dommage ni vilenie ... Et voilà que maintenant il vient nier qu'il n'a pris ni le drap ni l'argent. (à Pathelin) Ah! maître Pierre, vraiment! (Le juge fait un geste d'impatience) Ce 10 coquin-ci (au berger) me volait la laine de mes bêtes et quoiqu'elles fussent bien saines il les faisait mourir et périr en les assommant et frappant sur la tête avec un gros bâton. Quand il a eu mon drap sous son aisselle, il est sorti bien vite et m'a dit d'aller chercher six écus d'or chez lui.

15   Le juge. Il n'y a ni rime ni raison dans tout ce que vous rabâchez. Qu'est-ce donc? Vous entrelardez vos explications tantôt d'une chose, tantôt d'une autre. Somme toute, parbleu, je n'y vois goutte. (à Pathelin) Il embrouille une histoire de drap et babille ensuite au sujet de brebis à tort et à travers. Il ne dit rien qui 20 vaille.

Pathelin. Maintenant, je suis sûr qu'il retient au pauvre berger son salaire.

Le drapier. Parbleu! Vous pourriez bien vous taire! Mon drap? Aussi vrai que la messe ...[8] Je sais mieux où le bât me blesse [9] 25 que vous ni personne. Par la tête de Dieu, vous l'avez! [10]

Le juge. Qu'est-ce qu'il a?

Le drapier. Rien, monsieur le juge. Par ma foi, c'est le plus grand trompeur. Eh bien! Je me tairai à ce sujet, si je peux, et n'en parlerai plus, quoiqu'il advienne.

30   Le juge. Et non, mais qu'il vous en souvienne! Maintenant, concluez clairement.

Pathelin. Ce berger ne peut aucunement répondre aux faits que l'on avance s'il n'a un avocat, et il n'ose ou ne sait en de-

6 **Il convient que je l'avale sans mâcher, I** must swallow it without mulling it over (*lit.* chewing it over).
7 **mes brebis,** Here the draper mixes cloth and sheep in his mind.
8 **Aussi vrai que la messe ...,** As true as Holy Writ ...
9 **où le bât me blesse,** where the shoe (*lit.* packsaddle) pinches.
10 **vous l'avez!** = vous avez mon drap!

mander. S'il vous plaisait de commander que je l'aide, je prendrais
sa défense.

LE JUGE (*regardant le berger*). Le défendre? Je pense que ce
serait une bien mauvaise affaire: il y aurait peu de profit pour
vous. 5

PATHELIN. Je vous jure que je ne veux pas être payé. Que ce
soit pour l'amour de Dieu! Maintenant je vais apprendre du
pauvre malheureux ce qu'il voudra me dire, pour que je puisse
répondre aux faits dont l'accuse son adversaire. Il aurait du mal
à se justifier si on ne le secourait pas. (*au berger*) Viens ici, mon 10
ami. Qui pourrait trouver ... Tu entends?

LE BERGER. Bê!

PATHELIN. Mon Dieu! Quel «bê!» Par le sang sacré que Dieu
versa! Es-tu fou? Dis-moi ton affaire.

LE BERGER. Bê! 15

PATHELIN. Que veux-tu dire avec ton «bê?» Entends-tu bêler
tes brebis? Je te parle pour t'aider, fais-y attention.

LE BERGER. Bê!

PATHELIN. Eh! Dis «oui» ou «non.» (*bas*) Voilà qui est bien.
Dis toujours! (*haut*) Allons, dis! 20

LE BERGER (*doucement*). Bê!

PATHELIN. Plus haut! Ou cela te coûtera cher, je le crains.

LE BERGER. Bê!

PATHELIN. Celui qui fait assigner un fou comme celui-là est
plus fou que lui. (*au juge*) Ah! monsieur le juge, renvoyez-le à 25
ses brebis. Il est fou de naissance.

LE DRAPIER. Il est fou? Par le Saint Sauveur! Il est bien plus
sain d'esprit que vous!

PATHELIN (*au juge*). Renvoyez-le garder ses bêtes, que jamais
on ne le revoie ici! Maudit soit celui qui assigne de tels fous en 30
justice ou qui les fait assigner!

LE DRAPIER. Est-ce qu'on le renverra sans que j'aie été entendu?

LE JUGE. Que Dieu m'aide! Puisqu'il est fou, oui. Pourquoi
pas?

LE DRAPIER. Hé là! monsieur le juge! Au moins, laissez-moi 35
présenter mon cas et faire mes conclusions. Je vous dis que ce ne
sont ni tromperies ni moqueries.

LE JUGE. C'est pure baliverne que de plaider pour ou contre des fous et des folles! Écoutez; pour couper court à tous ces bavardages, je vais lever la séance.

LE DRAPIER. S'en iront-ils sans obligation de revenir?

5 LE JUGE. Pourquoi pas?

PATHELIN. Il ne doit pas revenir? Vous n'avez jamais vu plus fou que lui, ni en acte ni en réponses (*montrant le drapier*). Et celui-ci ne vaut pas une once de mieux que l'autre; tous deux sont sans cervelle. Par la Sainte Vierge, ces deux hommes n'ont pas 10 un carat de cervelle à eux deux.[11]

LE DRAPIER. Vous l'avez emporté par fourberie et sans le payer, maître Pierre. Par la chair de Dieu! Pauvre de moi![12] Vous ne vous êtes pas conduit en honnête homme.

PATHELIN. Maintenant je renie Saint-Pierre de Rome[13] s'il 15 n'est pas fou fieffé ou en train de le devenir.

LE DRAPIER (*à Pathelin*). Je vous reconnais à votre voix, à votre robe et à votre visage. Je ne suis pas fou; je suis assez sain d'esprit pour reconnaître celui qui me fait du bien. (*au juge*) Je vais vous conter tout ce qui s'est passé, monsieur le juge, par 20 ma foi.

PATHELIN (*au juge*). Hé, monsieur le juge, imposez-lui silence! (*au drapier*) N'avez-vous pas honte de tant chicaner ce berger pour trois ou quatre brebis ou moutons de rien du tout, qui ne valent pas deux boutons! (*au juge*) Il nous en rebat les oreilles ...[14]

25 LE DRAPIER. Quels moutons? C'est une rengaine. C'est à vous que je parle cette fois, et vous me le rendrez, par le Dieu qui a voulu naître à Noël!

LE JUGE. Voyez-vous? Suis-je dans mon bon sens? Il ne cessera de crier aujourd'hui.

30 LE DRAPIER. Je lui demande ...

PATHELIN (*au juge*). Faites le taire! (*au drapier*) Eh! pour l'amour de Dieu, c'est trop de paroles. Supposons qu'il en ait assommé six ou sept, ou une douzaine, et qu'il les ait mangés par

---

[11] **ces deux hommes ... deux,** neither one of these men has a particle of common sense.
[12] **Pauvre de moi!** Poor me!
[13] **Saint-Pierre de Rome,** the great basilica of the Vatican in Rome.
[14] **Il nous en rebat les oreilles ...,** He dins it into our ears.

malchance; vous en êtes bien lésé! [15] Vous avez plus que gagné
depuis le temps qu'il les garde.

LE DRAPIER (*au juge*). Regardez, Monsieur le juge, regardez!
Je lui parle de draperie et il me répond de bergerie! (*à Pathelin*)
Les six aunes de drap que vous avez mises sous votre aisselle, où 5
sont-elles? Ne pensez-vous pas à me les rendre?

PATHELIN (*au drapier*). Ah! monsieur le juge, le ferez-vous
pendre pour six ou sept bêtes à laine? Au moins, reprenez votre
haleine. Ne soyez pas si sévère pour le pauvre berger qui souffre,
qui est nu comme un ver!   10

LE DRAPIER. C'est très bien changé de sujet! C'est bien le diable
qui m'a fait vendre mon drap à un tel acheteur. Voyons, monsieur
le juge, je lui demande ...

LE JUGE. Je l'absous de votre demande, et vous défends de
continuer. C'est un bel honneur que de plaider contre un fou! 15
(*au berger*) Retourne à tes bêtes.

LE BERGER. Bê!

LE JUGE (*au drapier*). Vous montrez bien qui vous êtes, monsieur, par la Sainte Vierge!

LE DRAPIER. Hé, mon Dieu, par mon âme, je lui veux ...   20

PATHELIN (*au juge*). Ne pourrait-il pas se taire?

LE DRAPIER (*se retournant vers Pathelin*). Et c'est à vous que
j'ai affaire. Vous m'avez trompé outrageusement; vous avez
emporté furtivement mon drap, avec vos belles paroles.

PATHELIN (*au juge*). Holà! J'en appelle à mon courage! Et 25
vous comprenez bien, monsieur le juge?

LE DRAPIER (*à Pathelin*). Dieu m'est témoin! Vous êtes le plus
grand trompeur ... (*au juge*) Monsieur le juge, il faut que je vous
dise ...

LE JUGE. C'est une vraie farce que vous faites tous les deux; 30
ce n'est que du bruit. Que Dieu m'aide! Je décide de m'en aller.
(*Il se lève, puis au berger*) Va-t-en, mon ami; ne reviens jamais
ici, même si un sergent t'assigne. La cour t'absout, tu entends
bien?

PATHELIN (*au berger*). Dis «merci» à Monsieur le juge.   35

LE BERGER. Bê!

---

[15] **vous en êtes bien lésé!** you certainly are the injured party!

LE JUGE (*au berger*). Je dis bien, va-t'en, ne t'inquiète pas. · C'est fini.

LE DRAPIER. Mais est-ce juste qu'il s'en aille ainsi?

LE JUGE (*quittant son tribunal*). Ah! j'ai à faire ailleurs. Vous
5 êtes vraiment de trop grands farceurs; vous ne me retiendrez plus ici. Je m'en vais. Voulez-vous souper avec moi, maître Pierre?

PATHELIN (*levant la main à sa mâchoire*). Je ne peux pas. (*Le juge s'en va*)

LE DRAPIER (*à voix basse*). Ah! que tu es donc voleur!

La Farce de Maître Pathelin, Scène VIII. Éd. R. Holbrook,
1924. Version modernisée par M. L. M. Hall

La Renaissance

[XVIᵉ siècle]

A la fin du XVᵉ siècle et au commencement du XVIᵉ, les guerres d'Italie et les grandes découvertes exercent une influence capitale sur le développement de la littérature, de l'art, et de la vie en général. Les Français prennent contact avec une civilisation florissante et, revenus en France, donnent des copies et adaptations de ce qu'ils ont vu: châteaux plus ouverts et riants, décorations plus fines. Le XVIᵉ siècle est à la fois une période de renouveau artistique et littéraire, et une période de désordres et de guerres civiles (1562–1598), au nom de la religion, provoquées par la Réforme de Luther et de Calvin. Les auteurs se tournent vers l'antiquité, s'intéressent surtout à «l'humanité» des Grecs et des Latins: *l'humanisme*. La curiosité, la soif de savoir, l'érudition caractérisent cette période.

Les érudits, comme Guillaume Budé (1468–1540), font des études critiques de textes anciens. En poésie, on se met à l'école de Pindare, d'Horace, de Virgile, de Pétrarque. Clément Marot (1496–1544), poète de cour, auteur des *Épîtres,* cultive le madrigal, l'épigramme. Les poètes de la Pléiade, dont Pierre de Ronsard (p. 23) est le chef, enrichissent leurs œuvres de grec et de latin et «illustrent» la langue; ils mettent à l'honneur le sonnet, l'ode. Joachim du Bellay (1522–1560) rédige le manifeste de la nouvelle école: *La Défense et illustration de la langue française* (1549).

En même temps qu'une révolution poétique s'opère, l'étude de l'homme se poursuit en prose chez un conteur et un moraliste, François Rabelais (p. 19). Dans les deux premiers volumes de son roman, *Gargantua et Pantagruel,* il nous raconte les exploits de ces deux géants avec une verve et une richesse verbale inconnues jusqu'alors. En même temps qu'il nous fait entendre le «rire

17

rabelaisien,» il satirise les institutions et les mœurs. Doué d'une soif énorme de savoir, d'une imagination créatrice étonnante, il exprime aussi la joie de vivre, un des éléments de la Renaissance. Ses idées sur l'éducation nous intéressent en ce qu'elles recommandent l'accumulation de connaissances. Michel de Montaigne (p. 26) est philosophe et moraliste, observateur perspicace, grand lecteur et voyageur. Il a laissé ses réflexions sur la vie, sur l'homme en général—qu'il associe à l'homme en particulier—dans les *Essais*. Il commence par le doute, sainement: «Que sais-je?» demande-t-il; ce doute est le commencement de la sagesse. Il s'observe lui-même. Il arrive à comprendre la relativité des choses, vraie source de bonheur et de paix pour l'homme, ainsi que la méditation solitaire. Quant à ses idées sur l'éducation, elles s'opposent à celles de Rabelais. Pour Montaigne, il vaut mieux une justesse de pensée qu'une tête bourrée de connaissances.

Le grand mouvement de la Réforme religieuse a été propagé par l'imprimerie, qui a permis de lire, d'étudier et de traduire la Bible. Jean Calvin (1509–1564) écrit *L'Institution de la religion chrétienne* (1536). Ce n'est qu'avec Henri IV, qui se convertit au catholicisme (1593) et promulgue l'Édit de Nantes, permettant la liberté du culte aux protestants (1598), que l'ordre est rétabli. Dans cette paix naîtra le classicisme du début du XVIIe siècle.

François Rabelais [1494?–1553],

*fils d'avocat, moine franciscain, puis bénédictin, est né
à Chinon. Il montre une soif insatiable de savoir, une
joie de vivre exubérante, mais en même temps il mène
une vie laborieuse de savant. Il étudie la médecine à
Paris, à Montpellier, l'exerce à Lyon. Il publie Pantagruel (1533), puis Gargantua (1534). Il continue par Le
Tiers livre (1546) et Le Quart livre (1552). On lui a
attribué un Cinquième livre (posthume, 1564). Cette
œuvre en cinq volumes est un vrai roman populaire
d'aventures, écrit avec une richesse verbale et une virtuosité dialectique extraordinaires. C'est un divertissement, mais c'est aussi l'expression d'une pensée, une
satire «gauloise» non seulement des travers et des abus
du seizième siècle, mais de la nature humaine en
général.*

Du Deuil que mena Gargantua de la mort de sa femme Badebec

Le bon géant Gargantua, roi d'un pays imaginaire, a un fils,
Pantagruel, si gigantesque lui aussi qu'il coûte la vie à sa
mère Badebec.

Quand Pantagruel fut né, qui fut bien ébahi et perplexe? Ce
fut Gargantua son père, car, voyant d'un côté sa femme Badebec
morte, et de l'autre son fils Pantagruel né, tant beau et tant grand,
ne savait que dire ni que faire, et le doute qui troublait son
entendement était à savoir s'il devait pleurer pour le deuil de 5
sa femme, ou rire pour la joie de son fils. ...

«Pleurerai-je? disait-il. Oui, car pourquoi? Ma tant bonne
femme est morte, qui était la plus ceci, la plus cela qui fût au
monde. Jamais je ne la verrai, jamais je n'en recouvrerai une telle;

ce m'est une perte inestimable. O mon Dieu! que t'avais-je fait
pour ainsi me punir? Que n'envoyas-tu la mort à moi premier qu'à
elle? car vivre sans elle ne m'est que de languir.[1] Ha! Badebec, ma
mignonne, m'amie ... ,[2] ma tendrette, ma savate,[3] ma pantoufle,
5 jamais je ne te verrai. Ha! pauvre Pantagruel, tu as perdu ta
bonne mère, ta douce nourrice, ta dame très aimée. Ha! fausse
mort, tant tu m'es malévole,[4] tant tu m'es outrageuse, de me tollir [5]
celle à laquelle immortalité appartenait de droit.»

Et, ce disant, pleurait comme une vache, mais tout soudain riait
10 comme un veau, quand Pantagruel lui venait en mémoire. «Ho!
mon petit fils, disait-il, mon peton, que tu es joli! et tant je suis
tenu à Dieu, de ce qu'il m'a donné un si beau fils, tant joyeux,
tant riant, tant joli. Ho, ho, ho, ho! que je suis aise! Buvons. Ho!
laissons toute mélancolie; apporte du meilleur,[6] rince les verres,
15 boute [7] la nappe, chasse ces chiens, souffle ce feu, allume la
chandelle, ferme cette porte, taille ces soupes,[8] envoie [9] ces pauvres,
baille [10]-leur ce qu'ils demandent, tiens ma robe que je me mette
en pourpoint pour mieux festoyer les commères!»

Ce disant, ouït la litanie et les mémentos [11] des prêtres qui
20 portaient sa femme en terre, dont laissa [12] son bon propos et tout
soudain fut ravi ailleurs,[13] disant: «Seigneur Dieu, faut-il que
je me contriste encore? Cela me fâche, je ne suis plus jeune, je
deviens vieux, le temps est dangereux, je pourrai prendre quelque
fièvre; me voilà affolé. Foi de gentilhomme, il vaut mieux pleurer
25 moins et boire davantage. Ma femme est morte, et bien, par Dieu,
da jurandi,[14] je ne la ressusciterai pas par mes pleurs. Elle est
bien; elle est en paradis pour le moins, si mieux n'est. Elle prie
Dieu pour nous; elle est bien heureuse; elle ne se soucie pas de

---

[1] ne m'est que de languir = ne me fait que languir, only makes me pine away.
[2] m'amie = mon amie.
[3] ma savate, worn-out shoe (an expression of endearment, like mon chou,
my little cabbage, mon chat, my little kitten, *etc.*
[4] malévole, unkind.   [5] tollir = enlever, to carry off.
[6] du meilleur = du meilleur vin
[7] boute: bouter is an old verb meaning pousser, to push; here it means "to
put."
[8] taille ces soupes, cut the bread to put into the soup.
[9] envoie = envoie chercher.   [10] baille = donne, give.
[11] mémentos m., prayers for the dead.
[12] dont laissa = à la suite de quoi laissa.
[13] fut ravi ailleurs, thought of something else.
[14] da jurandi *Lat.* may I swear.

nos misères et calamités. Autant nous en pend à l'œil.[15] Dieu garde le demeurant! [16] Il me faut penser d'en trouver une autre.»

Rabelais, *Pantagruel*, I, ch. 2, 1532.

Des Mœurs et conditions de Panurge

A l'Université de Paris où il étudie, Pantagruel se lie avec Panurge, garçon sympathique, boute-en-train et débrouillard, mais sans scrupules.

Panurge était de stature moyenne, ni trop grand, ni trop petit, et avait le nez un peu aquilin, fait à [1] manche de rasoir, et pour lors était de l'âge de trente et cinq [2] ans ou environ, fin à dorer comme 5 une dague de plomb,[3] bien galant homme de sa personne,[4] sinon qu'il était quelque peu paillard et sujet de nature à une maladie qu'on appelait en ce temps-là: «Faute d'argent, c'est douleur sans pareille» [5] (toutefois il avait soixante et trois manières d'en trouver à son besoin,[6] dont la plus honorable et la plus commune 10 était par façon de larcin furtivement fait), malfaisant, pipeur, buveur, batteur de pavés,[7] ribleur s'il en était en [8] Paris, au demeurant, le meilleur fils [9] du monde, et toujours machinait quelque chose contre les sergents et contre le guet.

A l'une fois, il assemblait trois ou quatre bons rustres, les 15 faisait boire comme Templiers [10] sur le soir, après les menait au-dessous de Sainte-Geneviève [11] ou auprès du Collège de Na-

---

[15] **Autant nous en pend à l'œil,** We can expect as much.
[16] **le demeurant = le reste,** those who are still living.
[1] **fait à = fait en,** made like.　　　　　[2] **trente et cinq = trente-cinq.**
[3] **fin à dorer comme une dague de plomb,** Two images are used here; one, **fin à dorer,** means intelligent, witty; the other, **fin comme une dague de plomb,** means very stupid. Rabelais combines the two images and gives us the impression that Panurge is stupid and sly at the same time.
[4] **bien galant homme de sa personne,** nice-looking chap.
[5] **c'est douleur sans pareille,** there is no similar grief.
[6] **à son besoin = quand il en avait besoin.**
[7] **batteur de pavés,** loafer (*lit.* one who pounds the pavement, tramps the streets).
[8] **en = à.**　　　　　[9] **fils,** fellow.
[10] **Templiers,** powerful military and religious order founded in 1118. The members became the bankers of the Popes and other important people. King Philippe le Bel (1268–1314) prosecuted them and seized their wealth. Accused of heresy and immorality, the order was suppressed in 1312.
[11] **au-dessous de Sainte-Geneviève,** below Montagne Sainte-Geneviève. La Montagne Sainte-Geneviève is near the Sorbonne and the Luxembourg gardens.

varre [12] et à l'heure que le guet montait par là (ce qu'il connaissait
en mettant son épée sur le pavé et l'oreille auprès, et lorsqu'il
oyait [13] son épée branler, c'était signe infaillible que le guet était
près), à l'heure donc, lui et ses compagnons prenaient un tombe-
5 reau et lui baillaient le branle,[14] le ruant de grande force contre
la vallée,[15] et ainsi mettaient tout le pauvre guet par terre comme
porcs, puis fuyaient de l'autre côté, car en moins de deux jours
il sut toutes les rues, ruelles et traverses de Paris comme son *Deus
det*.[16]

10   A l'autre fois, faisait en quelque belle place, par où ledit guet
devait passer, une traînée de poudre de canon, et à l'heure que [17]
passait, mettait le feu dedans, et puis prenait son passe-temps à
voir la bonne grâce qu'ils avaient en fuyant, pensant que le feu
saint Antoine [18] les tînt aux jambes.

15   Et au regard [19] des pauvres maîtres ès arts et théologiens, il les
persécutait sur tous autres. Quand il rencontrait quelqu'un d'entre
eux par [20] la rue, jamais ne faillait de leur faire quelque mal,
maintenant leur mettant un étron dedans leurs chaperons au bourrelet,[21] maintenant leur attachant de petites queues de renard ou
20 des oreilles de lièvres par derrière, ou quelque autre mal. ...

Et portait ordinairement un fouet sous sa robe, duquel [22] il
fouettait sans rémission les pages qu'il trouvait portant du vin à
leurs maîtres pour les avancer d'aller.[23]

Rabelais, *Pantagruel*, II, ch. 11, 1532.

[12] **Collège de Navarre,** founded in 1304 by the Queen of Navarre for poor
students, it was closed in 1792. The École Polytechnique, engineering and
military college, now occupies the site behind the Pantheon.
[13] **oyait,** *inf.* **ouir,** to hear.
[14] **lui baillaient le branle,** started it moving.
[15] **le ruant de grande force contre la vallée,** throwing it violently downward.
[16] **son Deus det: Deus det nobis suam pacem** (*Lat.*) **Dieu nous donne sa
paix,** very short prayer said at the end of meals.
[17] **que = qu'il.**
[18] **le feu Saint-Antoine,** ergotism, a disease caused by eating rye bread con-
taminated by ergot, a fungus.
[19] **au regard,** concerning.   [20] **par = dans.**
[21] **chaperons au bourrelet** m. wide, thick-edged hoods with hanging tails.
[22] **duquel = avec lequel.**
[23] **pour les avancer d'aller = pour les faire aller plus vite.**

Pierre de Ronsard [1524–1585]

est né au château de la Possonnière, près de Vendôme (au sud-ouest de Paris). Il devient page à la cour et visite l'Écosse. Il se plonge dans l'étude après être devenu demi-sourd à l'âge de vingt ans. Humaniste, il crée, avec des amis, un groupe littéraire, la Pléiade, qui se propose de renouveler la poésie française, de l'enrichir et de l'égaler au latin et au grec. Dans les Odes (*1550–1556*), *Ronsard s'inspire de l'antiquité de Pindare. Dans ses sonnets,* Les Amours (*1552–55–78*) *il s'inspire de Pétrarque. Ses* Églogues (*1560–64–67*) *sont des pièces de convention. Il s'essaie aussi à une épopée, inachevée,* La Franciade (*1572*), *et écrit les* Discours *sur les misères de ce temps* (*1562*). *Comme poète, il excelle par l'imagination, la sensibilité, la pureté et l'harmonie du style. Ses contemporains l'appelaient «le prince des poètes français.»*

————•————

Sur la Mort de Marie
[1578]

On n'est pas sûr de l'identité de cette jeune morte, mais la douleur du poète rend un ton si personnel et si profond qu'on ne peut s'empêcher de croire que, plutôt que l'aristocratique Marie de Clèves qu'il ne connaissait pas, la morte est Marie Dupin, gracieuse fille d'auberge de Touraine, qu'il aima.

Comme on voit sur la branche, au mois de mai, la rose,
En sa belle jeunesse, en sa première fleur,[1]
Rendre le ciel jaloux de sa vive couleur,
Quand l'aube de ses pleurs, au point du jour, l'arrose;

[1] **en sa première fleur,** in her first flowering.

23

La Grâce [2] dans sa feuille et l'Amour se repose,
Embaumant les jardins et les arbres d'odeur;
Mais, battue ou de pluie ou d'excessive ardeur,
Languissante, elle meurt, feuille à feuille déclose: [3]

Ainsi, en ta première et jeune nouveauté,
Quand la terre et le ciel honoraient ta beauté,
La Parque [4] t'a tuée, et cendre tu reposes.

Pour obsèques reçois mes larmes et mes pleurs,
Ce vase plein de lait, ce panier plein de fleurs,
Afin que, vif [5] et mort, ton corps ne soit que roses.

Ronsard, *Amours de Marie*, Seconde partie, 1578.

Élégie

Quand je suis vingt ou trente mois
Sans retourner en Vendômois
Plein de pensées vagabondes,
Plein d'un remords et d'un souci,
Aux rochers je me plains ainsi,
Aux bois, aux antres [1] et aux ondes.

Rochers, bien que vous soyez âgés
De trois mil ans, vous ne changez
Jamais ni d'état ni de forme:
Mais toujours ma jeunesse fuit,
Et la vieillesse qui me suit,
De jeune en vieillard me transforme.

Bois, bien que perdiez tous les ans,
En hiver vos cheveux mouvants,
L'an d'après qui se renouvelle
Renouvelle aussi votre chef:

[2] **La Grâce**, Beauty.   [3] **déclose**, opened up.
[4] **La Parque**, one of the infernal goddesses, messengers of death.
[5] **vif** = **vivant**.
[1] **antres**, caves, caverns.

Mais le mien ne peut derechef [2]
Ravoir sa perruque nouvelle.

Antres, je me suis vu chez vous
Avoir jadis verts les genoux,
Le corps habile et la main bonne:
Mais ores [3] j'ai le corps plus dur
Et les genoux, que n'est le mur
Qui froidement vous environne.

Ondes, sans fin vous promenez
Et vous menez et ramenez
Vos flots d'un cours qui ne séjourne:
Et moi sans faire long séjour,
Je m'en vais de nuit et de jour
Au lieu d'où plus on ne retourne.

Si est-ce que je ne voudrais
Avoir été rocher ou bois
Pour avoir la peau plus épaisse,
Et vaincre le temps emplumé: [4]
Car ainsi dur je n'eusse aimé
Toi qui m'as fait vieillir, Maîtresse.

Ronsard, *Odes,* IVe Livre, 1555.

[2] derechef, once more.   [3] ores, now.
[4] le temps emplumé, winged time.

Michel de Montaigne [1533–1592],

*moraliste, essayiste, est né au château de Montaigne,
dans le Périgord. A vingt-trois ans il devient conseiller
au tribunal des impôts indirects de Périgueux. En
1570, à l'âge de 37 ans, il se retire dans son château de
Montaigne. Il commence à composer les* Essais. *En
1580 paraissent les deux premiers livres. La même
année il part, pour des raisons de santé, faire un voyage
en Italie; il le raconte dans son* Journal, *publié en 1775.
A son retour il exerce les fonctions de maire de Bor-
deaux (1581–1585). Le troisième livre des* Essais *paraît
en 1588. Le meilleur de l'esprit français se trouve dans
les* Essais: *bonhomie, imprévu, fantaisie, esprit de mo-
dération et bon sens.*

———————

Montaigne jugé par lui-même

Je suis d'une taille un peu au-dessous de la moyenne. Ce défaut
n'a pas seulement de la laideur, mais encore de l'incommodité,
à ceux mêmement [1] qui ont des commandements et des charges,
car l'autorité que donne une belle présence et majesté corporelle
5 en est à dire [2] ... C'est un grand dépit qu'on s'adresse à vous parmi
vos gens pour vous demander «Où est Monsieur?» et que vous
n'ayez que le reste de la bonnetade [3] qu'on fait à votre barbier ou
à votre secrétaire. ... J'ai au demeurant la taille forte et ramassée;
le visage non pas gras, mais plein; la complexion [4] entre le jovial
10 et le mélancolique, moyennement sanguine et chaude; la santé,
forte et allègre, jusque bien avant en mon âge, rarement troublée
par les maladies. J'étais tel; car je ne me considère pas à cette

1 à ceux mêmement = pour ceux mêmes, especially for those.
2 en est à dire = y manque, is lacking.
3 la bonnetade = le salut du bonnet, polite tipping of the hat.
4 la complexion = le tempérament.

26

heure que je suis engagé dans les avenues de la vieillesse, ayant
piéça franchi les quarante ans; ce que je serai dorénavant, ce ne
sera plus qu'un demi-être; ce ne sera plus moi; je m'échappe tous
les jours et me dérobe à moi.

D'adresse et de disposition,[5] je n'en ai point eu; et si suis [6] fils [5]
d'un père dispos, et d'une allégresse qui lui dura jusques à son
extrême vieillesse. Il ne trouva guère homme de sa condition qui
s'égalât à lui en tout exercice de corps; comme je n'en ai trouvé
guère aucun qui ne me surmontât, sauf, au courir,[7] en quoi j'étais
des médiocres. De la musique, ni pour la voix, que j'y ai très [10]
inepte, ni pour les instruments, on ne m'y a jamais su rien apprendre. A la danse, à la paume, à la lutte, je n'y ai pu acquérir
qu'une bien fort légère et vulgaire suffisance; [8] à nager, à escrimer,[9]
à voltiger et à sauter, nulle du tout. Les mains, je les ai si gourdes
que je ne sais pas écrire seulement pour moi; de façon que, ce que [15]
j'ai barbouillé, j'aime mieux le refaire que de me donner la peine
de le démêler; et ne lis guère mieux; je me sens peser aux
écoutants: [10] autrement bon clerc.[11] Je ne sais pas clore à droit [12]
une lettre, ni ne sus jamais tailler plume, ni trancher à table qui
vaille,[13] ni équiper un cheval de son harnais, ni porter à point [20]
un oiseau [14] et le lâcher, ni parler aux chiens, aux oiseaux, aux
chevaux. Mes conditions corporelles sont, en somme, très bien
accordantes [15] à celles de l'âme! il n'y a rien d'allègre; il y a
seulement une vigueur pleine et ferme: je dure bien à la peine; [16]
mais j'y dure si je m'y porte moi-même, et autant que mon désir [25]
m'y conduit; autrement, si je n'y suis alléché par quelque plaisir,
et si j'ai autre guide que ma pure et libre volonté, je n'y vaux
rien: car j'en suis là que, sauf la santé et la vie, il n'est chose pour

[5] de disposition = d'agilité corporelle, of natural aptitude.
[6] si suis = cependant je suis, yet I am.
[7] au courir = à la course, in running.
[8] vulgaire suffisance, mediocre adequacy.
[9] à escrimer = à faire de l'escrime, in fencing.
[10] je me sens peser aux écoutants, I feel I bore my listeners.
[11] bon clerc = homme instruit, an educated man.
[12] clore à droit = clore adroitement, fold skilfully.
[13] trancher à table qui vaille = découper honorablement, carve decently at
the table.
[14] porter à point un oiseau, carry a falcon correctly. Certain texts give à poing,
sur le poing, on the fist.
[15] accordantes = en accord avec, in harmony with.
[16] je dure bien à la peine, I can stand hard work.

quoi je veuille ronger mes ongles, et que je veuille acheter au prix du tourment d'esprit et de la contrainte. Extrêmement oisif, extrêmement libre, et par nature et par art, je prêterais aussi volontiers mon sang que mon soin. J'ai une âme libre et toute 5 sienne, accoutumée à se conduire à sa mode: n'ayant eu, jusques à cette heure, ni commandant ni maître forcé,[17] j'ai marché aussi avant et le pas qu'il m'a plu. Cela m'a amolli et rendu inutile au service d'autrui et ne m'a fait bon qu'à moi ...

... Mon enfance a été conduite d'une façon molle et libre, et 10 exempte de sujétion rigoureuse. Tout cela m'a formé une complexion délicate et incapable de sollicitude, jusque là que [18] j'aime qu'on me cache mes pertes et les désordres qui me touchent ... J'aime à ne savoir pas le compte de ce que j'ai, pour sentir moins exactement ma perte; je prie ceux qui vivent avec moi, où l'affec-15 tion leur manque et les bons effets, de me piper et payer de bonnes apparences ...[19] A un danger je ne songe pas tant comment j'en échapperai que combien peu il importe que j'en échappe: quand j'y demeurerais, que serait-ce? [20] Ne pouvant régler les événements, je me règle moi-même, et m'applique à eux s'ils ne s'appliquent 20 à moi. ...

Le délibérer, voire ès [21] choses plus légères, m'importune, et sens mon esprit plus empêché à souffrir le branle et les secousses diverses du doute et de la consultation qu'à se rasseoir et résoudre à quelque parti que ce soit, après que la chance est livrée.[22] Peu 25 de passions m'ont troublé le sommeil; mais des délibérations, la moindre me le trouble. ... Aux événements, je me porte virilement; en la conduite, puérilement. L'horreur de la chute me donne plus de fièvre que le coup. Le jeu ne vaut pas la chandelle. ... La plus basse marche est la plus ferme: c'est le siège de la constance; vous 30 n'y avez besoin que de vous; elle se fonde là et appuie toute en soi. ...

Quant à l'ambition, qui est voisine de la présomption, ou fille plutôt, il eût fallu, pour m'avancer, que la fortune me fût venue

---

17 maître forcé, drillmaster.
18 jusque là que = jusqu'au point que, to such a degree that.
19 de bonnes apparences, with a show of decency.
20 que serait-ce? what does it matter?
21 voire ès = même dans, even in.
22 après que la chance est livrée = après que le sort en est jeté, after the die is cast.

quérir par le poing. Car, de me mettre en peine pour une espérance incertaine et me soumettre à toutes les difficultés qui accompagnent ceux qui cherchent à se pousser en crédit sur le commencement de leur progrès, je ne l'eusse su faire. Je m'attache
à ce que je vois et que je tiens, et ne m'éloigne guère du port. Je 5
suis d'avis que si ce qu'on a suffit à maintenir la condition en
laquelle on est né et dressé, c'est folie d'en lâcher la prise sur
l'incertitude de l'augmenter. ...

Les qualités mêmes qui sont en moi non reprochables, je les
trouvais inutiles en ce siècle. La facilité de mes mœurs, on l'eût 10
nommée lâcheté et faiblesse; la foi et la conscience s'y fussent
trouvées scrupuleuses et superstitieuses; la franchise et la liberté,
importune, inconsidérée et téméraire. A quelque chose sert le
malheur. Il fait bon naître en un siècle fort dépravé: car, par
comparaison d'autrui, vous êtes estimé vertueux à bon marché. 15
Qui n'est que parricide en nos jours et sacrilège, il est homme de
bien et d'honneur. Plutôt lairrais-je [23] rompre le col aux affaires [24]
que de tordre ma foi pour leur service. Car, quant à cette nouvelle
vertu de feintise et dissimulation, qui est à cette heure si fort en
crédit, je la hais capitalement; et de tous les vices, je n'en trouve 20
aucun qui témoigne tant de lâcheté et bassesse de cœur. C'est une
humeur couarde et servile de s'aller déguiser et cacher sous un
masque et de n'oser se faire voir tel qu'on est. Par là nos hommes
se dressent à la perfidie; étant duits [25] à produire des paroles
fausses, ils ne font pas conscience d'y manquer.[26] Un cœur 25
généreux ne doit point démentir ses pensées; il se veut faire voir
jusques au dedans; tout y est bon, ou au moins, tout y est
humain. ...

Il ne faut pas toujours dire tout, car ce serait sottise; mais ce
qu'on dit, il faut qu'il soit tel qu'on le pense, autrement, c'est 30
méchanceté. ... Mais, outre ce que [27] je suis ainsi fait, je n'ai pas
l'esprit assez souple pour gauchir [28] à une prompte demande et
pour en échapper par quelque détour, ni pour feindre une vérité,
ni assez de mémoire pour la retenir ainsi feinte, ni certes assez

[23] lairrais-je = laisserais-je.
[24] rompre le col aux affaires, let the business go to wrack and ruin.
[25] duits = menés, led.
[26] ils ne font pas conscience d'y manquer, they don't fail to do it.
[27] ce que = que.   [28] pour gauchir, to avoid.

d'assurance pour la maintenir, et fais le brave par faiblesse. Par quoi je m'abandonne à la naïveté et à toujours dire ce que je pense et par complexion et par dessein, laissant à la fortune d'en conduire l'événement.

Montaigne, *Essais*, II, 17, «De la Présomption,» 1580.

Le Classicisme

[XVIIe siècle]

L'étude de l'homme, le souci d'analyse, de psychologie, se poursuit et s'élargit au XVIIe siècle que l'on appelle «le Grand siècle,» ou «siècle de Louis XIV.» C'est avant tout un siècle d'observateurs de la nature humaine, de moralistes. Le bon goût s'impose, basé sur la raison et un idéal d'art qui vient de l'antiquité classique. L'individu est subordonné à la société, au gouvernement absolu du roi. La vie sociale, artistique, littéraire, politique, est réglée par les traditions, la bienséance. On étudie «l'homme en général,» et la raison sert de base à cette étude.

La philosophie. René Descartes (1596–1650) donne la base philosophique du classicisme dans son *Discours de la méthode* (1637), et s'affirme comme le fondateur de la philosophie rationaliste moderne. L'expérimentation, l'analyse, la synthèse, indiquent la voie à suivre, recommandent *l'ordre* dans la pensée. C'est l'esprit de géométrie, qui est aussi l'esprit classique de discipline intellectuelle.

La poésie. François de Malherbe (1555–1628) perfectionne la langue et l'harmonie, la cadence du vers. Pour la forme, il est sévère: logique de composition, des proportions, séparation rigide des genres ... Comme poète, il manque de vrai lyrisme, mais ses préceptes ont fait école. Vers 1620 se développe un genre appelé «préciosité»: affectation dans les manières, le goût, la langue. Les beaux esprits fréquentent des *salons* (Hôtel de Rambouillet), où l'on pousse jusqu'à l'artifice la recherche dans le langage. La préciosité a pourtant amené un raffinement général dans la langue et dans les mœurs. Poursuivant l'œuvre de Malherbe, Nicolas Boileau (1636–1711) dans son *Art poétique* (1674), établit les règles de la poésie classique et des genres littéraires. Il devient

31

le «législateur du Parnasse» et attaque, dans ses *Satires,* les auteurs
à la mode, qui pour lui ne sont pas dignes d'être pris comme
modèles. La Fontaine (p. 37) est le plus grand représentant de
la poésie lyrique du XVIIe siècle. Ses *Fables* sont «une comédie
à cent actes divers/Et dont la scène est l'univers.» Les fabulistes
et conteurs anciens lui ont fourni les sujets; il leur a donné une
grâce toute française. Chez lui, comme dans *Le Roman de
Renart,* les animaux représentent les hommes. La morale des
Fables est pratique. Leur poésie personnelle et leur caractère
dramatique en font la valeur.

LE THÉÂTRE. Le XVIIe siècle est le grand siècle de la littérature
dramatique. Trois noms dominent la scène: Corneille (p. 34) dont
les personnages sont pétris de logique et de raison, sont humains,
vaillants, héroïques même; placés entre l'amour et le devoir, ils
n'hésitent pas à préférer celui-ci. Racine (p. 52) a plus de fluidité
dans le vers. Ses héros, surtout ses héroïnes, sont dominés par leurs
passions. L'action, chez Corneille, est compliquée, chez Racine elle
est simple, mais poignante, parce que si vraie. Molière (p. 41), auteur comique, fin observateur des travers et des ridicules humains, a
porté très haut la comédie d'intrigue, de mœurs et surtout de
caractère. Il s'inspire de la comédie italienne pour les situations
et l'élément de farce. Dans *Le Misanthrope* (1666) et *Tartuffe*
(1669), il a atteint le sommet de son art.

LES MORALISTES. Le XVIIe siècle est un siècle de moralistes et
de penseurs. Un des plus grands est Pascal (p. 49). Il veut prouver
la nécessité de croire en Dieu, et dans ses *Pensées* (1670) il est un
défenseur logique et passionné de la religion chrétienne. Ses
réflexions sur l'homme et sa place dans l'univers sont parmi les
plus belles, au point de vue du style et de la pensée. C'est un
grand poète en prose. La Rochefoucauld (1613–1680), dans ses
Maximes (1665), voit la société et les relations entre les hommes
d'un point de vue cynique: «Les vertus se perdent dans l'intérêt
comme les fleuves se perdent dans la mer.» Observateur très fin,
il a le talent de condenser une idée en quelques mots forts et
bien choisis. De son observation des hommes, La Bruyère (p. 58)
tire des portraits exacts et vivants (*Caractères,* 1688). Comme
Molière, il nous présente des «types» généraux. Pour l'éloquence
religieuse, citons le puissant et orthodoxe Bossuet (1627–1704)

avec ses sermons et ses oraisons funèbres. L'art épistolaire est représenté par les *Lettres* de Madame de Sévigné (1626–1696), dont la fraîcheur de style et d'imagination rendent frappants les détails sur les mœurs du XVIIe siècle. Sa cousine, Madame de La Fayette (1634–1693), donne le premier roman psychologique français, *La Princesse de Clèves* (1678). Les *Mémoires* de Saint-Simon (1675–1755) racontent aussi d'une façon vivante, mais plus incisive, mille incidents de la vie à la cour de Versailles.

Le dix-septième siècle s'achève sur des guerres ruineuses d'où la monarchie absolue sortira affaiblie, incapable d'arrêter la marche des idées démocratiques.

Pierre Corneille [1606–1684]

*est né à Rouen. Il devient avocat et compose des comé-
dies romanesques en vers:* Mélite *(1629),* La Place
Royale *(1634),* L'Illusion comique *(1636) qui ont du
succès à Paris où il s'installe. Passant brusquement au
style tragique et héroïque, il donne* Le Cid *(1636) qui
est la première grande tragédie française. Elle est suivie
d'autres chefs-d'œuvre:* Horace, Cinna *(1640),* Poly-
eucte *(1643),* Nicomède *(1651) qui exaltent «la
gloire,» la victoire de la volonté et du devoir sur
l'amour, et une comédie,* Le Menteur *(1643).*

Rodrigue provoque le Comte en duel

L'action se passe à Séville, en Espagne. Chimène, fille de Don
Gomès, aime Rodrigue, fils de Don Diègue. Celui-ci est
nommé précepteur du fils du roi. Don Gomès, qui convoitait
le poste, soufflette Don Diègue après l'avoir insulté. Don
Diègue, trop vieux pour tirer l'épée, supplie son fils de le
venger. Rodrigue hésite à sacrifier son amour, mais pour lui
l'honneur de la famille est plus important. Il va trouver l'in-
sulteur.

LE COMTE, DON RODRIGUE

DON RODRIGUE.   A moi,[1] Comte, deux mots.
LE COMTE.   Parle.
DON RODRIGUE.   Ote-moi d'un doute.[2]
          Connais-tu bien don Diègue?
LE COMTE.   Oui.
DON RODRIGUE.   Parlons bas; écoute.
     Sais-tu que ce vieillard fut la même vertu,[3]

---

[1] A moi, Listen.   [2] Ote-moi d'un doute, Put me right.
[3] la même vertu = la vertu même, virtue itself.

34

	La vaillance et l'honneur de son temps? le sais- tu?
LE COMTE.	Peut-être.
DON RODRIGUE.	Cette ardeur que dans les yeux je porte, Sais-tu que c'est son sang? le sais-tu?
LE COMTE.	Que m'importe?
DON RODRIGUE.	A quatre pas d'ici je te le fais savoir.
LE COMTE.	Jeune présomptueux!
DON RODRIGUE.	Parle sans t'émouvoir. Je suis jeune il est vrai; mais aux âmes bien nées La valeur n'attend point le nombre des années.
LE COMTE.	Te mesurer à moi! qui t'a rendu si vain, Toi qu'on n'a jamais vu les armes à la main?
DON RODRIGUE.	Mes pareils à deux fois ne se font point con- naître,[4] Et pour leurs coups d'essai veulent des coups de maître.
LE COMTE.	Sais-tu bien qui je suis?
DON RODRIGUE.	Oui; tout autre que moi Au seul bruit de ton nom pourrait trembler d'effroi. Les palmes [5] dont je vois ta tête si couverte Semblent porter écrit le destin de ma perte.[6] J'attaque en téméraire un bras toujours vain- queur; Mais j'aurai trop de force, ayant assez de cœur. A qui venge son père il n'est rien impossible.[7] Ton bras est invaincu, mais non pas invincible.
LE COMTE.	Ce grand cœur qui paraît aux discours que tu tiens Par tes yeux, chaque jour, se découvrait aux miens; Et croyant voir en toi l'honneur de la Castille, Mon âme avec plaisir te destinait ma fille. Je sais ta passion et suis ravi de voir

[4] **Mes pareils ... connaître,** Men like me don't need more than one battle (duel) to show their worth.

[5] **Les palmes,** The laurels (of your victories).   [6] **perte,** death.

[7] **rien impossible** = rien d'impossible.

Que tous ses mouvements cèdent à ton devoir;
Qu'ils n'ont point affaibli cette ardeur magna-
nime;
Que ta haute vertu répond à mon estime;
Et que, voulant pour gendre un cavalier parfait,
Je ne me trompais point au choix que j'avais
fait;
Mais je sens que pour toi ma pitié s'intéresse; [8]
J'admire ton courage, et je plains ta jeunesse.
Ne cherche point à faire un coup d'essai fatal;
Dispense ma valeur [9] d'un combat inégal;
Trop peu d'honneur pour moi suivrait cette
victoire:
A vaincre sans péril on triomphe sans gloire.
On te croirait toujours abattu sans effort;
Et j'aurais seulement le regret de ta mort.

DON RODRIGUE.　D'une indigne pitié ton audace est suivie:
Qui m'ose ôter l'honneur craint de m'ôter la vie?

LE COMTE.　Retire-toi d'ici.

DON RODRIGUE.　　　　　　　Marchons sans discourir.

LE COMTE.　Es-tu si las de vivre?

DON RODRIGUE.　　　　　　　As-tu peur de mourir?

LE COMTE.　Viens, tu fais ton devoir, et le fils dégénère
Qui survit un moment à l'honneur de son père.

Corneille, *Le Cid*, Acte II, scène 2, 1636.

[8] s'intéresse, is moved.
[9] **Dispense ma valeur,** Spare me (my courage).

Jean de La Fontaine [1621–1695]

Né à Château-Thierry, il mène à Paris une vie pares-
seuse et rêveuse sous la protection des riches. Il lit les
anciens fabulistes, les conteurs italiens de la Renais-
sance. Il écrit des Contes *(1664–1675). Ses* Fables, *pu-*
bliées en 1668, 1678 et 1694, sont surtout inspirées de
celles d'Ésope. Selon La Fontaine, le «corps» de la
fable est le récit, «l'âme» en est la moralité. Chaque
animal représente un vice ou un défaut humains; les
hommes y sont en général simples, naturels et bons.

―――――――――――

Le Savetier et le financier

Un Savetier chantait du matin jusqu'au soir;
    C'était merveilles [1] de le voir,
Merveilles de l'ouïr; il faisait des passages, [2]
    Plus content qu'aucun des sept sages. [3]
Son voisin, au contraire, étant tout cousu d'or, [4]
    Chantait peu, dormait moins encor;
    C'était un homme de finance.
Si, sur le point du jour, parfois il sommeillait,
Le Savetier alors en chantant l'éveillait;
    Et le Financier se plaignait
    Que les soins de la Providence
N'eussent pas au marché fait vendre le dormir [5]
    Comme le manger et le boire.
    En son hôtel il fait venir
Le chanteur, et lui dit: «Or çà, [6] sire Grégoire,

---

[1] **C'était merveilles,** It was marvelous.
[2] **passages,** trills.
[3] **sept sages,** The Seven Wise Men of Greece.
[4] **tout cousu d'or,** rolling in wealth (*lit.* lined, sewn with gold).
[5] **le dormir = le sommeil,** sleep.   [6] **Or çà,** Look here.

Que gagnez-vous par an?—Par an? Ma foi, Monsieur,[7]
    Dit, avec un ton rieur,
Le gaillard Savetier, ce n'est point ma manière
De compter de la sorte; et je n'entasse guère
Un jour sur l'autre: il suffit qu'à la fin
    J'attrape le bout de l'année; [8]
    Chaque jour amène son pain.»
—Eh bien, que gagnez-vous, dites-moi, par journée?
—Tantôt plus, tantôt moins: le mal est que toujours
(Et sans cela nos gains seraient assez honnêtes),
Le mal est que dans l'an s'entremêlent des jours
Qu'il faut chômer; on nous ruine en fêtes; [9]
L'une fait tort à l'autre; et Monsieur le curé
De quelque nouveau saint charge toujours son prône.[10]
Le Financier, riant de sa naïveté,
Lui dit: «Je vous veux mettre aujourd'hui sur le trône.
Prenez ces cent écus; gardez-les avec soin,
    Pour vous en servir au besoin.»
Le Savetier crut voir tout l'argent que la terre
    Avait, depuis plus de cent ans,
    Produit pour l'usage des gens.
Il retourne chez lui; dans sa cave il enserre
    L'argent, et sa joie à la fois.
    Plus de chant: il perdit la voix,
Du moment qu'il gagna ce qui cause nos peines,[11]
    Le sommeil quitta son logis;
    Il eut pour hôtes les soucis,
    Les soupçons, les alarmes vaines;
Tout le jour, il avait l'œil au guet; [12] et la nuit,
    Si quelque chat faisait du bruit,
Le chat prenait l'argent. A la fin le pauvre homme
S'en courut [13] chez celui qu'il ne réveillait plus:

---

[7] **Monsieur:** In the XVIIth century, the **r** in **Monsieur** was pronounced, so the word rhymed with **rieur.**

[8] **J'attrape le bout de l'année,** I make both ends meet.

[9] **on nous ruine en fêtes,** An excessive number of fast days prevented people from working.

[10] **prône,** (Sunday) sermon with announcements for the week.

[11] **peines,** *i.e.* money.   [12] **avait l'œil au guet,** kept a sharp lookout.

[13] **S'en courut = Courut.**

«Rendez-moi, lui dit-il, mes chansons et mon somme,
   Et reprenez vos cent écus.»

                              La Fontaine, *Fables*, VIII, 2, 1668.

Le Rat et l'éléphant

Se croire un personnage [1] est fort commun en France:
      On y fait l'homme d'importance,
      Et l'on n'est souvent qu'un bourgeois.
   C'est proprement le mal françois: [2]
La sotte vanité nous est particulière.
Les Espagnols [3] sont vains, mais d'une autre manière.
      Leur orgueil me semble, en un mot,
      Beaucoup plus fou, mais pas si sot.
      Donnons quelque image du nôtre,
      Qui sans doute en vaut bien un autre.[4]

Un Rat des plus petits voyait un Éléphant
Des plus gros, et raillait le marcher un peu lent
      De la bête de haut parage,
      Qui marchait à gros équipage.
      Sur l'animal à triple étage [5]
      Une sultane de renom,
      Son chien, son chat et sa guenon,
Son perroquet, sa vieille,[6] et toute sa maison,
      S'en allait [7] en pèlerinage.
      Le Rat s'étonnait que les gens
Fussent touchés [8] de voir cette pesante masse:
«Comme si d'occuper ou plus ou moins de place
Nous rendait, disait-il, plus ou moins importants!

---

[1] **Se croire un personnage,** To believe oneself important.
[2] **françois,** old spelling, rhymes with **bourgeois.**
[3] **Les Espagnols,** In France, in the XVIIth century, Spaniards were depicted on the stage as noisy and boasting.
[4] **un autre = un autre orgueil.**
[5] **à triple étage,** high-built, very big animal (*lit.* three-stories high).
[6] **sa vieille,** her old duenna.
[7] **S'en allait,** singular, as though **maison** alone were the subject.
[8] **touchés,** impressed.

Mais qu'admirez-vous tant en lui, vous autres hommes?
Serait-ce ce grand corps qui fait peur aux enfants?
Nous ne nous prisons pas,[9] tout petits que nous sommes,
    D'un grain moins [10] que les Éléphants.»
    Il en aurait dit davantage;
    Mais le Chat, sortant de sa cage,
    Lui fit voir, en moins d'un instant,
    Qu'un Rat n'est pas un Éléphant.

               La Fontaine, *Fables,* XV, 7, 1668.

[9] **prisons,** value.   [10] **D'un grain moins,** One little bit less.

Molière [1622–1673]

Jean-Baptiste Poquelin, qui prit le nom de Molière, né à Paris, fut auteur, acteur, et directeur de troupe. Après un long séjour en province avec une troupe d'acteurs, il s'installe à Paris et se met à écrire ses meilleures pièces: Les Précieuses ridicules *(1659), premier grand succès, puis les chefs-d'œuvre:* Le Misanthrope *(1666), modèle de la comédie classique;* L'Avare *(1668);* Tartuffe *(1669), satire du faux dévot;* Le Bourgeois gentilhomme *(1670);* Le Malade imaginaire *(1673). Molière fait rire les honnêtes gens par la satire des travers de l'humanité. Par son observation précise et son instinct psychologique, il crée des portraits saisissants et immortels dans leur généralité.*

Le Souper de L'Avare

Le vieil avare Harpagon se prépare à donner un souper en l'honneur de la jeune Mariane qu'il veut épouser, bien qu'elle aime son fils Cléante. Il contrarie aussi l'amour de sa fille, Élise, pour Valère, son intendant, et veut qu'elle épouse le vieil Anselme qui n'exige pas de dot. Harpagon donne des ordres à ses domestiques à propos du souper.

HARPAGON. Allons, venez çà tous, que je vous distribue mes ordres pour tantôt et règle à chacun son emploi! Approchez, dame Claude. Commençons par vous. (*Elle tient un balai.*) Bon, vous voilà les armes à la main. Je vous commets au soin de nettoyer partout, et surtout prenez garde de ne point frotter les meubles 5 trop fort, de peur de les user. Outre cela, je vous constitue, pendant le souper, au gouvernement [1] des bouteilles; et, s'il s'en écarte quelqu'une et qu'il se casse quelque chose, je m'en prendrai à vous et le rabattrai sur vos gages.

[1] je vous constitue ... au gouvernement, I put you in charge.

41

MAÎTRE JACQUES (*à part*).   Châtiment politique.[2]

HARPAGON.   Allez ... Vous, Brindavoine, et vous, La Merluche,
je vous établis dans la charge de rincer les verres et de donner à
boire, mais seulement lorsque l'on aura soif, et non pas selon la
5 coutume de certains impertinents de laquais, qui viennent provoquer les gens et les faire aviser de boire [3] lorsqu'on n'y songe
pas. Attendez qu'on vous en demande plus d'une fois, et vous
ressouvenez [4] de porter toujours beaucoup d'eau.

MAÎTRE JACQUES (*à part*).   Oui; le vin pur monte à la tête.

10   LA MERLUCHE.   Quitterons-nous nos siquenilles,[5] monsieur?

HARPAGON.   Oui, quand vous verrez venir les personnes; et
gardez bien de gâter vos habits.

BRINDAVOINE.   Vous savez bien, monsieur, qu'un des devants
de mon pourpoint est couvert d'une grande tache de l'huile de
15 la lampe.

LA MERLUCHE.   Et moi, monsieur, que j'ai mon haut-de-
chausses tout troué par derrière, et qu'on me voit, révérence
parler [6] ...

HARPAGON.   Paix! Rangez cela adroitement du côté de la
20 muraille, et présentez toujours le devant au monde. (*Harpagon
met son chapeau au-devant de son pourpoint pour montrer à
Brindavoine comment il doit faire pour cacher la tache d'huile.*)
Et vous, tenez toujours votre chapeau ainsi, lorsque vous servirez.
Pour vous, ma fille, vous aurez l'œil sur ce que l'on desservira, et
25 prendrez garde qu'il ne s'en fasse aucun dégât. Cela sied bien aux
filles. Mais cependant préparez-vous à bien recevoir ma maîtresse,[7]
qui vous doit venir visiter et vous mener avec elle à la foire.
Entendez-vous ce que je vous dis?

ÉLISE.   Oui, mon père.

30   HARPAGON.   Et vous, mon fils, le damoiseau, à qui j'ai la bonté
de pardonner l'histoire de tantôt,[8] ne vous allez pas aviser non
plus de lui faire mauvais visage.

---

[2] **châtiment politique,** just the right punishment.
[3] **les faire aviser de boire,** see that they drink.
[4] **vous ressouvenez = souvenez-vous,** remember.
[5] **siquenilles = souquenilles,** blouses, smocks.
[6] **révérence parler = sauf votre respect,** with all due respect.
[7] **ma maîtresse = ma fiancée.**
[8] **l'histoire de tantôt,** Cléante, needing money, went to a usurer, who turned
out to be his father.

CLÉANTE. Moi, mon père? mauvais visage? Et par quelle raison?

HARPAGON. Mon Dieu, nous savons le train [9] des enfants dont les pères se remarient, et de quel œil ils ont coutume de regarder ce qu'on appelle belle-mère. Mais, si vous souhaitez que je perde 5 le souvenir de votre dernière fredaine, je vous recommande surtout de régaler d'un bon visage [10] cette personne-là et de lui faire enfin tout le meilleur accueil qu'il vous sera possible.

CLÉANTE. A vous dire le vrai, mon père, je ne puis pas vous promettre d'être bien aise qu'elle devienne ma belle-mère. Je 10 mentirais si je vous le disais; mais pour ce qui est de la bien recevoir et de lui faire bon visage, je vous promets de vous obéir ponctuellement sur ce chapitre.

HARPAGON. Prenez-y garde au moins.

CLÉANTE. Vous verrez que vous n'aurez pas sujet de vous en 15 plaindre.

HARPAGON. Vous ferez sagement. Valère, aide-moi à ceci. Oh çà, maître Jacques, approchez-vous; je vous ai gardé pour le dernier.

MAÎTRE JACQUES. Est-ce à votre cocher, monsieur, ou bien à 20 votre cuisinier que vous voulez parler? car je suis l'un et l'autre.

HARPAGON. C'est à tous les deux.

MAÎTRE JACQUES. Mais à qui des deux le premier?

HARPAGON. Au cuisinier.   25

MAÎTRE JACQUES. Attendez donc, s'il vous plaît. (Il ôte sa casaque de cocher et paraît vêtu en cuisinier.)

HARPAGON. Quelle diantre de cérémonie est-ce là?

MAÎTRE JACQUES. Vous n'avez qu'à parler.

HARPAGON. Je me suis engagé, maître Jacques, à donner ce 30 soir à souper.

MAÎTRE JACQUES. Grande merveille!

HARPAGON. Dis-moi un peu, nous feras-tu bonne chère?

MAÎTRE JACQUES. Oui, si vous me donnez bien de l'argent.

HARPAGON. Que diable! toujours de l'argent! Il semble qu'ils 35 n'aient autre chose à dire: de l'argent, de l'argent, de l'argent!

---

[9] le train = la conduite, conduct.
[10] régaler d'un bon visage, show, present a pleasant face.

Ah! ils n'ont que ce mot à la bouche, de l'argent! Toujours parler d'argent! Voilà leur épée de chevet, ...[11] de l'argent!

VALÈRE.　Je n'ai jamais vu de réponse plus impertinente que celle-là. Voilà une belle merveille que de faire bonne chère avec
5 bien de l'argent! C'est une chose la plus aisée du monde, et il n'y a si pauvre esprit qui n'en fît bien autant, mais, pour agir en habile homme, il faut parler de faire bonne chère avec peu d'argent.

MAÎTRE JACQUES.　Bonne chère avec peu d'argent?

VALÈRE.　Oui.

10 MAÎTRE JACQUES.　Par ma foi, monsieur l'intendant, vous nous obligerez de nous faire voir ce secret, et de prendre mon office de cuisinier: aussi bien [12] vous mêlez-vous céans d'être le factoton.[13]

HARPAGON.　Taisez-vous. Qu'est-ce qu'il nous faudra?

MAÎTRE JACQUES.　Voilà monsieur votre intendant qui vous
15 fera bonne chère pour peu d'argent.

HARPAGON.　Haye! [14] Je veux que tu me répondes.

MAÎTRE JACQUES.　Combien serez-vous de gens à table?

HARPAGON.　Nous serons huit ou dix; mais il ne faut prendre que huit. Quand il y a à manger pour huit, il y en a bien pour dix.

20 VALÈRE.　Cela s'entend.

MAÎTRE JACQUES.　Eh bien, il faudra quatre grands potages et cinq assiettes. Potages ... Entrées ...

HARPAGON.　Que diable! voilà pour traiter toute une ville entière!

25 MAÎTRE JACQUES.　Rôt ...

HARPAGON (*en lui mettant la main sur la bouche*).　Ah! traître, tu manges tout mon bien!

MAÎTRE JACQUES.　Entremets ...

HARPAGON.　Encore?

30 VALÈRE.　Est-ce que vous avez envie de faire crever tout le monde? et monsieur a-t-il invité des gens pour les assassiner à force de mangeaille? Allez-vous-en lire un peu les préceptes de la santé, et demander aux médecins s'il y a rien de plus préjudiciable à l'homme que de manger avec excès.

35 HARPAGON.　Il a raison.

---

11 **Voilà leur épée de chevet,** It's their obsession.
12 **aussi bien** = donc, therefore, so.
13 **le factoton** = le factotum, Jack-of-all trades.
14 **Haye!** = Hé! Hey there!

VALÈRE. Apprenez, maître Jacques, vous et vos pareils, que c'est un coupe-gorge qu'une table remplie de trop de viandes; [15] que, pour se bien montrer ami de ceux que l'on invite, il faut que la frugalité règne dans les repas qu'on donne, et que, suivant le dire d'un ancien, *il faut manger pour vivre, et non pas vivre pour* [5] *manger.*

HARPAGON. Ah! que cela est bien dit! Approche, que je t'embrasse pour ce mot. Voilà la plus belle sentence que j'aie entendue de ma vie. *Il faut vivre pour manger, et non pas manger pour vi-* ... Non, ce n'est pas cela. Comment est-ce que tu dis? [10]

VALÈRE. *Qu'il faut manger pour vivre, et non pas vivre pour manger.*

HARPAGON. Oui. Entends-tu? Qui est le grand homme qui a dit cela?

VALÈRE. Je ne me souviens pas maintenant de son nom. [15]

HARPAGON. Souviens-toi de m'écrire ces mots. Je les veux faire graver en lettres d'or sur la cheminée de ma salle.[16]

VALÈRE. Je n'y manquerai pas. Et, pour votre souper, vous n'avez qu'à me laisser faire. Je réglerai tout cela comme il faut.

HARPAGON. Fais donc. [20]

MAÎTRE JACQUES. Tant mieux, j'en aurai moins de peine.

HARPAGON. Il faudra de ces choses dont on ne mange guère, et qui rassasient d'abord: quelque bon haricot [17] bien gras, avec quelque pâté en pot bien garni de marrons. Là, que cela foisonne.[18] [25]

VALÈRE. Reposez-vous sur moi.

HARPAGON. Maintenant, maître Jacques, il faut nettoyer mon carrosse.

MAÎTRE JACQUES. Attendez. Ceci s'adresse au cocher. (*Il remet sa casaque.*) Vous dites ... [30]

HARPAGON. Qu'il faut nettoyer mon carrosse, et tenir mes chevaux tout prêts pour conduire à la foire.

MAÎTRE JACQUES. Vos chevaux, monsieur? Ma foi, ils ne sont point du tout en état de marcher. Je ne vous dirai point qu'ils sont sur la litière: [19] les pauvres bêtes n'en ont point, et ce serait [35]

---

[15] viandes, food.   [16] salle = salle à manger.
[17] haricot = haricot de mouton, mutton stew.
[18] Là, que cela foisonne! Come now, let there be lots of it!
[19] la litière, stable litter; cheval sur la litière, sick horse.

fort mal parler; mais vous leur faites observer des jeûnes si
austères que ce ne sont plus rien que des idées ou des fantômes,
des façons de chevaux.[20]

HARPAGON.   Les voilà bien malades, ils ne font rien!

5   MAÎTRE JACQUES.   Et, pour ne faire rien, monsieur, est-ce qu'il
ne faut rien manger? Il leur vaudrait bien mieux, les pauvres
animaux, de travailler beaucoup, de manger de même. Cela me
fend le cœur de les voir ainsi exténués, car enfin j'ai une tendresse
pour mes chevaux, qu'il me semble que c'est moi-même, quand
10 je les vois pâtir; je m'ôte tous les jours pour eux les choses de la
bouche, et c'est être, monsieur, d'un naturel trop dur que de
n'avoir nulle pitié de son prochain.

HARPAGON.   Le travail ne sera pas grand d'aller jusqu'à la
foire.

15   MAÎTRE JACQUES.   Non, monsieur, je n'ai pas le courage de les
mener, et je me ferais conscience [21] de leur donner des coups de
fouet en l'état où ils sont. Comment voudriez-vous qu'ils traînas-
sent un carrosse? ils ne peuvent pas se traîner eux-mêmes!

VALÈRE.   Monsieur, j'obligerai le voisin le Picard [22] à se charger
20 de les conduire; aussi bien nous fera-t-il ici besoin [23] pour apprêter
le souper.

MAÎTRE JACQUES.   Soit. J'aime mieux encore qu'ils meurent
sous la main d'un autre que sous la mienne.

VALÈRE.   Maître Jacques fait bien le raisonnable.[24]

25   MAÎTRE JACQUES.   Monsieur l'intendant fait bien le nécessaire.[25]

HARPAGON.   Paix!

MAÎTRE JACQUES.   Monsieur, je ne saurais souffrir les flatteurs;
et je vois que ce qu'il en fait, que ses contrôles perpétuels sur le
30 pain et le vin, le bois, le sel et la chandelle, ne sont rien que pour
vous gratter [26] et vous faire sa cour. J'enrage de cela, et je suis
fâché tous les jours d'entendre ce qu'on dit de vous: car enfin je

---

[20] des façons de chevaux, horses in appearance only.
[21] je me ferais conscience, my conscience would bother me.
[22] le Picard, In the XVIIth century, a servant was often called by the name
of his native province.
[23] nous fera-t-il ici besoin, we will have need of him here.
[24] fait bien le raisonnable, argues reasonably.
[25] fait bien le nécessaire, pretends to be indispensable.
[26] pour vous gratter = pour vous passer la main dans le dos, to flatter you.

me sens pour vous de la tendresse, en dépit que j'en aie,[27] et, après mes chevaux, vous êtes la personne que j'aime le plus.

HARPAGON.   Pourrais-je savoir de vous, maître Jacques, ce que l'on dit de moi?

MAÎTRE JACQUES.   Oui, monsieur, si j'étais assuré que cela ne 5 vous fâchât point.

HARPAGON.   Non, en aucune façon.

MAÎTRE JACQUES.   Pardonnez-moi, je sais fort bien que je vous mettrais en colère.

HARPAGON.   Point du tout; au contraire, c'est me faire plaisir, 10 et je suis bien aise d'apprendre comme on parle de moi.

MAÎTRE JACQUES.   Monsieur, puisque vous le voulez, je vous dirai franchement qu'on se moque partout de vous; qu'on nous jette de tous côtés cent brocards [28] à votre sujet, et que l'on n'est point plus ravi que de vous tenir au cul et aux chausses [29] et de 15 faire sans cesse des contes de votre lésine. L'un dit que vous faites imprimer des almanachs particuliers où vous faites doubler les quatre-temps et les vigiles,[30] afin de profiter des jeûnes où vous obligez votre monde; [31] l'autre, que vous avez toujours une querelle toute prête à faire à vos valets dans le temps des étrennes 20 ou de leur sortie d'avec vous,[32] pour vous trouver une raison de ne leur donner rien. Celui-là conte qu'une fois vous fîtes assigner le chat d'un de vos voisins pour vous avoir mangé un reste d'un gigot de mouton; celui-ci, que l'on vous surprit une nuit en venant dérober vous-même l'avoine de vos chevaux, et que votre cocher, 25 qui était celui d'avant moi, vous donna dans l'obscurité je ne sais combien de coups de bâton dont vous ne voulûtes rien dire. Enfin voulez-vous que je vous dise? on ne saurait aller nulle part où l'on ne vous entende accommoder de toutes pièces.[33] Vous êtes la fable et la risée [34] de tout le monde, et jamais on ne parle de 30

---

[27] **en dépit que j'en aie,** in spite of everything.
[28] **jeter (lancer) cent brocards,** to say many nasty things.
[29] **tenir au cul et aux chausses = tenir la culotte et le derrière** (*lit.* to hold the pants and the rear), to make fun of.
[30] **les quatre-temps et les vigiles,** Ember days and Vigils are days set aside in a specified week in each of the four seasons.
[31] **monde = gens,** servants.
[32] **leur sortie d'avec vous,** when they leave your service.
[33] **accommoder de toutes pièces,** raked over the coals (*lit.* made fun of on every count).
[34] **la fable et la risée,** the laughing stock.

vous que sous les noms d'avare, de ladre, de vilain et de fesse-
mathieu.

HARPAGON (*en le battant*).   Vous êtes un sot, un maraud, un
coquin et un impudent.

5   MAÎTRE JACQUES.   Hé bien! ne l'avais-je pas deviné? Vous ne
m'avez pas voulu croire. Je vous l'avais bien dit que je vous
fâcherais de vous dire la vérité.

HARPAGON.   Apprenez à parler.[35]

Molière, *L'Avare,* Acte III, scène 1, 1668.

[35] **Apprenez à parler,** Hold your tongue. Watch what you're saying.

Blaise Pascal [1623–1662]

Né à Clermont-Ferrand, Blaise Pascal, sous l'influence
de son père, se consacre d'abord aux sciences où il
excelle (machine arithmétique, presse hydraulique);
ceci ne l'empêche pas de donner l'exemple d'une foi
mystique que la maladie renforce. Il écrit un pamphlet
violent, mais spirituel, contre les jésuites, Les Provinciales *(1656–1657), et surtout des réflexions religieuses*
destinées à convertir les incrédules, Les Pensées, *pu-*
bliées après sa mort (1670).

———•———

Disproportion de l'homme

Que[1] l'homme contemple donc la nature entière dans sa haute
et pleine majesté; qu'il éloigne sa vue des objets bas qui l'environ-
nent. Qu'il regarde cette éclatante lumière, mise comme une
lampe éternelle pour éclairer l'univers; que la terre lui paraisse
comme un point au prix du[2] vaste tour que cet astre décrit et 5
qu'il s'étonne de ce que ce vaste tour lui-même n'est qu'une pointe
très délicate à l'égard de celui que les astres qui roulent dans le
firmament embrassent.

Mais si notre vue s'arrête là, que l'imagination passe outre; elle
se lassera plutôt de concevoir, que la nature de fournir. Tout ce 10
monde visible n'est qu'un trait imperceptible dans l'ample sein
de la nature. Nulle idée n'en approche. Nous avons beau enfler
nos conceptions au-delà des espaces imaginables, nous n'enfantons
que des atomes, au prix de la réalité des choses. C'est une sphère
infinie dont le centre est partout, la circonférence nulle part. Enfin 15
c'est le plus grand caractère sensible de la toute-puissance de
Dieu, que notre imagination se perde dans cette pensée.

Que l'homme, étant revenu à soi, considère ce qu'il est au prix

[1] **Que, Let.**   [2] **au prix du,** in comparison with the.

49

de ce qui est; qu'il se regarde comme égaré dans ce canton détourné de la nature; et que, de ce petit cachot où il se trouve
logé, j'entends [3] l'univers, il apprenne à estimer la terre, les
royaumes, les villes et soi-même son juste prix. Qu'est-ce qu'un
5 homme dans l'infini?

Mais pour lui présenter un autre prodige aussi étonnant, qu'il
recherche dans ce qu'il connaît les choses les plus délicates. Qu'un
ciron [4] lui offre dans la petitesse de son corps des parties incom-
parablement plus petites, des jambes avec des jointures, des veines
10 dans ses jambes, du sang dans ses veines, des humeurs [5] dans ce
sang, des gouttes dans ses humeurs, des vapeurs dans ces gouttes;
que, divisant encore ces dernières choses, il épuise ses forces en
ces conceptions, et que le dernier objet où il peut arriver soit
maintenant celui de notre discours; il pensera peut-être que c'est
15 là l'extrême petitesse de la nature. Je veux lui faire voir là-dedans
un abîme nouveau. Je lui veux peindre non seulement l'univers
visible, mais l'immensité qu'on peut concevoir de la nature, dans
l'enceinte de ce raccourci [6] d'atome. Qu'il y voie une infinité
d'univers, dont chacun a son firmament, ses planètes, sa terre,
20 en la même proportion que le monde visible; dans cette terre,
des animaux et enfin des cirons, dans lesquels il retrouvera ce que
les premiers ont donné; et trouvant encore dans les autres la
même chose sans fin et sans repos, qu'il se perde dans ces merveilles, aussi étonnantes dans leur petitesse que les autres par leur
25 étendue; car qui n'admirera [7] que notre corps, qui tantôt n'était
pas perceptible dans l'univers, imperceptible lui-même dans le
sein du tout, soit à présent un colosse, un monde, ou plutôt un
tout, à l'égard du néant où l'on ne peut arriver?

Qui se considérera de la sorte s'effrayera de soi-même, et, se
30 considérant soutenu dans la masse [8] que la nature lui a donnée,
entre ces deux abîmes de l'infini et du néant, il tremblera dans
la vue de ces merveilles; et je crois que, sa curiosité se changeant
en admiration, il sera plus disposé à les contempler en silence
qu'à les rechercher avec présomption.

35 Car enfin, qu'est-ce que l'homme dans la nature? Un néant à

---

3 **j'entends,** I mean.   4 **ciron,** mite, the smallest of all insects.
5 **humeurs,** bodily fluids.   6 **raccourci,** abridgment.
7 **n'admirera,** will not wonder.   8 **la masse,** material form.

l'égard de l'infini, un tout à l'égard du néant, un milieu entre
rien et tout. Infiniment éloigné de comprendre les extrêmes, la
fin des choses et leur principe sont pour lui invinciblement cachés
dans un secret impénétrable, également incapable de voir le néant
d'où il est tiré, et l'infini où il est englouti.   5

Que fera-t-il donc, sinon d'apercevoir quelque apparence du
milieu des choses, dans un désespoir éternel de connaître ni leur
principe [9] ni leur fin? Toutes choses sont sorties du néant et
portées jusqu'à l'infini. Qui suivra ces étonnantes démarches?
L'auteur de ces merveilles les comprend. Tout autre ne le peut 10
faire. ...

Pascal, *Pensées*, Section II, 72, 1670.

[9] **principe**, fundamentals.

Jean Racine [1639–1699]

*appartient à une famille religieuse et bourgeoise de **La
Ferté-Milon**. Après de solides années d'études classiques
auprès des jansénistes de Port-Royal, il va dans le
monde, à Paris. Il fréquente les théâtres, a des aventures amoureuses, et se met à écrire des tragédies. Après
quelques échecs, il connaît le succès avec* Andromaque
(1667), Britannicus *(1669),* Iphigénie *(1674), et* Phèdre
*(1677) qui est son chef-d'œuvre. Les qualités de ses
pièces sont la simplicité de l'intrigue, la pureté et l'harmonie du style, la connaissance profonde du cœur
humain, du cœur féminin surtout, avec la passion violente et ses combats psychologiques. Racine est le
«classique par excellence.»*

Phèdre avoue son amour pour Hippolyte

Hippolyte, fils du roi d'Athènes, Thésée, et d'Antiope, reine
des Amazones, se prépare à partir à la recherche de son père,
dont on n'a pas de nouvelles. Il est aimé de la seconde femme
de Thésée, Phèdre, malade à cause de cet amour coupable.
Phèdre entre en scène, soutenue par sa nourrice et confidente
Œnone.

PHÈDRE. N'allons point plus avant. Demeurons, chère Œnone.
      Je ne me soutiens plus: ma force m'abandonne.
      Mes yeux sont éblouis du jour que je revoi,[1]
      Et mes genoux tremblants se dérobent sous moi.
      Hélas!   (*Elle s'assit.*)[2]

ŒNONE. Dieux tout-puissants, que nos pleurs vous apaisent!

PHÈDRE. Que ces vains ornements, que ces voiles me pèsent!
      Quelle importune main, en formant tous ces nœuds,

---

[1] que je revoi = que je revois.   [2] s'assit = s'assied.

A pris soin sur mon front d'assembler mes cheveux?
Tout m'afflige et me nuit, et conspire à me nuire.

ŒNONE.   Comme on voit tous ses vœux l'un l'autre se détruire!
Vous-même, condamnant vos injustes desseins,
Tantôt à vous parer vous excitiez nos mains;
Vous-même, rappelant votre force première,[3]
Vous vouliez vous montrer et revoir la lumière.
Vous la voyez, Madame; et prête à vous cacher,
Vous haïssez le jour que vous veniez chercher?

PHÈDRE.   Noble et brillant auteur d'une triste famille,[4]
Toi, dont ma mère osait se vanter d'être fille,
Qui peut-être rougis du trouble où tu me vois,
Soleil, je te viens voir pour la dernière fois.

ŒNONE.   Quoi? vous ne perdrez point cette cruelle envie?
Vous verrai-je toujours, renonçant à la vie,
Faire de votre mort les funestes apprêts?

PHÈDRE.   Dieux! que ne suis-je assise à l'ombre des forêts!
Quand pourrai-je, au travers d'une noble poussière,
Suivre de l'œil un char fuyant dans la carrière?

ŒNONE.   Quoi, Madame?

PHÈDRE.   Insensée, où suis-je? et qu'ai-je dit?
Où laissé-je égarer [5] mes vœux et mon esprit?
Je l'ai perdu: les Dieux m'en ont ravi l'usage.
Œnone, la rougeur me couvre le visage:
Je te laisse trop voir mes honteuses douleurs;
Et mes yeux, malgré moi, se remplissent de pleurs.

ŒNONE.   Ah! s'il vous faut rougir, rougissez d'un silence
Qui de vos maux encore aigrit la violence.
Rebelle à tous nos soins, sourde à tous nos discours,
Voulez-vous sans pitié [6] laisser finir vos jours?
Quelle fureur les borne au milieu de leur course?
Quel charme ou quel poison en a tari la source?
Les ombres par trois fois ont obscurci les cieux
Depuis que le sommeil n'est entré dans vos yeux,
Et le jour a trois fois chassé la nuit obscure
Depuis que votre corps languit sans nourriture.

---

[3] **première**, former.   [4] **d'une triste famille**, of a hapless race.
[5] **égarer** = **s'égarer**, wander, go astray.   [6] **sans pitié**, *i.e.* pour nous.

A [7] quel affreux dessein vous laissez-vous tenter?
De quel droit sur vous-même osez-vous attenter?
Vous offensez les Dieux auteurs de votre vie;
Vous trahissez l'époux à qui la foi vous lie;
Vous trahissez enfin vos enfants malheureux,
Que vous précipitez sous un joug rigoureux.
Songez qu'un même jour [8] leur ravira leur mère,
Et rendra l'espérance au fils de l'étrangère,
A ce fier ennemi de vous, de votre sang,
Ce fils qu'une Amazone [9] a porté dans son flanc,
Cet Hippolyte ...

PHÈDRE.   Ah, Dieux!

ŒNONE.   Ce reproche vous touche.

PHÈDRE.   Malheureuse, quel nom est sorti de ta bouche?

ŒNONE.   Hé bien! votre colère éclate avec raison:
J'aime à vous voir frémir à ce funeste nom.
Vivez donc. Que l'amour, le devoir vous excite: [10]
Vivez, ne souffrez pas que le fils d'une Scythe,[11]
Accablant vos enfants d'un empire odieux,
Commande au plus beau sang de la Grèce et des Dieux.
Mais ne différez point: chaque moment vous tue.
Réparez promptement votre force abattue,
Tandis que de vos jours, prêts à se consumer,
Le flambeau dure encore, et peut se rallumer.

PHÈDRE.   J'en ai trop prolongé la coupable durée.

ŒNONE.   Quoi? de quelques remords êtes-vous déchirée?
Quel crime a pu produire un trouble si pressant?
Vos mains n'ont point trempé dans le sang innocent?

PHÈDRE.   Grâces au ciel, mes mains ne sont point criminelles.
Plût aux Dieux que mon cœur fût innocent comme elles!

ŒNONE.   Et quel affreux projet avez-vous enfanté
Dont votre cœur encor doive être épouvanté?

PHÈDRE.   Je t'en ai dit assez. Épargne-moi le reste.

[7] A = Par.

[8] qu'un même jour = que le même jour, the day when you will commit suicide.

[9] Amazone, Antiope, queen of the Amazons.

[10] vous excite, urge you to live on. In the XVIIth century, the verb agreed with the last subject.

[11] Scythe, The Amazons came from Scythia, north of the Black Sea.

Je meurs, pour ne point faire un aveu si funeste.

ŒNONE.   Mourez donc, et gardez un silence inhumain;
Mais pour fermer vos yeux cherchez une autre main.
Quoiqu'il vous reste à peine une faible lumière,[12]
Mon âme chez les morts descendra la première.
Mille chemins ouverts y conduisent toujours,
Et ma juste douleur choisira les plus courts.
Cruelle, quand ma foi vous a-t-elle déçue?
Songez-vous qu'en naissant mes bras vous ont reçue?
Mon pays, mes enfants, pour vous j'ai tout quitté.
Réserviez-vous ce prix à ma fidélité?

PHÈDRE.   Quel fruit espères-tu de tant de violence?
Tu frémiras d'horreur si je romps le silence.

ŒNONE.   Et que me direz-vous qui ne cède, grands Dieux!
A l'horreur de vous voir expirer à mes yeux?

PHÈDRE.   Quand tu sauras mon crime, et le sort qui m'accable,
Je n'en mourrai pas moins, j'en mourrai plus coupable.

ŒNONE.   Madame, au nom des pleurs que pour vous j'ai versés,
Par vos faibles genoux que je tiens embrassés,
Délivrez mon esprit de ce funeste doute.

PHÈDRE.   Tu le veux. Lève-toi.

ŒNONE.   Parlez, je vous écoute.

PHÈDRE.   Ciel![13] que lui vais-je dire, et par où commencer?

ŒNONE.   Par de vaines frayeurs cessez de m'offenser.

PHÈDRE.   O haine de Vénus![14] O fatale colère!
Dans quels égarements l'amour jeta ma mère![15]

ŒNONE.   Oublions-les, Madame; et qu'à tout l'avenir
Un silence éternel cache ce souvenir.

PHÈDRE.   Ariane,[16] ma sœur, de quel amour blessée,
Vous mourûtes aux bords où vous fûtes laissée!

ŒNONE.   Que faites-vous, Madame? et quel mortel ennui

---

[12] **lumière**, inner light.   [13] **Ciel!** Good Heavens!

[14] **O haine de Vénus**, Venus, goddess of Beauty, hated Apollo and his descendants, because he had revealed to her husband, Vulcan, her love for Mars, the god of War.

[15] The misconduct of Pasiphaë, mother of Phaedra, came from her love for a bull.

[16] **Ariane**, Ariadne, eldest sister of Phaedra, fell in love with Theseus, to whom she gave the thread which enabled him to leave the Labyrinth after he had killed its occupant, the Minotaur. She then fled with him, but he abandoned her on the isle of Naxos.

	Contre tout votre sang vous anime aujourd'hui?
PHÈDRE.	Puisque Vénus le veut, de ce sang déplorable [17]
	Je péris la dernière et la plus misérable.
ŒNONE.	Aimez-vous?
PHÈDRE.	De l'amour j'ai toutes les fureurs.
ŒNONE.	Pour qui?
PHÈDRE.	Tu vas ouïr le comble des horreurs.
	J'aime ... A ce nom fatal, je tremble, je frissonne,
	J'aime ...
ŒNONE.	Qui?
PHÈDRE.	Tu connais ce fils de l'Amazone,
	Ce prince si longtemps par moi-même opprimé?
ŒNONE.	Hippolyte? Grands Dieux!
PHÈDRE.	C'est toi qui l'as nommé.
ŒNONE.	Juste ciel! tout mon sang dans mes veines se glace.
	O désespoir! ô crime! ô déplorable race!
	Voyage infortuné! Rivage malheureux!
	Fallait-il approcher de tes bords dangereux?
PHÈDRE.	Mon mal vient de plus loin. A peine au fils d'Égée [18]
	Sous les lois de l'hymen je m'étais engagée,
	Mon repos, mon bonheur semblait être affermi;
	Athènes me montra mon superbe ennemi.
	Je le vis, je rougis, je pâlis à sa vue;
	Un trouble s'éleva dans mon âme éperdue;
	Mes yeux ne voyaient plus, je ne pouvais parler;
	Je sentis tout mon corps et transir et brûler.
	Je reconnus Vénus et ses feux redoutables,
	D'un sang qu'elle poursuit tourments inévitables.
	Par des vœux assidus je crus les détourner:
	Je lui bâtis un temple, et pris soin de l'orner.
	De victimes moi-même à toute heure entourée,
	Je cherchais dans leurs flancs ma raison égarée.
	D'un incurable amour remèdes impuissants!
	En vain sur les autels ma main brûlait l'encens:
	Quand ma bouche implorait le nom de la Déesse,[19]

[17] de ce sang déplorable, of that wretched line (race, family).

[18] Égée, Aegeus, who believing his son to have been killed by the Minotaur, drowned himself in the sea which bears his name.

[19] la Déesse, Venus.

J'adorais Hippolyte; et le voyant sans cesse,
Même au pied des autels que je faisais fumer,
J'offrais tout à ce dieu que je n'osais nommer.
Je l'évitais partout. O comble de misère!
Mes yeux le retrouvaient dans les traits de son père.
Contre moi-même enfin j'osai me révolter:
J'excitai mon courage à le persécuter.
Pour bannir l'ennemi dont j'étais idolâtre,[20]
J'affectai les chagrins [21] d'une injuste marâtre;
Je pressai son exil,[22] et mes cris éternels
L'arrachèrent du sein et des bras paternels.
Je respirais, Œnone; et depuis son absence,
Mes jours moins agités coulaient dans l'innocence.
Soumise à mon époux, et cachant mes ennuis,
De son fatal hymen je cultivais les fruits.[23]
Vaines précautions! Cruelle destinée!
Par mon époux lui-même à Trézène [24] amenée,
J'ai revu l'ennemi que j'avais éloigné:
Ma blessure trop vive aussitôt a saigné.
Ce n'est plus une ardeur dans mes veines cachée:
C'est Vénus toute entière à sa proie attachée.
J'ai conçu pour mon crime une juste terreur;
J'ai pris la vie en haine, et ma flamme en horreur.
Je voulais en mourant prendre soin de ma gloire,
Et dérober au jour une flamme si noire:
Je n'ai pu soutenir tes larmes, tes combats;
Je t'ai tout avoué; je ne m'en repens pas,
Pourvu que de ma mort respectant les approches,
Tu ne m'affliges plus par d'injustes reproches,
Et que tes vains secours cessent de rappeler
Un reste de chaleur tout prêt à s'exhaler.

Racine, *Phèdre*, Acte I, scène 3, 1677.

20 **idolâtre,** which I adored as one adores an idol.
21 **J'affectai les chagrins,** I assumed the moods and irritations.
22 **Je pressai son exil,** I hastened his exile.
23 **je cultivais les fruits,** I raised the children.
24 **Trézène,** Troezen, city of ancient Greece.

Jean de La Bruyère [1645–1696],

essayiste et moraliste, est né à Paris. Après des études de droit, il devient précepteur du petit-fils du Grand Condé au château de Chantilly. Il traduit Théophraste, moraliste grec (372–287 av. J.-C.), auteur des Caractères. *Il y mêle des maximes et réflexions variées et piquantes. Il publie le tout sous le titre de* Caractères de Théophraste, traduits du grec, avec les caractères et les mœurs de ce siècle *(1688).*

Le Diseur de nouvelles

Arrias a tout lu, a tout vu, il veut le persuader ainsi; [1] c'est un homme universel, et il se donne pour tel; il aime mieux mentir que de se taire ou de paraître ignorer quelque chose. On parle à la table d'un grand d'une cour du Nord: il prend la parole et l'ôte
5 à ceux qui allaient dire ce qu'ils en savent; il s'oriente dans cette région lointaine comme s'il en était originaire; il discourt des mœurs de cette cour, des femmes du pays, de ses lois et de ses coutumes; il récite des historiettes qui y sont arrivées; il les trouve plaisantes, et il en rit le premier jusqu'à éclater. Quelqu'un se ha-
10 sarde de le contredire et lui prouve nettement qu'il dit des choses qui ne sont pas vraies. Arrias ne se trouble point, prend feu au contraire contre l'interrupteur. «Je n'avance, lui dit-il, je ne raconte rien que je ne sache d'original; je l'ai appris de *Séthon,* ambassadeur de France dans cette cour, revenu à Paris depuis
15 quelques jours, que je connais familièrement, que j'ai fort interrogé, et qui ne m'a caché aucune circonstance.» Il reprenait le fil de sa narration avec plus de confiance qu'il ne l'avait com-

---

[1] **il veut le persuader ainsi,** he wants people to believe it is so.

mencée, lorsque l'un des conviés lui dit: «C'est Séthon à qui vous
parlez, lui-même, et qui arrive de son ambassade.»

La Bruyère, *Caractères,* 1688.

Le Pauvre

Phédon a les yeux creux, le teint échauffé,[1] le corps sec et le visage
maigre: il dort peu, et d'un sommeil fort léger; il est abstrait,
rêveur, et il a, avec de l'esprit, l'air d'un stupide; il oublie de dire
ce qu'il sait, ou de parler d'événements qui lui sont connus; et
s'il le fait quelquefois, il s'en tire mal; il croit peser à[2] ceux à 5
qui il parle; il conte brièvement, mais froidement; il ne se fait
pas écouter, il ne fait point rire. Il applaudit, il sourit à ce que les
autres lui disent, il est de leur avis; il court, il vole pour leur
rendre de petits services; il est complaisant, flatteur, empressé. Il
est mystérieux sur ses affaires, quelquefois menteur; il est super- 10
stitieux, scrupuleux, timide. Il marche doucement et légèrement,
il semble craindre de fouler la terre; il marche les yeux baissés, et
il n'ose les lever sur ceux qui passent. Il n'est jamais du nombre de
ceux qui forment un cercle pour discourir; il se met derrière celui
qui parle, recueille furtivement ce qui se dit, et il se retire si on 15
le regarde. Il n'occupe point de lieu, il ne tient point de place;
il va les épaules serrées, le chapeau abaissé sur ses yeux pour
n'être point vu; il se replie et se renferme dans son manteau: il
n'y a point de rues ni de galeries si embarrassées et si remplies de
monde, où il ne trouve moyen de passer sans effort, et de se 20
couler sans être aperçu. Si on le prie de s'asseoir, il se met à peine
sur le bord d'un siège; il parle bas dans la conversation, et il
articule mal; libre[3] néanmoins sur les affaires publiques, chagrin
contre le siècle, médiocrement prévenu des[4] ministres et du
ministère. Il n'ouvre la bouche que pour répondre; il tousse, il se 25
mouche sous son chapeau; il crache presque sur soi, et il attend
qu'il soit seul pour éternuer, ou, si cela lui arrive, c'est à l'insu de
la compagnie; il n'en coûte à personne ni salut ni compliment.
Il est pauvre.

La Bruyère, *Caractères,* 1688.

[1] **le teint échauffé,** flushed.   [2] **il croit peser à,** he thinks he bores.
[3] **libre,** critical.   [4] **prévenu des,** prejudiced against.

Le Riche

Giton a le teint frais, le visage plein et les joues pendantes, l'œil
fixe et assuré, les épaules larges, l'estomac haut,[1] la démarche
ferme et délibérée. Il parle avec confiance; il fait répéter celui
qui l'entretient, et il ne goûte que médiocrement tout ce qu'il lui
5 dit. Il déploie un ample mouchoir, et se mouche avec grand bruit;
il crache fort loin, et il éternue fort haut. Il dort le jour, il dort
la nuit, et profondément; il ronfle en compagnie. Il occupe à table
et à la promenade plus de place qu'un autre; il tient le milieu [2]
en se promenant avec ses égaux; il s'arrête, et l'on s'arrête; il con-
10 tinue de marcher, et l'on marche; tous se règlent sur lui. Il interrompt, il redresse [3] ceux qui ont la parole; on ne l'interrompt
pas, on l'écoute aussi longtemps qu'il veut parler; on est de son
avis, on croit les nouvelles qu'il débite. S'il s'assied, vous le voyez
s'enfoncer dans un fauteuil, croiser les jambes l'une sur l'autre,
15 froncer le sourcil, abaisser son chapeau [4] sur ses yeux pour ne voir
personne, ou le relever ensuite, et découvrir son front par fierté
et par audace. Il est enjoué, grand rieur, impatient, présomptueux,
colère, libertin,[5] politique,[6] mystérieux sur les affaires du temps;
il se croit des talents et de l'esprit. Il est riche.

La Bruyère, *Caractères,* 1688.

[1] **l'estomac haut,** chest thrown out.
[2] **il tient le milieu,** he occupies the place of honor.
[3] **redresse,** corrects.
[4] **chapeau,** the custom was for the men to keep their hats on.
[5] **libertin,** free-thinker.   [6] **politique,** shrewd, diplomatic.

Le Siècle des Lumières

[XVIIIe siècle]

Le XVIIIe siècle voit s'accroître l'importance de «l'opinion publique.» Les «philosophes,» rationalistes et libres penseurs, critiquent les institutions et éveillent l'esprit critique par leurs discussions, essais, et traités de toutes sortes. L'idée de «progrès» et de justice sociale est à l'ordre du jour. Le XVIIe siècle s'était préoccupé du «général,» de «l'idéal»; le XVIIIe siècle s'intéresse aux idées pratiques et aux questions sociales, économiques et scientifiques. L'attaque contre l'ordre établi et la préparation intellectuelle et philosophique de la Révolution de 1789 sera menée par Montesquieu, Voltaire, Diderot et les Encyclopédistes.

Montesquieu (1689–1755) fait la critique des mœurs de son temps dans *Les Lettres persanes* (1721), celle des institutions politiques dans *L'Esprit des lois* (1748). Il étudie la forme des gouvernements et pose le principe de la séparation des pouvoirs. Pour lui, le gouvernement idéal est la monarchie constitutionnelle. Buffon (1707–1788), avec un grand nombre de collaborateurs, compose son *Histoire naturelle,* où se montrent l'esprit scientifique et l'attitude critique nouvelle; il fait preuve d'un souci d'observation exacte et écrit dans un style noble, clair et sobre: «Le style c'est l'homme même.»

Voltaire (p. 63) domine le XVIIIe siècle par son génie presque universel. Son œuvre est tour à tour celle d'un philosophe, poète, romancier, dramaturge, historien, pamphlétaire, épistolier. Avec un esprit vif, un style vigoureux et mordant, il se sert de son arme principale, l'ironie. Recherché et admiré par les grands, il est le centre de l'activité intellectuelle de l'Europe. Rousseau (p. 73) est le champion, plus vigoureux qu'élégant, de l'individu contre la société, du cœur contre la raison, et de la nature primitive et

libre contre les contraintes sociales. Il combat le scepticisme des
«philosophes»; pour lui l'homme est né bon mais la société le
déprave. *Les Confessions* sont un modèle du genre «épanche-
ment,» de l'étalage du «moi.» Par ses idées sur la liberté de
l'individu, par sa révolte contre les conventions, par sa préférence
donnée au cœur sur la raison, Rousseau annonce et prépare le
romantisme français du XIX⁰ siècle. Diderot (p. 81) dirige
L'Encyclopédie qui est un dictionnaire en même temps qu'un
énorme manuel de philosophie positiviste et révolutionnaire, où
le scepticisme à l'égard de l'ordre établi se manifeste hardiment.

LE THÉÂTRE. Au XVIIIᵉ siècle le théâtre est surtout représenté
par Marivaux (1688–1763), auteur du *Jeu de l'amour et du hasard*
(1730), comédie d'analyse raffinée et subtile de l'amour, le «marivaudage,» et par Beaumarchais (1732–1799) avec *Le Barbier de Séville* (1775) et *Le Mariage de Figaro* (1784), comédies d'intrigue
habiles, en même temps que satires spirituelles et hardies des
privilèges et abus de la noblesse.

LE ROMAN. Il est surtout sentimental et passionnel, à l'exception des courts romans satiriques de Voltaire. Mentionnons
l'Abbé Prévost (1697–1763) et son *Manon Lescaut* (1731), Ber-
nardin de Saint-Pierre (1737–1814), avec *Paul et Virginie* (1787),
et naturellement Rousseau avec *La Nouvelle Héloïse* (1761).

Ne quittons pas le XVIIIᵉ siècle sans au moins saluer au passage
le jeune poète André Chénier (1762–1794). Guillotiné pendant la
Révolution, il reste peut-être le seul vrai poète lyrique du siècle
par le sentiment et la grâce de l'expression. (Sa conception de la
poésie était: «Sur des pensers nouveaux faisons des vers antiques.»)

Voltaire [1694–1778],

de son vrai nom François-Marie Arouet, naît à Paris et a une jeunesse orageuse. Il est enfermé à la Bastille pendant un an à cause de ses poèmes satiriques sur le gouvernement de la Régence. Il se réfugie en Angleterre (1726–1729) pour laquelle il exprime son admiration dans les Lettres philosophiques *ou* Lettres anglaises *(1734). Il habite au château de Cirey, en Lorraine, puis à Paris. Il reste trois ans au château de Frédéric II de Prusse, Sans-Souci, à Potsdam. Il publie son* Siècle de Louis XIV *(1751). A partir de 1760 il vit à Ferney, près de Genève, où il tient sa «cour,» reçoit les grands personnages d'Europe, et lutte contre l'intolérance en se faisant, par ses écrits souvent clandestins, le défenseur des victimes des abus sociaux. C'est un auteur prolifique dans tous les genres: histoire; philosophie:* Dictionnaire philosophique *(1764); contes et romans:* Candide *(1759); critique littéraire:* Remarques sur les pensées de Pascal *(1728),* Commentaire sur Corneille *(1764); correspondance: plus de 10.000 lettres.*

Arrivée de Candide et de son valet Cacambo au pays d'Eldorado, et ce qu'ils y virent

Candide habite chez son oncle, le baron de Thunder-ten-tronckh, dans un château de Westphalie, avec la baronne, leur fille Cunégonde, et Pangloss, le précepteur. Celui-ci, grand optimiste, prétend que notre monde est «le meilleur des mondes possibles.» Candide est chassé du château à cause de ses attentions pour Cunégonde. Enrôlé de force dans l'armée bulgare, il s'échappe, s'enfuit en Hollande où il est recueilli par un anabaptiste, riche et vertueux commerçant.

63

Il retrouve Pangloss. Ils partent pour Lisbonne. Ils se trouvent au milieu d'un tremblement de terre. Ils sont arrêtés,
Pangloss est pendu, Candide est soigné par une vieille. Il
retrouve Cunégonde, la perd de nouveau, car il doit s'enfuir
en Argentine, puis au pays voisin des Oreillons qu'ils s'em-
pressent également de quitter.

Quand ils furent aux frontières des Oreillons: [1] «Vous voyez, dit
Cacambo à Candide, que cet hémisphère-ci ne vaut pas mieux que
l'autre; croyez-moi, retournons en Europe par le plus court
chemin.—Comment y retourner, dit Candide, et où aller? Si je
5 vais dans mon pays, les Bulgares et les Abares [2] y égorgent tout;
si je retourne en Portugal, j'y suis brûlé; si nous restons dans ce
pays-ci, nous risquons à tout moment d'être mis en broche. Mais
comment se résoudre à quitter la partie du monde que mademoiselle Cunégonde habite?—Tournons vers la Cayenne,[3] dit
10 Cacambo: nous y trouverons des Français qui vont par tout le
monde; ils pourront nous aider. Dieu aura peut-être pitié de
nous.»

Il n'était pas facile d'aller à la Cayenne: ils savaient bien à peu
près de quel côté il fallait marcher; mais des montagnes, des fleuves,
15 des précipices, des brigands, des sauvages, étaient partout de terribles obstacles. Leurs chevaux moururent de fatigue; leurs provisions furent consommées; ils se nourrirent un mois entier de fruits
sauvages, et se trouvèrent enfin auprès d'une petite rivière bordée
de cocotiers, qui soutinrent leur vie et leurs espérances.

20   Cacambo, qui donnait toujours d'aussi bons conseils que la
vieille,[4] dit à Candide: «Nous n'en pouvons plus, nous avons assez
marché; j'aperçois un canot vide sur le rivage, emplissons-le de
cocos, jetons-nous dans cette petite barque, laissons-nous aller au
courant; une rivière mène toujours à quelque endroit habité. Si
25 nous ne trouvons pas des choses agréables, nous trouverons du

---

[1] des Oreillons (*Sp.* Orejones), tribe of South American Indians. They were
called Big Ears because they were known to distend their ears with wooden
ornaments.

[2] Abares, Abarians, Asiatic race which occupied part of Austria. They were
defeated by Charlemagne in 804. Voltaire uses "Abares" as a synonym for
"French," and "Bulgares" as a synonym for "Prussians."

[3] la Cayenne, Cayenne, capital of French Guiana, located on the northeastern coast of South America.

[4] la vieille: Cunégonde's governess.

moins des choses nouvelles. —Allons, dit Candide, recommandons-
nous à la Providence.»

Ils voguèrent quelques lieues entre des bords, tantôt fleuris, tantôt
arides, tantôt unis, tantôt escarpés. La rivière s'élargissait toujours;
enfin elle se perdait sous une voûte de rochers épouvantables qui 5
s'élevaient jusqu'au ciel. Les deux voyageurs eurent la hardiesse
de s'abandonner aux flots sous cette voûte. Le fleuve, resserré en
cet endroit, les porta avec une rapidité et un bruit horribles. Au
bout de vingt-quatre heures ils revirent le jour; mais leur canot se
fracassa contre les écueils; il fallut se traîner de rocher en rocher 10
pendant une lieue entière; enfin ils découvrirent un horizon immense, bordé de montagnes inaccessibles. Le pays était cultivé
pour le plaisir comme pour le besoin; partout l'utile était agréable. Les chemins étaient couverts ou plutôt ornés de voitures
d'une forme et d'une matière brillante, portant des hommes et 15
des femmes d'une beauté singulière, traînés rapidement par de
gros moutons rouges [5] qui surpassaient en vitesse les plus beaux
chevaux d'Andalousie, de Tétuan et de Méquinez.[6]

«Voilà pourtant, dit Candide, un pays qui vaut mieux que la
Westphalie.» Il mit pied à terre avec Cacambo auprès du premier 20
village qu'il rencontra. Quelques enfants du village, couverts de
brocarts d'or tout déchirés, jouaient au palet à l'entrée du bourg;
nos deux hommes de l'autre monde s'amusèrent à les regarder:
leurs palets étaient d'assez larges pièces rondes, jaunes, rouges,
vertes, qui jetaient un éclat singulier. Il prit envie aux voyageurs 25
d'en ramasser quelques-uns; c'était de l'or, c'étaient des émeraudes,
des rubis, dont le moindre aurait été le plus grand ornement du
trône du Mogol.[7] «Sans doute, dit Cacambo, ces enfants sont les
fils du roi du pays qui jouent au petit palet.» Le magister du village parut dans [8] ce moment pour les faire rentrer à l'école. 30
«Voilà, dit Candide, le précepteur de la famille royale.»

Les petits gueux quittèrent aussitôt le jeu, en laissant à terre
leurs palets et tout ce qui avait servi à leurs divertissements.

---

[5] **moutons rouges,** *i.e.* alpacas, vicuñas, llamas.
[6] **d'Andalousie, de Tétuan et de Méquinez: Andalousie,** Andalusia, province of southern Spain, **Tétuan et Méquinez** (now Meknès), cities of Morocco.
[7] **Mogol,** Mogul, Genghis Khan, emperor of the Mongols (XIIIth century),
conquered Russia as far as the Dnieper River.
[8] **dans** = à.

Candide les ramasse, court au précepteur, et les lui présente humblement, lui faisant entendre par signes que leurs altesses royales avaient oublié leur or et leurs pierreries. Le magister du village, en souriant, les jeta par terre, regarda un moment la
5 figure de Candide avec beaucoup de surprise, et continua son chemin.

Les voyageurs ne manquèrent pas de ramasser l'or, les rubis et les émeraudes. «Où sommes-nous? s'écria Candide; il faut que les enfants des rois de ce pays soient bien élevés, puisqu'on leur
10 apprend à mépriser l'or et les pierreries.» Cacambo était aussi surpris que Candide. Ils approchèrent enfin de la première maison du village; elle était bâtie comme un palais d'Europe. Une foule de monde s'empressait à la porte, et encore plus dans le logis; une musique très agréable se faisait entendre, et une odeur délicieuse
15 de cuisine se faisait sentir. Cacambo s'approcha de la porte, et entendit qu'on parlait péruvien; c'était sa langue maternelle: car tout le monde sait que Cacambo était né au Tucuman,[9] dans un village où l'on ne connaissait que cette langue. «Je vous servirai d'interprète, dit-il à Candide; entrons, c'est ici un cabaret.»
20 Aussitôt deux garçons et deux filles de l'hôtellerie, vêtus de drap d'or, et les cheveux renoués avec des rubans, les invitent à se mettre à la table de l'hôte. On servit quatre potages garnis chacun de deux perroquets, un contour [10] bouilli qui pesait deux cents livres, deux singes rôtis d'un goût excellent, trois cents
25 colibris dans un plat, et six cents oiseaux-mouches dans un autre; des ragoûts exquis, des pâtisseries délicieuses; le tout dans des plats d'une espèce de cristal de roche. Les garçons et les filles de l'hôtellerie versaient plusieurs liqueurs faites de canne de sucre.

Les convives étaient pour la plupart des marchands et des
30 voituriers, tous d'une politesse extrême, qui firent quelques questions à Cacambo avec la discrétion la plus circonspecte, et qui répondirent aux siennes d'une manière à le satisfaire.

Quand le repas fut fini, Cacambo crut, ainsi que Candide, bien payer son écot en jetant sur la table de l'hôte deux de ces larges
35 pièces d'or qu'il avait ramassées; l'hôte et l'hôtesse éclatèrent de rire, et se tinrent longtemps les côtés. Enfin il se remirent. «Mes-

---

[9] **Tucuman,** Tucumán, province in northern Argentina.
[10] **un contour,** condor, large South American vulture.

sieurs, dit l'hôte, nous voyons bien que vous êtes des étrangers;
nous ne sommes pas accoutumés à en voir. Pardonnez-nous si nous
nous sommes mis à rire quand vous nous avez offert en paiement
les cailloux de nos grands chemins. Vous n'avez pas sans doute de
la monnaie du pays, mais il n'est pas nécessaire d'en avoir pour 5
dîner ici. Toutes les hôtelleries établies pour la commodité du
commerce sont payées par le gouvernement. Vous avez fait mauvaise chère ici, parce que c'est un pauvre village; mais partout
ailleurs vous serez reçus comme vous méritez de l'être.»

Cacambo expliquait à Candide tous les discours de l'hôte, et 10
Candide les écoutait avec la même admiration et le même égarement que son ami Cacambo les rendait. «Quel est donc ce pays,
disaient-ils l'un et l'autre, inconnu à tout le reste de la terre, et
où toute la nature est d'une espèce si différente de la nôtre? C'est
probablement le pays où tout va bien: [11] car il faut absolument 15
qu'il y en ait un de cette espèce. Et, quoi qu'en dît maître Pangloss,
je me suis souvent aperçu que tout allait assez mal en Westphalie.»

Ce qu'ils virent dans le pays d'Eldorado

Cacambo témoigna à son hôte toute sa curiosité; l'hôte lui dit:
«Je suis fort ignorant, et je m'en trouve bien; mais nous avons ici
un vieillard retiré de la cour, qui est le plus savant homme du 20
royaume et le plus communicatif.» Aussitôt il mène Cacambo chez
le vieillard. Candide ne jouait plus que le second personnage, et
accompagnait son valet.

Ils entrèrent dans une maison fort simple, car la porte n'était
que d'argent, et les lambris des appartements n'étaient que d'or, 25
mais travaillés avec tant de goût que les plus riches lambris ne
l'effaçaient pas. L'antichambre n'était à la vérité incrustée que
de rubis et d'émeraudes; mais l'ordre dans lequel tout était
arrangé réparait bien cette extrême simplicité.

Le vieillard reçut les deux étrangers sur un sofa matelassé de 30
plumes de colibri, et leur fit présenter des liqueurs dans des vases
de diamants; après quoi il satisfit à leur curiosité en ces termes:

[11] le pays où tout va bien, This episode in Candide's travrays a
Utopia, «le pays où tout est pour le mieux dans le meilleur des mondes.»

«Je suis âgé de cent soixante et douze ans, et j'ai appris de feu mon père, écuyer du roi, les étonnantes révolutions du Pérou dont il avait été témoin. Le royaume où nous sommes est l'ancienne patrie des Incas,[1] qui en sortirent très imprudemment pour aller
5 subjuguer une partie du monde, et qui furent enfin détruits par les Espagnols.

«Les princes de leur famille qui restèrent dans leur pays natal furent plus sages; ils ordonnèrent, du [2] consentement de la nation, qu'aucun habitant ne sortirait jamais de notre petit royaume;
10 et c'est ce qui nous a conservé notre innocence et notre félicité. Les Espagnols ont eu une connaissance confuse de ce pays, ils l'ont appelé *El Dorado,* et un Anglais, nommé le chevalier Raleigh,[3] en a même approché il y a environ cent années; mais, comme nous sommes entourés de rochers inabordables et de
15 précipices, nous avons toujours été jusqu'à présent à l'abri de la rapacité des nations de l'Europe, qui ont une fureur inconcevable pour les cailloux et pour la fange de notre terre, et qui, pour en avoir, nous tueraient tous jusqu'au dernier.»

La conversation fut longue; elle roula sur la forme du gouverne-
20 ment, sur les mœurs, sur les femmes, sur les spectacles publics, sur les arts. Enfin Candide, qui avait toujours le goût pour la métaphysique, fit demander par Cacambo si dans le pays il y avait une religion.

Le vieillard rougit un peu. «Comment donc! dit-il; en pouvez-
25 vous douter? Est-ce que vous nous prenez pour des ingrats?» Cacambo demanda humblement quelle était la religion d'El-dorado. Le vieillard rougit encore. «Est-ce qu'il peut y avoir deux religions? dit-il; nous avons, je crois, la religion de tout le monde; nous adorons Dieu du soir jusqu'au matin.—N'adorez-vous qu'un
30 seul Dieu? dit Cacambo, qui servait toujours d'interprète aux doutes de Candide.—Apparemment, dit le vieillard, qu'il n'y en a ni deux, ni trois, ni quatre. Je vous avoue que les gens de votre monde font des questions bien singulières.» Candide ne se lassait pas de faire interroger ce bon vieillard; il voulut savoir comment
35 on priait Dieu dans l'Eldorado. «Nous ne le prions point, dit le

---

[1] **Incas,** tribe which ruled Peru before the Spanish invasion (1533).
[2] **du** = avec le.
[3] **le chevalier Raleigh,** Sir Walter Raleigh (1552–1618) started in search of Guiana in 1595.

bon et respectable sage; nous n'avons rien à lui demander; il nous
a donné tout ce qu'il nous faut; nous le remercions sans cesse.»
Candide eut la curiosité de voir des prêtres; il fit demander où
ils étaient. Le bon vieillard sourit. «Mes amis, dit-il, nous sommes
tous prêtres; le roi et tous les chefs de famille chantent des canti- 5
ques d'actions de grâces 4 solennellement tous les matins; et cinq
ou six mille musiciens les accompagnent.—Quoi! vous n'avez
point de moines qui enseignent, qui disputent, qui gouvernent,
qui cabalent, et qui font brûler les gens qui ne sont pas de leur
avis?—Il faudrait que nous fussions fous, dit le vieillard; nous 10
sommes tous ici du même avis, et nous n'entendons pas ce que
vous voulez dire avec vos moines.»

Candide à tous ces discours demeurait en extase, et disait en
lui-même: «Ceci est bien différent de la Westphalie et du château
de monsieur le baron: si notre ami Pangloss avait vu Eldorado, 15
il n'aurait plus dit que le château de Thunder-ten-tronckh était
ce qu'il y avait de mieux sur la terre; il est certain qu'il faut
voyager.»

Après cette longue conversation, le bon vieillard fit atteler
un carrosse à six moutons, et donna douze de ses domestiques aux 20
deux voyageurs, pour les conduire à la cour. «Excusez-moi, leur
dit-il, si mon âge me prive de l'honneur de vous accompagner. Le
roi vous recevra d'une manière dont vous ne serez pas mécontents,
et vous pardonnerez sans doute aux usages du pays, s'il y en a
quelques-uns qui vous déplaisent.»   25

Candide et Cacambo montent en carrosse; les six moutons
volaient, et en moins de quatre heures on arriva au palais du roi,
situé à un bout de la capitale. Le portail était de deux cent vingt
pieds de haut et de cent de large; il est impossible d'exprimer
quelle en était la matière. On voit assez quelle supériorité prodi- 30
gieuse elle devait avoir sur ces cailloux et sur ce sable que nous
nommons *or* et *pierreries*.

Vingt belles filles de la garde reçurent Candide et Cacambo
à la descente du carrosse, les conduisirent aux bains, les vêtirent
de robes d'un tissu de duvet de colibri; après quoi les grands 35
officiers et les grandes officières de la Couronne les menèrent à
l'appartement de Sa Majesté, au milieu de deux files, chacune

---

4 **cantiques d'actions de grâces,** psalms of thanksgiving.

de mille musiciens, selon l'usage ordinaire. Quand ils approchèrent de la salle du trône, Cacambo demanda à un grand
officier comment il fallait s'y prendre pour saluer Sa Majesté: si
on se jetait à genoux ou ventre à terre; si on mettait les mains
5 sur la tête ou sur le derrière; si on léchait la poussière de la salle;
en un mot, quelle était la cérémonie. «L'usage, dit le grand
officier, est d'embrasser le roi et de le baiser des deux côtés.»
Candide et Cacambo sautèrent au cou de Sa Majesté, qui les
reçut avec toute la grâce imaginable et qui les pria poliment à
10 souper.

En attendant, on leur fit voir la ville, les édifices publics élevés
jusqu'aux nues, les marchés ornés de mille colonnes, les fontaines
d'eau de rose, celles de liqueurs de canne de sucre qui coulaient
continuellement dans de grandes places, pavées d'une espèce de
15 pierreries qui répandaient une odeur semblable à celle du girofle
et de la cannelle.

Candide demanda à voir la cour de justice, le parlement; on
lui dit qu'il n'y en avait point, et qu'on ne plaidait jamais. Il
s'informa s'il y avait des prisons et on lui dit que non. Ce qui le
20 surprit davantage, et qui lui fit le plus de plaisir, ce fut le palais
des sciences, dans lequel il vit une galerie de deux mille pas,
toute pleine d'instruments de mathématiques et de physique.

Après avoir parcouru, toute l'après-dînée,[5] à peu près la millième partie de la ville, on les ramena chez le roi. Candide se
25 mit à table entre Sa Majesté, son valet Cacambo et plusieurs
dames. Jamais on ne fit meilleure chère, et jamais on n'eut plus
d'esprit à souper qu'en eut Sa Majesté. Cacambo expliquait les
bons mots du roi à Candide, et quoique traduits, ils paraissaient
toujours des bons mots. De tout ce qui étonna Candide, ce n'était
30 pas ce qui l'étonna le moins.

Ils passèrent un mois dans cet hospice.[6] Candide ne cessait de
dire à Cacambo: «Il est vrai, mon ami, encore une fois, que le
château où je suis né ne vaut pas le pays où nous sommes; mais
enfin mademoiselle Cunégonde n'y est pas, et vous avez sans doute
35 quelque maîtresse en Europe. Si nous restons ici, nous n'y serons
que comme les autres; au lieu que si nous retournons dans notre

---

[5] **toute l'après-dînée** = **toute l'après-midi,** all afternoon.
[6] **cet hospice,** this hospitable place.

monde, seulement avec douze moutons chargés de cailloux d'El-
dorado, nous serons plus riches que tous les rois ensemble, nous
n'aurons plus d'inquisiteurs à craindre, et nous pourrons aisément
reprendre mademoiselle Cunégonde.»

Ce discours plut à Cacambo; on aime tant à courir,[7] à se faire 5
valoir chez les siens, à faire parade de ce qu'on a vu dans ses
voyages, que les deux heureux résolurent de ne plus l'être et
de demander leur congé à Sa Majesté.

«Vous faites une sottise, leur dit le roi; je sais bien que mon
pays est peu de chose; mais, quand on est passablement quelque 10
part, il faut y rester; je n'ai pas assurément le droit de retenir des
étrangers; c'est une tyrannie qui n'est ni dans nos mœurs, ni
dans nos lois: tous les hommes sont libres; partez quand vous
voudrez, mais la sortie est bien difficile. Il est impossible de remonter la rivière rapide sur laquelle vous êtes arrivés par miracle, 15
et qui court sous des voûtes de rochers. Les montagnes qui entourent tout mon royaume ont dix mille pieds de hauteur, et
sont droites comme des murailles: elles occupent chacune en
largeur un espace de plus de dix lieues; on ne peut en descendre
que par des précipices. Cependant, puisque vous voulez absolu- 20
ment partir, je vais donner ordre aux intendants des machines
d'en faire une qui puisse vous transporter commodément. Quand
on vous aura conduits au revers [8] des montagnes, personne ne
pourra vous accompagner: car mes sujets ont fait vœu de ne
jamais sortir de leur enceinte, et ils sont trop sages pour rompre 25
leur vœu. Demandez-moi d'ailleurs tout ce qu'il vous plaira.—
Nous ne demandons à Votre Majesté, dit Cacambo, que quelques
moutons chargés de vivres, de cailloux, et de la boue du pays.»
Le roi rit. «Je ne conçois pas, dit-il, quel goût vos gens d'Europe
ont pour notre boue jaune; mais emportez-en tant que vous 30
voudrez, et grand bien vous fasse.»

Il donna l'ordre sur-le-champ à ses ingénieurs de faire une
machine pour guinder ces deux hommes extraordinaires hors du
royaume.

Trois mille bons physiciens y travaillèrent; elle fut prête au 35
bout de quinze jours, et ne coûta pas plus de vingt millions de

---

[7] à courir = à courir le monde, to travel widely.
[8] au revers = sur l'autre versant, on the other side.

livres sterling, monnaie du pays. On mit sur la machine Candide
et Cacambo; il y avait deux grands moutons rouges sellés et
bridés pour leur servir de monture quand ils auraient franchi les
montagnes, vingt moutons de bât chargés de vivres, trente qui
5 portaient des présents de ce que le pays a de plus curieux, et
cinquante chargés d'or, de pierreries et de diamants. Le roi embrassa tendrement les deux vagabonds.

Ce fut un beau spectacle que leur départ, et la manière in-
génieuse dont ils furent hissés, eux et leurs moutons, au haut des
10 montagnes.

Les physiciens prirent congé d'eux après les avoir mis en sûreté,
et Candide n'eut plus d'autre désir et d'autre objet que d'aller
présenter ses moutons à mademoiselle Cunégonde.

«Nous avons, dit-il, de quoi payer le gouverneur de Buenos-
15 Aires, si mademoiselle Cunégonde peut être mise à prix. Marchons
vers la Cayenne, embarquons-nous, et nous verrons ensuite quel
royaume nous pourrons acheter.»

Voltaire, *Candide,* Ch. 17, 18, 1759.

Jean-Jacques Rousseau [1712–1778]

*naît à Genève. Orphelin de mère, il s'enfuit à seize
ans de cette ville protestante et, à Turin, se convertit
au catholicisme. Il vagabonde en Suisse, à Paris, vit
près de Chambéry, en Savoie, avec une charmante protectrice, Madame de Warens, s'instruit lui-même, étudie
la musique. Retournant à Paris, il se lie avec Diderot et
d'autres «philosophes.»* Son Discours sur les sciences
et les arts *(1750) soutient que ceux-ci corrompent les
mœurs. Il critique la vie sociale avec le* Discours sur
l'inégalité *(1755) et la* Lettre à d'Alembert sur les
spectacles *(1758). Dans un roman sentimental,* La Nouvelle Héloïse *(1761), il exalte la nature et la passion;
dans* Le Contrat social *(1762) il nous donne un traité
politique: et avec l'*Émile *(1762) il présente ses idées sur
l'éducation. Persécuté pour ses idées libérales, il se
réfugie en Angleterre, puis en Suisse. Revenu au protes-
tantisme, souffrant de la maladie de la persécution, il
écrit, pour se justifier,* Les Confessions *(1764–1770), des*
Dialogues *(1772–1776), et les* Rêveries d'un promeneur
solitaire *(1776–1778). Il meurt à Ermenonville, au nord
de Paris.*

------◆◆------

Les Confessions
[Livre Ier, 1712–1719]

Je forme une entreprise qui n'eut jamais d'exemple, et dont
l'exécution n'aura point d'imitateur. Je veux montrer à mes semblables un homme dans toute la vérité de la nature, et cet homme,
ce sera moi.

Moi seul. Je sens mon cœur, et je connais les hommes. Je ne
suis fait comme aucun de ceux que j'ai vus; j'ose croire n'être
fait comme aucun de ceux qui existent. Si je ne vaux pas mieux,
au moins je suis autre. Si la nature a bien ou mal fait de briser
5 le moule dans lequel elle m'a jeté, c'est ce dont on ne peut juger
qu'après m'avoir lu.

Que la trompette du jugement dernier sonne quand elle voudra,
je viendrai, ce livre à la main, me présenter devant le souverain
juge. Je dirai hautement: Voilà ce que j'ai fait, ce que j'ai pensé,
10 ce que je fus. J'ai dit le bien et le mal avec la même franchise. Je
n'ai rien tu de mauvais, rien ajouté de bon; et s'il m'est arrivé
d'employer quelque ornement indifférent, ce n'a jamais été que
pour remplir un vide occasionné par mon défaut de mémoire. J'ai
pu supposer vrai ce que je savais avoir pu l'être, jamais ce que
15 je savais être faux. Je me suis montré tel que je fus; méprisable
et vil quand je l'ai été, bon, généreux, sublime, quand je l'ai été:
j'ai dévoilé mon intérieur [1] tel que tu l'as vu toi-même, Être
éternel. Rassemble autour de moi l'innombrable foule de mes
semblables; qu'ils écoutent mes confessions, qu'ils gémissent de
20 mes indignités, qu'ils rougissent de mes misères. Que chacun
d'eux découvre à son tour son cœur au pied de ton trône avec
la même sincérité; et puis qu'un seul te dise, s'il l'ose: *Je fus
meilleur que cet homme-là.*

Je suis né à Genève en 1712, d'Isaac Rousseau, citoyen, et de
25 Suzanne Bernard, citoyenne. Un bien fort médiocre, à partager
entre quinze enfants, ayant réduit presque à rien la portion de
mon père, il n'avait pour subsister que son métier d'horloger, dans
lequel il était à la vérité fort habile. Ma mère, fille du ministre [2]
Bernard, était plus riche; elle avait de la sagesse et de la beauté.
30 Ce n'était pas sans peine que mon père l'avait obtenue. Leurs
amours avaient commencé presque avec leur vie; dès l'âge de
huit à neuf ans, ils se promenaient ensemble tous les soirs sur
la Treille; [3] à dix ans ils ne pouvaient plus se quitter. La sympathie, l'accord des âmes affermit en eux le sentiment qu'avait
35 produit l'habitude. Tous deux, nés tendres et sensibles, n'at-

---

[1] **intérieur** = **mon for intérieur,** my innermost thoughts.
[2] **ministre,** Protestant minister.
[3] **sur la Treille,** along **la Treille,** public promenade in Geneva.

tendaient que le moment de trouver dans un autre la même disposition, ou plutôt ce moment les attendait eux-mêmes, et chacun d'eux jeta son cœur dans le premier qui s'ouvrit pour le recevoir. Le sort, qui semblait contrarier leur passion, ne fit que l'animer. Le jeune amant, ne pouvant obtenir sa maîtresse, 5 se consumait de douleur; elle lui conseilla de voyager pour l'oublier. Il voyagea sans fruit, et revint plus amoureux que jamais. Il retrouva celle qu'il aimait tendre et fidèle. Après cette épreuve, il ne restait qu'à s'aimer toute la vie; ils le jurèrent; et le ciel bénit leur serment.   10

Gabriel Bernard, frère de ma mère, devint amoureux d'une des sœurs de mon père; mais elle ne consentit à épouser le frère qu'à condition que son frère épouserait la soeur. L'amour arrangea tout, et les deux mariages se firent le même jour. Ainsi mon oncle était le mari de ma tante, et leurs enfants furent double-15 ment mes cousins germains. Il en naquit un de part et d'autre au bout d'une année; ensuite il fallut encore se séparer.

Mon oncle Bernard était ingénieur; il alla servir dans l'Empire et en Hongrie sous le prince Eugène.[4] Il se distingua au siège et à la bataille de Belgrade.[5] Mon père, après la naissance de mon 20 frère unique, partit pour Constantinople, où il était appelé, et devint horloger du sérail. Durant son absence, la beauté de ma mère, son esprit, ses talents, lui attirèrent des hommages. M. de la Closure, résident de France,[6] fut des plus empressés à lui en offrir. Il fallait que sa passion fût vive, puisqu'au bout de trente 25 ans je l'ai vu s'attendrir en me parlant d'elle. Ma mère avait plus que de la vertu pour s'en défendre; elle aimait tendrement son mari. Elle le pressa de revenir; il quitta tout et revint. Je fus le triste fruit de ce retour. Dix mois après, je naquis infirme et malade. Je coûtai la vie à ma mère, et ma naissance fut le 30 premier de mes malheurs.

Je n'ai pas su comment mon père supporta cette peine, mais je sais qu'il ne s'en consola jamais. Il croyait la revoir en moi, sans pouvoir oublier que je la lui avais ôtée; jamais il ne m'embrassa

[4] le prince Eugène: Eugene of Savoy Carignan, Prince of Savoy (1662–1736), great general of the imperial armies.
[5] la bataille de Belgrade: Belgrade, now capital of Yugoslavia, where Prince Eugene defeated the Turks in 1717.
[6] résident de France, French diplomatic representative.

que je ne sentisse à ses soupirs, à ses convulsives étreintes, qu'un
regret amer se mêlait à ses caresses; elles n'en étaient que plus
tendres. Quand il me disait: Jean-Jacques, parlons de ta mère,
je lui disais: mon père, nous allons donc pleurer; et ce mot seul
5 lui tirait déjà des larmes. Ah! disait-il en gémissant, rends-la moi,
console-moi d'elle, remplis le vide qu'elle a laissé dans mon âme.
T'aimerais-je ainsi, si tu n'étais que mon fils? Quarante ans après
l'avoir perdue, il est mort dans les bras d'une seconde femme, mais
le nom de la première à la bouche, et son image au fond du cœur.

10   Tels furent les auteurs de mes jours. De tous les dons que le
ciel leur avait départis,[7] un coeur sensible est le seul qu'ils me
laissèrent; mais il avait fait leur bonheur, et fit tous les malheurs
de ma vie.

J'étais né presque mourant; on espérait peu de me conserver.
15 J'apportai le germe d'une incommodité que les ans ont renforcée,
et qui maintenant ne me donne quelquefois des relâches que
pour me laisser souffrir plus cruellement d'une autre façon. Une
sœur de mon père, fille aimable et sage, prit si grand soin de
moi, qu'elle me sauva. Au moment où j'écris ceci, elle est encore
20 en vie, soignant, à l'âge de quatre-vingts ans, un mari plus jeune
qu'elle, mais usé par la boisson. Chère tante, je vous pardonne
de m'avoir fait vivre, et je m'afflige de ne pouvoir vous rendre
à la fin de vos jours les tendres soins que vous m'avez prodigués
au commencement des miens! J'ai aussi ma mie [8] Jacqueline encore
25 vivante, saine et robuste. Les mains qui m'ouvrirent les yeux à
ma naissance pourront me les fermer à ma mort.

Je sentis avant de penser; c'est le sort commun de l'humanité.
Je l'éprouvai plus qu'un autre. J'ignore ce que je fis jusqu'à cinq
ou six ans. Je ne sais comment j'appris à lire; je ne me souviens
30 que de mes premières lectures et de leur effet sur moi; c'est le
temps d'où je date sans interruption la conscience de moi-même.
Ma mère avait laissé des romans; nous nous mîmes à les lire après
souper, mon père et moi. Il n'était question d'abord que de
m'exercer à la lecture par des livres amusants; mais bientôt
35 l'intérêt devint si vif, que nous lisions tour à tour sans relâche,
et passions les nuits à cette occupation. Nous ne pouvions jamais
quitter qu'à la fin du volume. Quelquefois mon père, entendant

---

7 **départis,** endowed, allotted.   8 **ma mie = ma nourrice,** my nurse.

le matin les hirondelles, disait tout honteux: Allons nous coucher;
je suis plus enfant que toi.

En peu de temps j'acquis, par cette dangereuse méthode, non
seulement une extrême facilité à lire et à m'entendre,[9] mais une
intelligence unique à mon âge sur les passions. Je n'avais aucune 5
idée des choses, que [10] tous les sentiments m'étaient déjà connus.
Je n'avais rien conçu, j'avais tout senti. Ces émotions confuses,
que j'éprouvai coup sur coup, n'altéraient point la raison que je
n'avais pas encore; mais elles m'en formèrent une d'une autre
trempe, et me donnèrent de la vie humaine des notions bizarres 10
et romanesques, dont l'expérience et la réflexion n'ont jamais bien
pu me guérir. ...

J'avais un frère plus âgé que moi de sept ans. Il apprenait la
profession de mon père. L'extrême affection qu'on avait pour moi
le faisait un peu négliger; et ce n'est pas cela que j'approuve. Son 15
éducation se sentit de cette négligence. Il prit le train du libertinage, même avant l'âge d'être un vrai libertin. On le mit chez
un autre maître, d'où il faisait des escapades comme il en avait
fait de la maison paternelle. Je ne le voyais presque point, à
peine puis-je dire avoir fait connaissance avec lui; mais je ne 20
laissais pas de l'aimer tendrement, et il m'aimait autant qu'un
polisson peut aimer quelque chose. Je me souviens qu'une fois
que mon père le châtiait rudement et avec colère, je me jetai
impétueusement entre eux deux, l'embrassant étroitement. Je le
couvris ainsi de mon corps, recevant les coups qui lui étaient 25
portés; et je m'obstinai si bien dans cette attitude, qu'il fallut enfin
que mon père lui fît grâce, soit désarmé par mes cris et mes larmes,
soit pour ne pas me maltraiter plus que lui. Enfin mon frère
tourna si mal, qu'il s'enfuit et disparut tout à fait. Quelque temps
après on sut qu'il était en Allemagne. Il n'écrivit pas une seule 30
fois. On n'a plus eu de ses nouvelles depuis ce temps-là; et voilà
comment je suis demeuré fils unique.

Si ce pauvre garçon fut élevé négligemment, il n'en fut pas
ainsi de son frère; et les enfants des rois ne sauraient être soignés
avec plus de zèle que je le fus durant mes premiers ans, idolâtré 35
de tout ce qui m'environnait, et toujours, ce qui est bien plus
rare, traité en enfant chéri, jamais en enfant gâté. Jamais une

---

[9] **m'entendre**, understand what I was reading.   [10] **que**, when already.

seule fois, jusqu'à ma sortie de la maison paternelle, on ne m'a
laissé courir seul dans la rue avec les autres enfants, jamais on
n'eut à réprimer en moi ni à satisfaire aucune de ces fantasques
humeurs qu'on impute à la nature, et qui naissent toutes de la
5 seule éducation. J'avais les défauts de mon âge; j'étais babillard,
gourmand, quelquefois menteur. J'aurais volé des fruits, des bon-
bons, de la mangeaille; mais jamais je n'ai pris plaisir à faire du
mal, du dégât, à charger les autres,[11] à tourmenter de pauvres
animaux. ... Voilà la courte et véridique histoire de tous mes mé-
10 faits enfantins.

   Comment serais-je devenu méchant, quand je n'avais sous les
yeux que des exemples de douceur, et autour de moi que les
meilleures gens du monde? Mon père, ma tante, ma mie, mes
parents, nos amis, nos voisins, tout ce qui m'environnait ne
15 m'obéissait pas à la vérité, mais m'aimait; et moi je les aimais de
même. Mes volontés étaient si peu excitées et si peu contrariées,
qu'il ne me venait pas dans l'esprit d'en avoir. Je puis jurer que
jusqu'à mon asservissement sous un maître, je n'ai pas su ce que
c'était qu'une fantaisie. Hors le temps que je passais à lire ou
20 écrire auprès de mon père, et celui où ma mie me menait
promener, j'étais toujours avec ma tante, à la voir broder, à
l'entendre chanter, assis ou debout à côté d'elle; et j'étais content.
Son enjouement, sa douceur, sa figure agréable, m'ont laissé de
si fortes impressions, que je vois encore son air, son regard, son
25 attitude; je me souviens de ses petits propos caressants; je dirais
comment elle était vêtue et coiffée, sans oublier les deux crochets
que ses cheveux noirs faisaient sur ses tempes, selon la mode de
ce temps-là.

   Je suis persuadé que je lui dois le goût ou plutôt la passion
30 pour la musique, qui ne s'est bien développé en moi que longtemps après. Elle savait une quantité prodigieuse d'airs et de
chansons qu'elle chantait avec un filet de voix fort douce. La
sérénité d'âme de cette excellente fille éloignait d'elle et de tout
ce qui l'environnait la rêverie et la tristesse. L'attrait que son chant
35 avait pour moi fut tel que, non seulement plusieurs de ses chansons
me sont toujours restées dans la mémoire, mais qu'il m'en revient
même, aujourd'hui que je l'ai perdue, qui, totalement oubliées

---

[11] **à charger les autres,** in accusing other people.

depuis mon enfance, se retracent à mesure que je vieillis, avec
un charme que je ne puis exprimer. Dirait-on que moi, vieux
radoteur, rongé de soucis et de peines, je me surprends quelquefois
à pleurer comme un enfant, en marmottant ces petits airs d'une
voix déjà cassée et tremblante? Il y en a un surtout qui m'est bien 5
revenu tout entier quant à l'air; mais la seconde moitié des paroles
s'est constamment refusée à tous mes efforts pour me la rappeler,
quoiqu'il m'en revienne confusément les rimes. Voici le commencement, et ce que j'ai pu me rappeler du reste:

> *Tircis,*[12] *je n'ose*   10
> *Écouter ton chalumeau* [13]
>   *Sous l'ormeau;*
> *Car on en cause*
> *Déjà dans notre hameau.*
> · · · · · · · · · · · · · · ·   15
> · · · · · · · · · · *un berger.*
> · · · · · · · · · · *s'engager*
> · · · · · · · · · · *sans danger;*
> *Et toujours l'épine est sous la rose.*[14]

Je cherche où est le charme attendrissant que mon cœur trouve 20
à cette chanson; c'est un caprice auquel je ne comprends rien;
mais il m'est de toute impossibilité de la chanter jusqu'à la fin
sans être arrêté par mes larmes. J'ai cent fois projeté d'écrire
à Paris pour faire chercher le reste des paroles, si tant est que
quelqu'un les connaisse encore. Mais je suis presque sûr que 25
le plaisir que je prends à me rappeler cet air s'évanouirait en
partie, si j'avais la preuve que d'autres que ma pauvre tante
Suson l'ont chanté.

[12] **Tircis,** name of a shepherd in Vergil's Seventh Eclogue.
[13] **chalumeau,** shepherd's pipe.
[14] **sous la rose,** Here is the song in its entirety:

> Tircis, je n'ose
> Écouter ton chalumeau
>   Sous l'ormeau;
> Car on en cause
> Déjà dans notre hameau.
>
>   Un cœur s'expose
> A trop s'engager
>   Avec un berger,
> Et toujours l'épine est sous la rose.

Telles furent les premières affections de mon entrée à la vie;
ainsi commençait à se former ou à se montrer en moi ce cœur à
la fois si fier et si tendre, ce caractère efféminé, mais pourtant
indomptable, qui, flottant toujours entre la faiblesse et le courage,
5 entre la mollesse et la vertu, m'a jusqu'au bout mis en contradic-
tion avec moi-même, et a fait que l'abstinence et la jouissance, le
plaisir et la sagesse, m'ont également échappé. ...

Rousseau, *Les Confessions*, Livre I, 1764–1770.

Denis Diderot [1713–1784],

*fils d'un coutelier de Langres, étudie à Paris et y mène une vie de bohème. Un libraire lui confie la direction de l'*Encyclopédie *(1751–1780), vaste publication imitée de la* Cyclopædia *de l'*Anglais Chambers. *Il s'entoure de brillants collaborateurs, comme d'Alembert, mais fait la plupart du travail, travail exact, brillant, courageux où la libre pensée se donne carrière. Il est critique d'art:* Salons *(1759–1779); romancier réaliste et lyrique:* La Religieuse *(1760),* Le Neveu de Rameau *(1762),* Jacques le fataliste *(1774); homme de théâtre qui a donné une bonne théorie du drame bourgeois et des exemples moins bons:* Le Fils naturel *(1757),* Le Père de famille *(1758). Il meurt à Paris, rue de Richelieu, presque en face de la maison où est mort Molière.*

———— • • ————

Les Amours du Marquis des Arcis et de Mme de La Pommeraye

Un valet, Jacques, grand buveur et fataliste, chevauche en compagnie de son maître. Les deux hommes s'arrêtent à l'auberge du Grand-Cerf dont l'hôtesse est bien bavarde. Elle leur raconte l'histoire suivante.

La passion de l'hôtesse pour les bêtes n'était pourtant pas sa passion dominante, comme on pourrait l'imaginer; c'était celle de parler. Plus on avait de plaisir et de patience à l'écouter, plus on avait de mérite; aussi ne se fit-elle pas prier pour reprendre l'histoire interrompue du mariage singulier; elle y mit seulement 5 pour condition que Jacques se tairait. Le maître promit du silence pour Jacques. Jacques s'étala nonchalamment dans un coin, les yeux fermés, son bonnet renfoncé sur ses oreilles et le dos à demi tourné à l'hôtesse. Le maître toussa, cracha, se moucha, tira sa montre, vit l'heure qu'il était, tira sa tabatière, frappa sur le couvercle, prit sa prise [1] de tabac; et l'hôtesse se mit en devoir de goûter le plaisir délicieux de pérorer.

5　L'hôtesse allait débuter, lorsqu'elle entendit sa chienne crier.

—Nanon, voyez donc à cette pauvre bête ... Cela me trouble, je ne sais plus où j'en étais.

JACQUES.　Vous n'avez encore rien dit.

L'HOTESSE.　Ces deux hommes avec lesquels j'étais en querelle 10 pour ma pauvre Nicole, lorsque vous êtes arrivé, monsieur ...

JACQUES.　Dites messieurs.

L'HOTESSE.　Et pourquoi?

JACQUES.　C'est qu'on nous a traités jusqu'à présent avec cette politesse, et que j'y suis fait. Mon maître m'appelle Jacques, les 15 autres, monsieur Jacques.

L'HOTESSE.　Je ne vous appelle ni Jacques, ni monsieur Jacques, je ne vous parle pas ... (*Madame? —Qu'est-ce?—La carte du numéro cinq. —Voyez sur le coin de la cheminée.*) Ces deux hommes sont bons gentilshommes; ils viennent de Paris et s'en vont à la 20 terre [2] du plus âgé.

JACQUES.　Qui sait cela?

L'HOTESSE.　Eux, qui le disent.

JACQUES.　Belle raison! ...

Le maître fit un signe à l'hôtesse, sur [3] lequel elle comprit que 25 Jacques avait la cervelle brouillée. L'hôtesse répondit au signe du maître par un mouvement compatissant des épaules, et ajouta: «A son âge! Cela est très fâcheux!»

JACQUES.　Très fâcheux de ne savoir jamais où l'on va.

L'HOTESSE.　Le plus âgé des deux s'appelle le marquis des Arcis. 30 C'était un homme de plaisir, très aimable, croyant peu à la vertu des femmes.

JACQUES.　Il avait raison.

L'HOTESSE.　Monsieur Jacques, vous m'interrompez.

JACQUES.　Madame l'hôtesse du *Grand-Cerf,* je ne vous parle 35 pas.

L'HOTESSE.　M. le Marquis en trouva pourtant une assez bizarre

---

[1] **prit sa prise,** took a pinch.
[2] **s'en vont à la terre,** are going to the estate.　　　　[3] **sur = par.**

pour lui tenir rigueur.[4] Elle s'appelait Mme de La Pommeraye. C'était une veuve qui avait des mœurs,[5] de la naissance, de la fortune et de la hauteur.[6] M. des Arcis rompit avec toutes ses connaissances, s'attacha uniquement à Mme de La Pommeraye, lui fit sa cour avec la plus grande assiduité, tâcha par tous les 5 sacrifices imaginables de lui prouver qu'il aimait, lui proposa même de l'épouser, mais cette femme avait été si malheureuse avec un premier mari, qu'elle ... (*Madame* —*Qu'est-ce?* —*La clé du coffre à l'avoine?* —*Voyez au clou, et si elle n'y est pas, voyez au coffre.*) qu'elle aurait mieux aimé s'exposer à toutes sortes de 10 malheurs qu'au danger d'un second mariage.

JACQUES. Ah! si cela avait été écrit là-haut!

L'HOTESSE. Cette femme vivait très retirée. Le marquis était un ancien ami de son mari; elle l'avait reçu, et elle continuait de le recevoir. Si on lui pardonnait son goût efféminé pour la 15 galanterie, c'était ce qu'on appelle un homme d'honneur. La poursuite constante du marquis, secondée de ses qualités personnelles, de sa jeunesse, de sa figure, des apparences de la passion la plus vraie, de la solitude, du penchant à la tendresse, en un mot, de tout ce qui nous livre à la séduction des hommes ... 20 (*Madame?* —*Qu'est-ce?* —*C'est le courrier.* —*Mettez-le à la chambre verte, et servez-le à l'ordinaire.*) [7] eut son effet, et Mme de La Pommeraye, contre elle-même, ayant exigé selon l'usage les serments les plus solennels, rendit heureux le marquis, qui aurait joui du sort le plus doux, s'il avait pu conserver pour sa maîtresse 25 les sentiments qu'il avait jurés et qu'on avait pour lui. Tenez, monsieur, il n'y a que les femmes qui sachent aimer; les hommes n'y entendent rien ... (*Madame?* —*Qu'est-ce?* —*Le frère-quêteur.* —*Donnez-lui douze sous pour ces messieurs qui sont ici, six sous pour moi, et qu'il aille dans les autres chambres.*) 30

Au bout de quelques années, le marquis commença à trouver la vie de Mme de La Pommeraye trop unie. Il lui proposa de se répandre dans la société: elle y consentit; à recevoir quelques femmes et quelques hommes: et elle y consentit; à avoir un dîner-souper: et elle y consentit. Peu à peu il passa un jour, deux jours 35

---

[4] **pour lui tenir rigueur** = **pour lui résister,** to resist his advances.
[5] **des mœurs,** high principles.   [6] **de la hauteur,** pride.
[7] **servez-le à l'ordinaire,** give him the usual fare (of the inn).

sans la voir; peu à peu il manqua au dîner-souper qu'il avait
arrangé; peu à peu il abrégea ses visites; il eut des affaires qui
l'appelaient: lorsqu'il arrivait, il disait un mot, s'étalait dans un
fauteuil, prenait une brochure, la jetait, parlait à son chien ou
5 s'endormait. Le soir, sa santé, qui devenait misérable, voulait
qu'il se retirât de bonne heure: c'était l'avis de Tronchin.[8] «C'est
un grand homme que Tronchin! Ma foi! je ne doute pas qu'il
ne tire d'affaire notre amie dont les autres désespéraient.» Et tout
en parlant ainsi, il prenait sa canne et son chapeau et s'en allait,
10 oubliant quelquefois de l'embrasser ... (*Madame?* —*Qu'est-ce?*
—*Le tonnelier.* —*Qu'il descende à la cave, et qu'il visite les
deux pièces de vin.*) Mme de La Pommeraye pressentit qu'elle
n'était plus aimée; il fallut s'en assurer, et voici comment elle s'y
prit ... (*Madame?* —*J'y vais, j'y vais.*)
15 L'hôtesse, fatiguée de ces interruptions, descendit, et prit
apparemment les moyens de les faire cesser.

L'HOTESSE. Un jour, après dîner, elle dit au marquis: «Mon
ami, vous rêvez.

—Vous rêvez aussi, marquise.
20 —Il est vrai, et même assez tristement.

—Qu'avez-vous?

—Rien.

—Cela n'est pas vrai. Allons, marquise, dit-il en bâillant,
racontez-moi cela; cela vous désennuiera et moi.
25 —Est-ce que vous vous ennuyez?

—Non; c'est qu'il y a des jours ...

—Où l'on s'ennuie.

—Vous vous trompez, mon amie; je vous jure que vous vous
trompez: c'est qu'en effet il y a des jours ... On ne sait à quoi cela
30 tient.

—Mon ami, il y a longtemps que je suis tentée de vous faire
une confidence; mais je crains de vous affliger.

—Vous pourriez m'affliger, vous?

—Peut-être; mais le ciel m'est témoin de mon innocence ...»
35 (*Madame? Madame? Madame?* —*Pour qui et pour quoi que ce
soit, je vous ai défendu de m'appeler; appelez mon mari.* —*Il est*

---

[8] **Tronchin,** famous Swiss doctor, friend of Voltaire.

absent.) Messieurs, je vous demande pardon, je suis à vous dans un moment.

Voilà l'hôtesse descendue, remontée et reprenant son récit:

—Cela s'est fait sans mon consentement, à mon insu, par une malédiction à laquelle toute l'espèce humaine est apparemment 5 assujettie, puisque moi, moi-même, je n'y ai pas échappé.

—Ah! c'est de vous ... Et avoir peur! ... De quoi s'agit-il?

—Marquis, il s'agit ... Je suis désolée; je vais vous désoler, et, tout bien considéré, il vaut mieux que je me taise.

—Non, mon amie, parlez; auriez-vous au fond de votre cœur 10 un secret pour moi? La première de nos conventions ne fut-elle pas que nos âmes s'ouvriraient l'une à l'autre sans réserve?

—Il est vrai, et voilà ce qui me pèse; c'est un reproche qui met le comble à un beaucoup plus important que je me fais. Est-ce que vous ne vous apercevez pas que je n'ai plus la même gaieté? 15 J'ai perdu l'appétit; je ne bois et je ne mange que par raison; je ne saurais dormir.[9] Nos sociétés les plus intimes me déplaisent. La nuit, je m'interroge et je me dis: Est-ce qu'il est moins aimable? Non. Auriez-vous à lui reprocher quelques liaisons suspectes? Non. Est-ce que sa tendresse pour vous est diminuée? Non. Pour- 20 quoi, votre ami étant le même, votre cœur est-il donc changé? car il l'est: vous ne pouvez vous le cacher; vous ne l'attendez plus avec la même impatience; vous n'avez plus le même plaisir à le voir; cette inquiétude quand il tardait à revenir; cette douce émotion au bruit de sa voiture, quand on l'annonçait, quand il 25 paraissait, vous ne l'éprouvez plus.

—Comment, madame!

Alors la marquise de La Pommeraye se couvrit les yeux de ses mains, pencha la tête et se tut un moment, après lequel elle ajouta: «Marquis, je me suis attendue à tout votre étonnement, 30 à toutes les choses amères que vous m'allez dire. Marquis! épargnez-moi ... Non, ne m'épargnez pas, dites-les-moi; je les écouterai avec résignation, parce que je les mérite. Oui, mon cher marquis, il est vrai ... Oui, je suis ... Mais, n'est-ce pas un assez grand malheur que la chose soit arrivée, sans y ajouter encore la 35 honte, le mépris d'être fausse, en vous le dissimulant? Vous êtes

---

[9] **je ne saurais dormir,** I cannot sleep.

le même, mais votre amie est changée; votre amie vous révère, vous
estime autant et plus que jamais; mais ... mais une femme
accoutumée comme elle à examiner de près ce qui se passe dans
les replis les plus secrets de son âme et à ne s'en imposer sur rien,[10]
5 ne peut se cacher que l'amour en est sorti. La découverte est
affreuse, mais elle n'en est pas moins réelle. La marquise de La
Pommeraye, moi, moi, inconstante, légère! ... Marquis, entrez en
fureur, cherchez les noms les plus odieux, je me les suis donnés
d'avance; donnez-les-moi, je suis prête à les accepter tous ... , tous,
10 excepté celui de femme fausse, que vous m'épargnerez, je l'espère,
car en vérité, je ne le suis pas ... (*Madame?* —*Qu'est-ce?* —*Rien.*
—*On n'a pas un moment de repos dans cette maison, même les
jours qu'on n'a presque point de monde et que l'on croit n'avoir
rien à faire. Qu'une femme de mon état est à plaindre, surtout*
15 *avec une bête de mari!*)

    Cela dit, Mme de La Pommeraye se renversa sur son fauteuil
et se mit à pleurer. Le marquis se précipita à ses genoux, et lui
dit: «Vous êtes une femme charmante, une femme adorable, une
femme comme il n'y en a point. Votre franchise, votre honnêteté
20 me confond et devrait me faire mourir de honte. Ah! quelle
supériorité ce moment vous donne sur moi! Que je vous vois
grande et que je me trouve petit! c'est vous qui avez parlé la
première, et c'est moi qui fus coupable le premier. Mon amie,
votre sincérité m'entraîne; je serais un monstre si elle ne m'en-
25 traînait pas, et je vous avouerai que l'histoire de votre cœur est
mot à mot l'histoire du mien. Tout ce que vous vous êtes dit, je
me le suis dit; mais je me taisais, je souffrais, et je ne sais quand
j'aurais eu le courage de parler.

    —Vrai, mon ami?

30   —Rien de plus vrai; et il ne nous reste qu'à nous féliciter réciproquement d'avoir perdu en même temps le sentiment fragile et
trompeur qui nous unissait.

    —En effet, quel malheur que mon amour eût duré lorsque le
vôtre aurait cessé!

35   —Ou que ce fût en moi qu'il eût cessé le premier.

    —Vous avez raison, je le sens.

    —Jamais vous ne m'avez paru aussi aimable, aussi belle que

---

[10] **à ne s'en imposer sur rien,** not to be impressed by anything.

dans ce moment; et si l'expérience du passé ne m'avait rendu circonspect, je croirais vous aimer plus que jamais.» Et le marquis en lui parlant ainsi lui prenait les mains, et les lui baisait ... (*Ma femme? —Qu'est-ce? —Le marchand de paille.*[11] *—Vois sur le registre. —Et le registre? ... reste, reste, je l'ai.*) Mme de La Pom-[5] meraye renfermant en elle-même le dépit mortel dont elle était déchirée, reprit la parole et dit au marquis: «Mais, marquis, qu'allons-nous devenir?

—Nous ne nous en sommes imposé ni l'un ni l'autre; vous avez droit à toute mon estime; je ne crois pas avoir entièrement perdu [10] le droit que j'avais à la vôtre; nous continuerons de nous voir, nous nous livrerons à la confiance de la plus tendre amitié. Nous nous serons épargné tous ces ennuis, toutes ces petites perfidies, tous ces reproches, toute cette humeur, qui accompagnent communément les passions qui finissent; nous serons uniques dans [15] notre espèce. Vous recouvrerez toute votre liberté, vous me rendrez la mienne; nous voyagerons dans le monde; je serai le confident de vos conquêtes; je ne vous cèlerai [12] rien des miennes, si j'en fais quelques-unes, ce dont je doute fort, car vous m'avez rendu difficile. Cela sera délicieux! Vous m'aiderez de vos conseils, je ne vous [20] refuserai pas les miens dans les circonstances périlleuses où vous croirez en avoir besoin. Qui sait ce qui peut arriver? ... Il est très vraisemblable que plus j'irai, plus vous gagnerez aux comparaisons, et que je vous reviendrai plus passionné, plus tendre, plus convaincu que jamais que Mme de La Pommeraye était la seule [25] femme faite pour mon bonheur; et après ce retour, il y a tout à parier que je vous resterai jusqu'à la fin de ma vie.

—S'il arrivait qu'à votre retour vous ne me trouvassiez plus? car enfin, marquis, on n'est pas toujours juste; et il ne serait pas impossible que je ne me prisse de goût, de fantaisie, de passion [30] même pour un autre qui ne vous vaudrait pas.

—J'en serais assurément désolé; mais je n'aurais point à me plaindre; je ne m'en prendrais qu'au sort qui nous aurait séparés lorsque nous étions unis, et qui nous rapprocherait lorsque nous ne pourrions plus l'être ...» [35]

Après cette conversation, ils se mirent à moraliser sur l'incons-

---

[11] **marchand de paille,** straw vendor (for the stables).
[12] **cèlerai = cacherai.**

tance du cœur humain, sur la frivolité des serments, sur les liens
du mariage ... (*Madame? —Qu'est-ce? —Le coche.*) Messieurs, dit
l'hôtesse, il faut que je vous quitte. Ce soir, lorsque toutes mes
affaires seront faites, je reviendrai, et je vous achèverai cette
5 aventure, si vous en êtes curieux ...

Diderot, *Jacques le fataliste*, 1774.

Le Dix-Neuvième Siècle

Le Romantisme

A la fin du XVIIIᵉ siècle, avec Rousseau surtout, on voit déjà se préciser les tendances qui doivent aboutir au romantisme littéraire, artistique et moral. La dictature napoléonienne fait obstacle à ce mouvement individualiste, mais sa fin (1815) amène une désillusion, un désespoir même de toute une génération qui a assisté et participé à la «course aux étoiles», à la gloire; c'est le «mal du siècle.»

Les deux initiateurs du mouvement romantique sont Madame de Staël (1766–1817), et Chateaubriand (1768–1848). Dans leurs œuvres s'affirment les éléments essentiels du romantisme: retour aux modèles nationaux, au lieu des classiques de l'antiquité; intérêt pour les pays étrangers; prédominance des émotions; sentiment religieux; lyrisme. Madame de Staël écrit *De la Littérature* (1800), *De l'Allemagne* (1810). Elle est la championne des qualités allemandes en philosophie et en littérature; elle préfère les littératures du Nord à celles du Midi. Chateaubriand, dans ses romans, *Atala* (1801), *René* (1802), peint la nature exotique, américaine, et insiste sur le «vide» de la vie. Dans son *Génie du christianisme* (1802), et *Les Martyrs* (1809), il fait l'apologie de la religion chrétienne.

LA POÉSIE. Le romantisme proprement dit, le grand romantisme, est celui de Lamartine, Hugo, Vigny, Musset. Ils représentent le vrai lyrisme par lequel le poète s'épanche et livre son âme d'où débordent ses passions, ses douleurs, ses aspirations, sa foi en l'idéal rêvé et en Dieu. Dans les *Méditations poétiques* (1820), où la musique du vers évoque l'harmonie de Racine, Lamartine (1790–1869) fait participer la nature à ses émotions.

Victor Hugo (p. 105) fait preuve d'une imagination fertile, d'un don descriptif incomparable, servi par une maîtrise de vocabulaire extraordinaire. Alfred de Musset (p. 114) compose des poèmes qui ont beaucoup de charme lyrique et de qualité musicale, *Les Nuits* (1835–1840). Alfred de Vigny (p. 93), le plus philosophe des romantiques, montre du stoïcisme en face de l'attitude indifférente ou hostile de la foule et même de la nature.

LE THÉÂTRE. Au théâtre, le romantisme amène une révolution avec *La Préface de Cromwell* (1827) de Hugo. En abolissant les unités de temps, de lieu et d'action, il brise avec la tradition de la tragédie classique, fait table rase du passé, proclame la supériorité du mélange des genres qui fait la grandeur de Shakespeare. Le tragique et le comique, le sublime et le grotesque peuvent et doivent coexister. Le drame romantique est né. Il sera surtout historique, mais hélas, déclamatoire. Citons: *Henri III et sa cour* (1829) d'Alexandre Dumas père (1802–1870), *Hernani* (1830) de Hugo, *Chatterton* (1835) d'Alfred de Vigny, et les fines et charmantes comédies d'Alfred de Musset (p. 107).

LE ROMAN. Les caractères généraux du roman dans la première moitié du dix-neuvième siècle sont le lyrisme, la couleur locale souvent fausse, la psychologie maladive et superficielle, alliés à une richesse verbale et une grande puissance d'évocation historique. Citons *Cinq-Mars* (1826) de Vigny, *Notre-Dame de Paris* (1831) et *Les Misérables* (1862) de Hugo, *La Confession d'un enfant du siècle* (1836) de Musset. George Sand (1804–1876), dans *Indiana* (1831), exalte l'amour et condamne la société, et dans *La Mare au diable* (1846) elle idéalise les paysans.

Il faut mettre à part Stendhal (p. 116) et Balzac (p. 125), deux indépendants dont la gloire demeure intacte aujourd'hui parce que leur romantisme s'est étoffé de réalisme et de psychologie exacte.

Le Réalisme

L'esprit scientifique amène une réaction contre le romantisme. Le souci d'objectivité, de la représentation exacte de la réalité, va remplacer les épanchements des romantiques. L'idéalisation de la vie fait place à l'analyse psychologique, à la description précise, méticuleuse, du milieu. La philosophie positiviste d'Auguste Comte (1798–1857) et le déterminisme d'Hippolyte Taine (1828–1893) servent de base à la nouvelle école littéraire. Dans le roman, citons Flaubert (p. 136) avec *Madame Bovary* (1857); Alphonse Daudet (1840–1897), avec *Le Petit Chose* (1868), *Fromont jeune et Risler aîné* (1874), *Jack* (1876), *Sapho* (1884); Mérimée (1803–1870), avec *Colomba* (1840) et *Carmen* (1847); mais surtout Balzac (p. 125), avec sa *Comédie humaine,* œuvre où toute la société française défile dans une longue série de romans où l'auteur fait preuve d'imagination puissante, de minutie dans la description du milieu où évoluent des milliers de personnages.

Le Naturalisme

Le mouvement réaliste aboutit au Naturalisme, où le souci d'exactitude, d'objectivité, se charge de prétentions scientifiques et de «cliniques» inspirées par les théories et méthodes expérimentales de chimistes, biologistes et médecins comme Claude Bernard (1813–1878), *Introduction à l'étude de la médecine expérimentale* (1865). Émile Zola (p. 144) est le chef de l'école naturaliste. Il veut faire pour le roman le même travail que les savants font dans leur laboratoire, c'est-à-dire des expériences. Ce sera le roman expérimental.

Le Parnasse

En poésie, l'influence de la science se traduit par l'objectivité, le caractère impersonnel. «Parnassiens» est le nom que les nouveaux poètes se donnent, d'après *Le Parnasse contemporain,* recueil de vers qui parut en plusieurs volumes entre 1866 et 1876. Pour les Parnassiens, la précision dans l'emploi des mots, le perfection de la forme, même «plastique,» est de rigueur. Le poète devra se placer en dehors et au-dessus de son sujet, ne se soucier que de «l'art pour l'art» qui rejette toute considération morale. Il produira ainsi une œuvre harmonieuse, simple, mais froide et majestueuse dans sa beauté. En passant par Théophile Gautier (1811–1872) avec *Émaux et camées* (1852), sa doctrine de «l'art pour l'art,» et sa conception de la poésie «sculpturale,» la poésie parnas-

sienne est représentée par Leconte de Lisle (p. 161), José-Maria
de Heredia (1842–1905), avec *Les Trophées,* et Sully Prudhomme
(1839–1907), auteur des *Solitudes.*

Le Symbolisme

Charles Baudelaire (p. 164) a été Parnassien dans les premiers
poèmes des *Fleurs du mal* (1857), mais son influence s'est fait
sentir avant tout sur les poètes symbolistes qui se préoccupent de
créer des impressions, des évocations, des coins secrets de l'âme,
en se servant de symboles ou «correspondances» entre la pensée,
l'imagination et le concret. L'élément musical dans les rythmes et
dans les sons, et de temps en temps l'emploi du vers libre, caractérisent aussi cette poésie. Les plus grands poètes symbolistes sont
Mallarmé (p. 170), Verlaine (p. 172) et Rimbaud (p. 175). La
poésie de Verlaine est évocatrice et mystérieuse dans sa simplicité
musicale. Les poésies de Mallarmé ont une beauté profonde,
souvent difficile à saisir, parfois inintelligible. Rimbaud continue
l'œuvre de Baudelaire avec sa théorie des «correspondances»:
«Les parfums, les couleurs et les sons se répondent.»

Le Romantisme

Alfred de Vigny [1797–1863],

né à Loches, en Touraine, s'engage, à la fin de l'Empire (1814), à l'âge de seize ans, dans un régiment de cavalerie. Il occupe ses loisirs à fréquenter les poètes romantiques et à écrire des vers. Il publie son premier recueil, Poèmes, *en 1822.* Puis viennent les Poèmes *antiques et modernes (1826), et d'autres, détachés, comme* La Mort du loup *(1843),* La Maison du berger *(1844),* La Bouteille à la mer *(1854), réunis en volume après sa mort:* Les Destinées *(1864). Il écrit aussi des romans,* Cinq-Mars *(1826),* Stello *(1832), et un recueil de trois récits,* Servitude et grandeur militaires *(1835), ainsi qu'un drame,* Chatterton *(1835). Vigny avait un sentiment très haut de sa valeur personnelle et de la dignité de la poésie. Pour lui, la poésie est l'expression pure de la pensée, et l'homme de génie doit «vivre isolé et incompris.»*

————◆————

La Mort du Loup

Ce poème parut le 1er février 1843 dans *La Revue des Deux Mondes*. En 1831, Vigny écrivit: «J'aime ceux qui se résignent sans gémir et portent bien leur fardeau.»

I

Les nuages couraient sur la lune enflammée
Comme sur l'incendie on voit fuir la fumée,

93

Et les bois étaient noirs jusques à l'horizon.
Nous marchions, sans parler, dans l'humide gazon,
Dans la bruyère épaisse et dans les hautes brandes,
Lorsque, sous des sapins pareils à ceux des Landes,[1]
Nous avons aperçu les grands ongles marqués
Par les loups voyageurs que nous avions traqués.
Nous avons écouté, retenant notre haleine
Et le pas suspendu. —Ni le bois ni la plaine
Ne poussaient un soupir dans les airs; seulement
La girouette en deuil criait au firmament;
Car le vent, élevé bien au-dessus des terres,
N'effleurait de ses pieds que les tours solitaires,
Et les chênes d'en bas, contre les rocs penchés,
Sur leurs coudes semblaient endormis et couchés.
Rien ne bruissait donc, lorsque, baissant la tête,
Le plus vieux des chasseurs qui s'étaient mis en quête
A regardé le sable en s'y couchant; bientôt,
Lui que jamais ici l'on ne vit en défaut,[2]
A déclaré tout bas que ces marques récentes
Annonçaient la démarche et les griffes puissantes
De deux grands loups-cerviers [3] et de deux louveteaux.
Nous avons tous alors préparé nos couteaux,
Et, cachant nos fusils et leurs lueurs trop blanches,
Nous allions, pas à pas, en écartant les branches.
Trois s'arrêtent, et moi, cherchant ce qu'ils voyaient,
J'aperçois tout à coup deux yeux qui flamboyaient,
Et je vois au-delà quatre formes légères
Qui dansaient sous la lune au milieu des bruyères,
Comme font chaque jour, à grand bruit sous nos yeux,
Quand le maître revient, les lévriers joyeux.
Leur forme était semblable et semblable la danse;
Mais les enfants du Loup se jouaient [4] en silence,
Sachant bien qu'à deux pas, ne dormant qu'à demi,
Se couche dans ses murs l'homme, leur ennemi.

[1] **Landes**, flat region covered with pines in southwestern France.
[2] **en défaut**, at a loss.
[3] **loups-cerviers**, lynxes. Vigny uses the word as synonymous with **loup**, wolf.
[4] **se jouaient = jouaient.**

Le père était debout, et plus loin, contre un arbre,
Sa Louve reposait, comme celle de marbre
Qu'adoraient les Romains et dont les flancs velus
Couvaient les demi-dieux Rémus et Romulus.[5]
Le Loup vient et s'assied, les deux jambes dressées,
Par leurs ongles crochus dans le sable enfoncées.
Il s'est jugé perdu, puisqu'il était surpris,
Sa retraite coupée et tous ses chemins pris; [6]
Alors il a saisi, dans sa gueule brûlante,
Du chien le plus hardi la gorge pantelante,
Et n'a pas desserré ses mâchoires de fer,
Malgré nos coups de feu qui traversaient sa chair,
Et nos couteaux aigus qui, comme des tenailles,
Se croisaient en plongeant dans ses larges entrailles
Jusqu'au dernier moment où le chien étranglé,
Mort longtemps avant lui, sous ses pieds a roulé.
Le Loup le quitte alors et puis il nous regarde.
Les couteaux lui restaient au flanc jusqu'à la garde,
Le clouaient au gazon tout baigné dans son sang;
Nos fusils l'entouraient en sinistre croissant.
Il nous regarde encore, ensuite il se recouche,
Tout en léchant le sang répandu sur sa bouche,
Et, sans daigner savoir comment il a péri,
Refermant ses grands yeux, meurt sans jeter un cri.

II

J'ai reposé mon front sur mon fusil sans poudre,
Me prenant à penser, et n'ai pu me résoudre
A poursuivre sa Louve et ses fils, qui, tous trois,
Avaient voulu l'attendre, et, comme je le crois,
Sans ses deux Louveteaux, la belle et sombre veuve
Ne l'eût pas laissé seul subir la grande épreuve;
Mais son devoir était de les sauver, afin
De pouvoir leur apprendre à bien souffrir la faim,

[5] **Rémus and Romulus,** twin sons of Mars and Ilia, supposedly the founders of Rome. They were thrown into the Tiber, rescued, and cared for by a she-wolf.
[6] **pris,** obstructed (by the hunters).

A ne jamais entrer dans le pacte des villes
Que l'homme a fait avec les animaux serviles [7]
Qui chassent devant lui, pour avoir le coucher,
Les premiers possesseurs du bois et du rocher.

III

Hélas! ai-je pensé, malgré ce grand nom d'Hommes,
Que j'ai honte de nous, débiles [8] que nous sommes!
Comment on doit quitter la vie et tous ses maux,
C'est vous qui le savez, sublimes animaux!
A voir ce que l'on fut sur terre et ce qu'on laisse,
Seul le silence est grand; tout le reste est faiblesse.
—Ah! je t'ai bien compris, sauvage voyageur,
Et ton dernier regard m'est allé jusqu'au cœur!
Il disait: «Si tu peux, fais que ton âme arrive,
A force de rester studieuse et pensive,
Jusqu'à ce haut degré de stoïque fierté
Où, naissant dans les bois, j'ai tout d'abord [9] monté.
Gémir, pleurer, prier, est également lâche.
Fais énergiquement ta longue et lourde tâche
Dans la voie où le Sort a voulu t'appeler,
Puis après, comme moi, souffre et meurs sans parler.»

Vigny, *Les Destinées,* 1864.

[7] **les animaux serviles,** *i.e.* dogs.   [8] **débiles,** weaklings.
[9] **tout d'abord** = tout de suite, right away, spontaneously.

Victor Hugo [1802–1885],

*né à Besançon, fils d'un général de Napoléon Ier, passe
son enfance en Italie, en Espagne et à Paris. A vingt
ans il publie* Odes, *et par sa virtuosité de poète s'impose bientôt comme chef de la jeune école romantique.
Il publie* Odes et Ballades (*1826*), Les Orientales (*1829*),
*et surtout il lance le manifeste du romantisme au
théâtre dans la* Préface de Cromwell (*1827*). *Il donne
le plus beau drame romantique français,* Hernani
(*1830*). *Après un roman,* Notre-Dame de Paris (*1831*),
il se consacre plus spécialement à la poésie lyrique: Les
Feuilles d'automne (*1831*), Les Rayons et les ombres
(*1840*). *Ayant combattu l'ambition du président de la
République, Louis-Napoléon Bonaparte, qui devint
Napoléon III, il est exilé pendant dix-neuf ans (*1851–
1870*). C'est dans son exil, à Jersey et Guernesey, îles
de la Manche, qu'il compose ses plus grandes œuvres
poétiques:* Les Châtiments (*1853*), Les Contemplations
(*1856*), La Légende des Siècles (*1859*), *et son plus grand
roman,* Les Misérables (*1862*). *Rentré en France à la
chute de Napoléon III (*1870*), il vit encore quinze ans,
trouvant ses plus grandes joies dans ses petits-enfants,
Georges et Jeanne:* L'Art d'être grand-père (*1877*).

Dans les Égouts [1] de Paris

Jean Valjean, un ancien forçat, se cache à Paris après avoir
fait fortune dans les affaires. Il a une fille adoptive, Cosette,
qui aime un étudiant, Marius. En 1832 il y a une insurrection
républicaine contre le gouvernement de Louis-Philippe. Jean
Valjean et Marius y prennent part, à la barricade de la rue

[1] **Égouts**, sewers.

Saint-Denis. Marius est grièvement blessé. Jean Valjean essaie
de le sauver de la police, représentée par l'inspecteur Javert.
Il le transporte à travers les égouts.

C'est dans l'égout de Paris que se trouvait Jean Valjean. ...
Ressemblance de plus de Paris avec la mer. Comme dans
l'océan, le plongeur peut y disparaître. ...

Chute brusque dans une cave; disparition dans l'oubliette de
5 Paris; quitter cette rue où la mort était partout pour cette espèce
de sépulcre où il y avait la vie; ce fut un instant étrange. Il resta
quelques secondes comme étourdi; écoutant, stupéfait. La chausse-
trape du salut était subitement ouverte sous lui. La bonté céleste
l'avait en quelque sorte pris par trahison. Adorables embuscades
10 de la providence!

Sa première sensation fut l'aveuglement. Brusquement, il ne vit
plus rien. Il lui sembla aussi qu'en une minute il était devenu
sourd. Il n'entendait plus rien. Le frénétique orage de meurtre
qui se déchaînait à quelques pieds au-dessus de lui n'arrivait
15 jusqu'à lui, nous l'avons dit, grâce à l'épaisseur de terre qui l'en
séparait, qu'éteint et indistinct, et comme une rumeur dans une
profondeur. Il sentait que c'était solide sous ses pieds; voilà tout;
mais cela suffisait. Il étendit un bras, puis l'autre, et toucha le mur
des deux côtés, et reconnut que le couloir était étroit; il glissa, et
20 reconnut que la dalle était mouillée. Il avança un pied avec précaution, craignant un trou, un puisard, quelque gouffre; il cons-
tata que le dallage se prolongeait. Une bouffée de fétidité l'avertit
du lieu où il était.

Au bout de quelques instants, il n'était plus aveugle. Un peu
25 de lumière tombait du soupirail par où il s'était glissé, et son
regard s'était fait à cette cave. Il commença à distinguer quelque
chose. Le couloir où il s'était terré,[2]—nul autre mot n'exprime
mieux la situation,—était muré derrière lui. C'était un de ces
culs-de-sac que la langue spéciale[3] appelle embranchements. La
30 clarté du soupirail expirait à dix ou douze pas du point où était
Jean Valjean, et faisait à peine une blancheur blafarde sur quelques mètres de la paroi humide de l'égout. Au-delà, l'opacité était
massive; y pénétrer paraissait horrible, et l'entrée y semblait un

---

[2] **où il s'était terré,** where he had hidden himself (*lit.* had run to earth).
[3] **la langue spéciale,** the professional (technical) language.

engloutissement. On pouvait s'enfoncer pourtant dans cette muraille de brume, et il le fallait. Il fallait même se hâter. Jean Valjean songea que cette grille, aperçue par lui sous les pavés, pouvait l'être par les soldats, et que tout tenait à ce hasard. Ils pouvaient descendre eux aussi dans ce puits et le fouiller. Il n'y 5 avait pas une minute à perdre. Il avait déposé Marius sur le sol, et le ramassa,—ceci est encore le mot vrai,—le reprit sur ses épaules et se mit en marche. Il entra résolument dans cette obscurité.

La réalité est qu'ils étaient moins sauvés que Jean Valjean ne 10 le croyait. Des périls d'un autre genre et non moins grands les attendaient peut-être. Après le tourbillon fulgurant du combat, la caverne des miasmes et des pièges; après le chaos, le cloaque. Jean Valjean était tombé d'un cercle de l'enfer dans l'autre.

Quand il eut fait cinquante pas, il fallut s'arrêter. Une question 15 se présenta. Le couloir aboutissait à un autre boyau qu'il rencontrait transversalement. Là s'offraient deux voies. Laquelle prendre? fallait-il tourner à gauche ou à droite? Comment s'orienter dans ce labyrinthe noir? Ce labyrinthe, nous l'avons fait remarquer, a un fil; [4] c'est sa pente. Suivre la pente, c'est aller à la rivière. ... Il 20 valait mieux s'enfoncer dans le dédale, se fier à cette noirceur, et s'en remettre à la providence quant à l'issue.

Il remonta la pente et prit à droite.

Quand il eut tourné l'angle de la galerie, la lointaine lueur du soupirail disparut, le rideau d'obscurité retomba sur lui et il 25 redevint aveugle. Il n'en avança pas moins, et aussi rapidement qu'il put ... Il ressemblait aux êtres de nuit tâtonnant dans l'invisible et souterrainement perdus dans les veines de l'ombre.

Pourtant, peu à peu ... il recommença à se rendre confusément compte, tantôt de la muraille à laquelle il touchait, tantôt de la 30 voûte sous laquelle il passait. La pupille se dilate dans la nuit et finit par y trouver du jour, de même que l'âme se dilate dans le malheur et finit par y trouver Dieu.

Se diriger était malaisé. ... Il allait devant lui, avec anxiété, mais avec calme, ne voyant rien, ne sachant rien, plongé dans le hasard, 35 c'est-à-dire englouti dans la providence.

Par degrés, disons-le, quelque horreur le gagnait. L'ombre qui

[4] **le fil,** Reference is to the thread of Ariadne. See *Phèdre,* p. 55, n. 16.

l'enveloppait entrait dans son esprit. Il marchait dans une énigme. Cet aqueduc du cloaque est redoutable; il s'entrecroise vertigineusement. C'est une chose lugubre d'être pris dans ce Paris de ténèbres. Jean Valjean était obligé de trouver et presque d'inventer sa route sans la voir. Dans cet inconnu, chaque pas qu'il risquait pouvait être le dernier. Comment sortirait-il de là? Trouverait-il une issue? La trouverait-il à temps? Y rencontrerait-il quelque nœud inattendu d'obscurité? ... Il se demandait tout cela et ne pouvait se répondre. L'intestin de Paris est un précipice. Comme le prophète, il était dans le ventre du monstre.

Il eut brusquement une surprise. A l'instant le plus imprévu, et sans avoir cessé de marcher en ligne droite, il s'aperçut qu'il ne montait plus; l'eau du ruisseau lui battait les talons au lieu de lui venir sur la pointe des pieds. L'égout maintenant descendait. Pourquoi? Allait-il donc arriver soudainement à la Seine? Ce danger était grand, mais le péril de reculer l'était plus encore. Il continua d'avancer. ...

Chaque fois qu'il rencontrait un embranchement, il en tâtait les angles, et s'il trouvait l'ouverture qui s'offrait moins large que le corridor où il était, il n'entrait pas et continuait sa route, jugeant avec raison que toute voie plus étroite devait aboutir à un cul-de-sac, et ne pouvait que l'éloigner du but, c'est-à-dire de l'issue. Il évita ainsi le quadruple piège qui lui était tendu dans l'obscurité par les quatre dédales que nous venons d'énumérer. ...

Il marchait depuis une demi-heure, du moins au calcul qu'il faisait en lui-même, et n'avait pas encore songé à se reposer; seulement il avait changé la main qui soutenait Marius. L'obscurité était plus profonde que jamais, mais cette profondeur le rassurait.

Tout à coup il vit son ombre devant lui. Elle se découpait sur une faible rougeur presque indistincte qui empourprait vaguement le radier [5] à ses pieds et la voûte sur sa tête, et qui glissait à sa droite et à sa gauche sur les deux murailles visqueuses du corridor. Stupéfait, il se retourna.

Derrière lui, dans la partie du couloir qu'il venait de dépasser, à une distance qui lui parut immense, flamboyait, rayant l'épaisseur obscure, une sorte d'astre horrible qui avait l'air de le regarder.

[5] le radier, roadway, roadbed.

C'était la sombre étoile de la police qui se levait dans l'égout.

Derrière cette étoile remuaient confusément huit ou dix formes noires, droites, indistinctes, terribles.

Dans la journée du 6 juin, une battue des égouts avait été ordonnée. Trois pelotons d'agents et d'égoutiers explorèrent la 5 voirie souterraine de Paris, le premier, rive droite, le deuxième, rive gauche, le troisième, dans la Cité.[6]

Les agents étaient armés de carabines, de casse-tête, d'épées et de poignards, et ce qui était en ce moment dirigé sur Jean Valjean, c'était la lanterne de la ronde de la rive droite. ...   10

Ce fut pour Jean Valjean une minute inexprimable. Heureusement, s'il voyait bien la lanterne, la lanterne le voyait mal. Elle était la lumière et il était l'ombre. Il était très loin, et mêlé à la noirceur du lieu. Il se rencogna le long du mur et s'arrêta.

Du reste, il ne se rendait pas compte de ce qui se mouvait là 15 derrière lui. L'insomnie, le défaut de nourriture, les émotions, l'avaient fait passer, lui aussi, à l'état visionnaire. Il voyait un flamboiement, et, autour de ce flamboiement, des larves. Qu'était-ce? Il ne comprenait pas.

Jean Valjean s'étant arrêté, le bruit avait cessé. Les hommes de 20 la ronde écoutaient et n'entendaient rien, ils regardaient et ne voyaient rien. Ils se consultèrent.

Le sergent donna l'ordre d'obliquer à gauche vers le versant de la Seine. S'ils eussent eu l'idée de se diviser en deux escouades et d'aller dans les deux sens, Jean Valjean était saisi. Cela tint à ce 25 fil. Il est probable que les instructions de la préfecture,[7] prévoyant un cas de combat et les insurgés en nombre, défendaient à la ronde de se morceler. La ronde se remit en marche, laissant derrière elle Jean Valjean. De tout ce mouvement Jean Valjean ne perçut rien, sinon l'éclipse de la lanterne qui se retourna subitement. ... 30 N'osant encore remuer, il demeura longtemps adossé au mur, l'oreille tendue, la prunelle dilatée, regardant l'évanouissement de cette patrouille de fantômes. ...

Jean Valjean avait repris sa marche et ne s'était plus arrêté.

Cette marche était de plus en plus laborieuse. Jean Valjean était 35 obligé de se courber pour ne pas heurter Marius à la voûte; il

---

[6] **la Cité** = **l'Ile de la Cité,** an isle in the Seine in the middle of **Paris.**
[7] **préfecture:** — **de police,** headquarters of the (Paris) police.

fallait à chaque instant se baisser, puis se redresser, tâter sans cesse
le mur. ... Il avait faim et soif; soif surtout; et c'est là, comme la
mer, un lieu plein d'eau où l'on ne peut boire. Sa force, qui était
prodigieuse, on le sait, et fort peu diminuée par l'âge, grâce à sa
5 vie chaste et sobre, commençait pourtant à fléchir. La fatigue lui
venait, et la force en décroissant faisait croître le poids du fardeau. ... Il sentait entre ses jambes le glissement rapide des rats.
Un d'eux fut effaré au point de le mordre. Il lui venait de temps
en temps par les bavettes [8] des bouches de l'égout un souffle d'air
10 frais qui le ranimait.

Il pouvait être trois heures de l'après-midi quand il arriva à
l'égout de ceinture.[9] ... Ici revenait la question: descendre, ou
monter? Il pensa que la situation pressait, et qu'il fallait, à tout
risque, gagner maintenant la Seine. En d'autres termes, des-
15 cendre. Il tourna à gauche.

Bien lui en prit. ... Si Jean Valjean eût remonté la galerie, il
fût arrivé, après mille efforts, épuisé de fatigue, expirant, dans les
ténèbres, à une muraille. Il était perdu. ...

Son instinct le servit bien. Descendre, c'était en effet le salut
20 possible.

... Rien ne lui disait quelle zone de la ville il traversait, ni quel
trajet il avait fait. Seulement la pâleur croissante des flaques de
lumière qu'il rencontrait de temps en temps lui indiqua que le
soleil se retirait du pavé et que le jour ne tarderait pas à décliner;
25 et le roulement des voitures au-dessus de sa tête, étant devenu, de
continu, intermittent, puis ayant presque cessé, il en conclut qu'il
n'était plus sous le Paris central et qu'il approchait de quelque
région solitaire, voisine des boulevards extérieurs ou des quais
extrêmes.[10] Là où il y a moins de maisons et moins de rues, l'égout
30 a moins de soupiraux. L'obscurité s'épaississait autour de Jean
Valjean. Il n'en continua pas moins d'avancer, tâtonnant dans
l'ombre.

Cette ombre devint brusquement terrible.

Il sentit qu'il entrait dans l'eau, et qu'il avait sous ses pieds, non
35 plus du pavé, mais de la vase. ...

8 **bavettes,** gratings.
9 **l'égout de ceinture,** the encircling (belt) sewer of Paris.
10 **quais extrêmes,** wharves where the Seine enters or leaves Paris.

Jean Valjean se trouvait en présence d'un fontis. ...[11]

Le fontis que Jean Valjean rencontrait avait pour cause l'averse de la veille. Un fléchissement du pavé mal soutenu par le sable sous-jacent avait produit un engorgement d'eau pluviale. L'infiltration s'étant faite, l'effondrement avait suivi. Le radier, disloqué,[5] s'était affaissé dans la vase. Sur quelle longueur? Impossible de le dire. L'obscurité était là plus épaisse que partout ailleurs. C'était un trou de boue dans une caverne de nuit.

Jean Valjean sentit le pavé se dérober sous lui. Il entra dans cette fange. C'était de l'eau à la surface, de la vase au fond. Il[10] fallait bien passer. Revenir sur ses pas était impossible. Marius était expirant, et Jean Valjean exténué. Où aller d'ailleurs? Jean Valjean avança. Du reste la fondrière parut peu profonde aux premiers pas. Mais à mesure qu'il avançait ses pieds plongeaient. Il eut bientôt de la vase jusqu'à mi-jambe et de l'eau plus haut que[15] les genoux. Il marchait, exhaussant [12] de ses deux bras Marius le plus qu'il pouvait au-dessus de l'eau. La vase lui venait maintenant aux jarrets et l'eau à la ceinture. Il ne pouvait déjà plus reculer. Il enfonçait de plus en plus. Cette vase, assez dense pour le poids d'un homme, ne pouvait évidemment en porter deux.[20] Marius et Jean Valjean eussent eu chance de s'en tirer, isolément. Jean Valjean continua d'avancer, soutenant ce mourant, qui était un cadavre peut-être. ...

Il enfonça encore, il renversa sa face en arrière pour échapper à l'eau et pouvoir respirer; qui l'eût vu dans cette obscurité eût cru[25] voir un masque flottant sur de l'ombre; il apercevait vaguement au-dessus de lui la tête pendante et le visage livide de Marius; il fit un effort désespéré, et lança son pied en avant; son pied heurta on ne sait quoi de solide. Un point d'appui. Il était temps.

Il se dressa et se tordit et s'enracina avec une sorte de furie sur[30] ce point d'appui. Cela lui fit l'effet de la première marche d'un escalier remontant à la vie. ... Jean Valjean remonta ce plan incliné et arriva de l'autre côté de la fondrière.

En sortant de l'eau, il se heurta à une pierre et tomba sur les genoux. Il trouva que c'était juste, et y resta quelque temps, l'âme[35] abîmée dans on ne sait quelle parole à Dieu.

[11] **fontis,** hole in the ground due to a settling of the earth.
[12] **exhaussant = haussant,** raising.

Il se redressa, frissonnant, glacé, infect, courbé sous ce mourant qu'il traînait, tout ruisselant de fange, l'âme pleine d'une étrange clarté.

Il se remit en route encore une fois.

5 Du reste, s'il n'avait pas laissé sa vie dans le fontis, il semblait y avoir laissé sa force. Ce suprême effort l'avait épuisé. Sa lassitude était maintenant telle que tous les trois ou quatre pas il était obligé de reprendre haleine, et s'appuyait au mur. Une fois, il dut s'asseoir sur la banquette pour changer la position de Marius, et 10 il crut qu'il demeurerait là. Mais si sa vigueur était morte, son énergie ne l'était point. Il se releva.

Il marcha désespérément, presque vite, fit ainsi une centaine de pas, sans dresser la tête, presque sans respirer, et tout à coup se cogna au mur. Il était parvenu à un coude de l'égout, et, en 15 arrivant tête basse au tournant, il avait rencontré la muraille. Il leva les yeux, et à l'extrémité du souterrain, là-bas devant lui, loin, très loin, il aperçut une lumière. Cette fois, ce n'était pas la lumière terrible; c'était la lumière bonne et blanche. C'était le jour.

20 Jean Valjean voyait l'issue. ... A mesure qu'il approchait, l'issue se dessinait de plus en plus distinctement. C'était une arche cintrée, moins haute que la voûte qui se restreignait par degrés et moins large que la galerie qui se resserrait en même temps que la voûte s'abaissait. Le tunnel finissait en intérieur d'entonnoir; ré-25 trécissement vicieux,[13] imité des guichets de maisons de force,[14] logique dans une prison, illogique dans un égout, et qui a été corrigé depuis.

Jean Valjean arriva à l'issue.

Là, il s'arrêta.

30 C'était bien la sortie, mais on ne pouvait sortir.

L'arche était fermée d'une forte grille, et la grille, qui, selon toute apparence, tournait rarement sur ses gonds oxydés, était assujettie à son chambranle de pierre par une serrure épaisse qui, rouge de rouille, semblait une énorme brique. On voyait le trou 35 de la clé, et le pêne robuste profondément plongé dans la gâche de

---

13 vicieux, faulty.
14 maisons de force, houses of correction, reformatories.

fer. La serrure était visiblement fermée à double tour. C'était une de ces serrures de bastilles que le vieux Paris prodiguait volontiers. ...

Il pouvait être huit heures et demie du soir. Le jour baissait.

Jean Valjean déposa Marius le long du mur sur la partie sèche 5 du radier, puis marcha à la grille et crispa ses deux poings sur les barreaux; la secousse fut frénétique, l'ébranlement nul. La grille ne bougea pas. Jean Valjean saisit les barreaux l'un après l'autre, espérant pouvoir arracher le moins solide et s'en faire un levier pour soulever la porte ou pour briser la serrure. Aucun 10 barreau ne remua. Les dents d'un tigre ne sont pas plus solides dans leurs alvéoles. Pas de levier; pas de pesée possible. L'obstacle était invincible. Aucun moyen d'ouvrir la porte ...

C'était fini. Tout ce qu'avait fait Jean Valjean était inutile. Dieu refusait. 15

Ils étaient pris l'un et l'autre dans la sombre et immense toile de la mort, et Jean Valjean sentait courir sur ces fils noirs tressaillant dans les ténèbres l'épouvantable araignée.

Il tourna le dos à la grille, et tomba sur le pavé, plutôt terrassé qu'assis, près de Marius toujours sans mouvement, et sa tête 20 s'affaissa entre ses genoux. Pas d'issue. C'était la dernière goutte de l'angoisse. ...

C'est alors que Thénardier, un bandit, paraît et, contre de l'argent, ouvre la grille. Jean Valjean sort et se trouve en face de Javert, qui, malgré ses principes, le laisse passer.

Victor Hugo, *Les Misérables,* Vᵉ Partie, Livre III, chs. 1–6, 1862.

Veni, Vidi, Vixi
[1856]

«Je suis venu, j'ai vu, j'ai vécu.» Le poète exprime sa douleur de la mort de sa fille Léopoldine qui, au cours d'une promenade en barque sur la Seine, s'est noyée accidentellement avec son mari.

J'ai bien assez vécu, puisque dans mes douleurs
Je marche sans trouver de bras qui me secourent,

Puisque je ris à peine aux enfants qui m'entourent,
Puisque je ne suis plus réjoui par les fleurs;

Puisqu'au printemps, quand Dieu met la nature en fête,
J'assiste, esprit sans joie, à ce splendide amour;
Puisque je suis à l'heure où l'homme fuit le jour,
Hélas! et sent de tout [1] la tristesse secrète;

Puisque l'espoir serein dans mon âme est vaincu;
Puisqu'en cette saison des parfums et des roses,
O ma fille! j'aspire à l'ombre où tu reposes,
Puisque mon cœur est mort, j'ai bien assez vécu.

Je n'ai pas refusé ma tâche sur la terre.
Mon sillon? Le voilà. Ma gerbe? [2] La voici.
J'ai vécu souriant, toujours plus adouci,
Debout, mais incliné du côté du mystère.

J'ai fait ce que j'ai pu: j'ai servi, j'ai veillé,
Et j'ai vu bien souvent qu'on riait de ma peine.
Je me suis étonné d'être un objet de haine,
Ayant beaucoup souffert et beaucoup travaillé.

Dans ce bagne terrestre où ne s'ouvre aucune aile,
Sans me plaindre, saignant, et tombant sur les mains,
Morne, épuisé, raillé par les forçats humains,[3]
J'ai porté mon chaînon de la chaîne éternelle.

Maintenant mon regard ne s'ouvre qu'à demi:
Je ne me tourne plus même quand on me nomme;
Je suis plein de stupeur et d'ennui, comme un homme
Qui se lève avant l'aube et qui n'a pas dormi.

Je ne daigne plus même, en ma sombre paresse,
Répondre à l'envieux dont la bouche me nuit.
O Seigneur! ouvrez-moi les portes de la nuit,
Afin que je m'en aille et que je disparaisse!

Victor Hugo, Les Contemplations, IV, 1856.

---

[1] **et sent de tout** (*inversion*) = **et l'homme sent la tristesse secrète de tout.**
[2] **Ma gerbe?** My achievements? *lit.* sheaf.
[3] **les forçats humains,** men, slaves to their passions.

Alfred de Musset [1810–1857],

*né à Paris, sensible et maladif, est par sa vie tour-
mentée, douloureuse, le romantisme même. Ses* Nuits
(1835–1840), et Poésies nouvelles *(1836–1852), sont de
la musique nostalgique et des élans passionnés contre
la vie. Ses pièces de théâtre illustrent avec grâce de
charmants proverbes:* A quoi rêvent les jeunes filles
(1832). On ne badine pas avec l'amour *(1834),* Il ne
faut jurer de rien *(1836). Elles sont lyriques, tendres
et pathétiques, en même temps qu'amusantes.*

On ne badine pas avec l'amour

Le jeune Perdican, que son père voudrait marier avec sa
cousine Camille, vient de rentrer au château paternel. Le
chœur, composé de paysans et de valets, annonce l'arrivée
au château du précepteur de Perdican, Blazius, et de la
gouvernante de Camille, dame Pluche.

Une place devant le château

Le chœur. Doucement bercé sur sa mule fringante, messer [1]
Blazius s'avance dans les bluets fleuris, vêtu de neuf, l'écritoire au
côté. Comme un poupon sur l'oreiller, il se ballotte sur son ventre
rebondi, et, les yeux à demi fermés, il marmotte un *Pater noster*
dans son triple menton. Salut, maître [2] Blazius; vous arrivez au 5
temps de la vendange, pareil à une amphore [3] antique.

Maître Blazius. Que ceux qui veulent apprendre une nouvelle d'importance m'apportent ici premièrement un verre de
vin frais.

---

[1] **messer** = **messire**, name reserved for people of the nobility in the Middle
Ages, later applied to doctors and lawyers.
[2] **maître**, title given chiefly to lawyers and doctors.
[3] **amphore**, ancient two-handled vase for wine. Maître Blazius is a heavy
drinker.

LE CHŒUR. Voilà notre plus grande écuelle; buvez, maître Blazius; le vin est bon; vous parlerez après.

MAÎTRE BLAZIUS. Vous saurez, mes enfants, que le jeune Perdican, fils de notre seigneur, vient d'atteindre à sa majorité, 5 et qu'il est reçu docteur à Paris. Il revient aujourd'hui même au château, la bouche toute pleine de façons de parler si belles et si fleuries qu'on ne sait que lui répondre les trois quarts du temps. Toute sa gracieuse personne est un livre d'or; [4] il ne voit pas un brin d'herbe à terre, qu'il ne vous dise comment cela s'appelle en 10 latin; et quand il fait du vent ou qu'il pleut, il vous dit tout clairement pourquoi. Vous ouvrirez des yeux grands comme la porte que voilà, de le voir dérouler un des parchemins qu'il a coloriés d'encres de toutes couleurs de ses propres mains et sans en rien dire à personne. Enfin, c'est un diamant fin des pieds à 15 la tête, et voilà ce que je viens annoncer à M. le baron. Vous sentez que cela me fait quelque honneur, à moi, qui suis son gouverneur depuis l'âge de quatre ans; ainsi donc, mes bons amis, apportez une chaise, que je descende un peu de cette mule-ci sans me casser le cou; la bête est tant soit peu rétive, et je ne serais 20 pas fâché de boire encore une gorgée avant d'entrer.

LE CHŒUR. Buvez, maître Blazius, et reprenez vos esprits.[5] Nous avons vu naître le petit Perdican, et il n'était pas besoin, du moment qu'il arrive, de nous en dire si long. Puissions-nous retrouver l'enfant dans le cœur de l'homme!

25   MAÎTRE BLAZIUS. Ma foi, l'écuelle est vide; je ne croyais pas avoir tant bu. Adieu; j'ai préparé, en trottant sur la route, deux ou trois phrases sans prétention qui plairont à monseigneur; je vais tirer la cloche. (Il sort.)

LE CHŒUR. Durement cahotée sur son âne essoufflé, dame 30 Pluche gravit la colline; son écuyer transi gourdine à tour de bras le pauvre animal, qui hoche la tête, un chardon entre les dents. Ses longues jambes maigres trépignent de colère, tandis que, de ses mains osseuses, elle égratigne son chapelet.[6] Bonjour donc, dame Pluche; vous arrivez comme la fièvre, avec le vent qui fait 35 jaunir les bois.

---

[4] **un livre d'or,** book in which the names of the nobility were registered; here used for the many qualities of Perdican.

[5] **reprenez vos esprits,** collect your wits.

[6] **elle égratigne son chapelet,** she tells her beads nervously.

DAME PLUCHE. Un verre d'eau, canaille que vous êtes! un verre d'eau et un peu de vinaigre!

LE CHŒUR. D'où venez-vous, Pluche, ma mie? Vos faux cheveux sont couverts de poussière; voilà un toupet de gâté, et votre chaste robe est retroussée jusqu'à vos vénérables jarretières. 5

DAME PLUCHE. Sachez, manants, que la belle Camille, la nièce de votre maître, arrive aujourd'hui au château. Elle a quitté le couvent sur l'ordre exprès de monseigneur, pour venir en son temps et lieu recueillir, comme faire se doit,[7] le bon bien qu'elle a de sa mère. Son éducation, Dieu merci, est terminée, et ceux 10 qui la verront auront la joie de respirer une glorieuse fleur de sagesse et de dévotion. Jamais il n'y a rien eu de si pur, de si ange, de si agneau et de si colombe que cette chère nonnain;[8] que le seigneur Dieu du ciel la conduise! Ainsi soit-il! Rangez-vous, canaille; il me semble que j'ai les jambes enflées. 15

LE CHŒUR. Défripez-vous, honnête Pluche, et quand vous prierez Dieu, demandez de la pluie; nos blés sont secs comme vos tibias.

DAME PLUCHE. Vous m'avez apporté de l'eau dans une écuelle qui sent la cuisine; donnez-moi la main pour descendre, vous êtes 20 des butors et des malappris. (*Elle sort.*)

LE CHŒUR. Mettons nos habits du dimanche, et attendons que le baron nous fasse appeler. Ou je me trompe fort, ou quelque joyeuse bombance est dans l'air aujourd'hui. (*Ils sortent.*)

Le salon du baron

LE BARON. Maître Bridaine, vous êtes mon ami; je vous 25 présente maître Blazius, gouverneur de mon fils. Mon fils a eu hier matin, à midi huit minutes, vingt et un ans comptés, il est docteur à quatre boules blanches.[9] Maître Blazius, je vous présente Maître Bridaine, curé de la paroisse; c'est mon ami.

MAÎTRE BLAZIUS, *saluant*. A quatre boules blanches, seigneur; 30 littérature, philosophie, droit romain, droit canon.

LE BARON. Allez à votre chambre, cher Blazius, mon fils ne

---

[7] **comme faire se doit** = **comme on doit faire,** as one should properly do.
[8] **nonnain,** nun; here simply a pupil of the convent.
[9] **quatre boules blanches,** Perdican has obtained a good mark four times. In those days, at certain examinations, white balls meant "excellent"; red, "passing"; black, "failing" (*Eng.* blackballed).

va pas tarder à paraître; faites un peu de toilette, et revenez au coup de la cloche. (*Maître Blazius sort.*)

MAÎTRE BRIDAINE.   Vous dirai-je ma pensée, Monseigneur? le gouverneur de votre fils sent le vin à pleine bouche.

5   LE BARON.   Cela est impossible.

MAÎTRE BRIDAINE.   J'en suis sûr comme de ma vie; il m'a parlé de fort près tout à l'heure; il sent le vin à faire peur.

LE BARON.   Brisons là; ¹⁰ je vous répète que cela est impossible. (*Entre dame Pluche.*) Vous voilà, bonne dame Pluche? Ma nièce
10 est sans doute avec vous?

DAME PLUCHE.   Elle me suit, Monseigneur; je l'ai devancée de quelques pas.

LE BARON.   Maître Bridaine, vous êtes mon ami. Je vous présente la dame Pluche, gouvernante de ma nièce. Ma nièce est
15 depuis hier, à sept heures de nuit, parvenue à l'âge de dix-huit ans; elle sort du meilleur couvent de France. Dame Pluche, je vous présente maître Bridaine, curé de la paroisse; c'est mon ami.

DAME PLUCHE, *saluant.*   Du meilleur couvent de France, Seigneur, et je puis ajouter: la meilleure chrétienne du couvent.

20   LE BARON.   Allez, dame Pluche, réparer le désordre où vous voilà: ma nièce va bientôt venir, j'espère; soyez prête à l'heure du dîner. (*Dame Pluche sort.*)

MAÎTRE BRIDAINE.   Cette vieille demoiselle paraît tout à fait pleine d'onction.

25   LE BARON.   Pleine d'onction et de componction, maître Bridaine; sa vertu est inattaquable.

MAÎTRE BRIDAINE.   Mais le gouverneur sent le vin, j'en ai la certitude.

LE BARON.   Maître Bridaine, il y a des moments où je doute
30 de votre amitié. Prenez-vous à tâche de me contredire? Pas un mot de plus là-dessus. J'ai formé le dessein de marier mon fils avec ma nièce; c'est un couple assorti: leur éducation me coûte six mille écus.

MAÎTRE BRIDAINE.   Il sera nécessaire d'obtenir des dispenses.¹¹

35   LE BARON.   Je les ai, Bridaine; elles sont sur ma table dans mon

---

¹⁰ **Brisons là** = **Assez,** Enough.
¹¹ **dispenses,** dispensations from the Catholic Church, for Camille and Perdican are cousins.

cabinet. O mon ami! apprenez maintenant que je suis plein de
joie. Vous savez que j'ai eu de tout temps la plus profonde horreur
pour la solitude. Cependant, la place que j'occupe et la gravité
de mon habit me forcent à rester dans ce château pendant trois
mois d'hiver et trois mois d'été. Il est impossible de faire le 5
bonheur des hommes en général, et de ses vassaux en particulier,
sans donner parfois à son valet de chambre l'ordre rigoureux de
ne laisser entrer personne. Qu'il est austère et difficile, le recueillement de l'homme d'État! et quel plaisir ne trouverai-je pas à
tempérer, par la présence de mes deux enfants réunis, la sombre 10
tristesse à laquelle je dois nécessairement être en proie depuis
que le roi m'a nommé receveur!

MAÎTRE BRIDAINE.   Ce mariage se fera-t-il ici ou à Paris?

LE BARON.   Voilà où je vous attendais, Bridaine; j'étais sûr
de cette question. Eh bien! mon ami, que diriez-vous si ces mains 15
que voilà, oui, Bridaine, vos propres mains,—ne les regardez pas
d'une manière aussi piteuse,—étaient destinées à bénir solennellement l'heureuse confirmation de mes rêves les plus chers? Hé?

MAÎTRE BRIDAINE.   Je me tais: la reconnaissance me ferme la
bouche.   20

LE BARON.   Regardez par cette fenêtre; ne voyez-vous pas que
mes gens se portent en foule à la grille? Mes deux enfants arrivent
en même temps; voilà la combinaison la plus heureuse. J'ai disposé
les choses de manière à tout prévoir. Ma nièce sera introduite par
cette porte à gauche, et mon fils par cette porte à droite. Qu'en 25
dites-vous? Je me fais une fête de voir comment ils s'aborderont,
ce qu'ils se diront; six mille écus ne sont pas une bagatelle, il ne
faut pas s'y tromper. Ces enfants s'aimaient d'ailleurs fort tendrement dès le berceau. —Bridaine, il me vient une idée!

MAÎTRE BRIDAINE.   Laquelle?   30

LE BARON.   Pendant le dîner, sans avoir l'air d'y toucher,—vous
comprenez, mon ami,—tout en vidant quelques coupes joyeuses ...
vous savez le latin, Bridaine?

MAÎTRE BRIDAINE.   *Ita edepol*,[12] pardieu, si je le sais!

LE BARON.   Je serais bien aise de vous voir entreprendre [13] ce 35
garçon,—discrètement, s'entend,—devant sa cousine; cela ne peut

---

[12] *Ita edepol: Lat. equivalent of* **pardieu, parbleu, certainly, indeed.**
[13] **entreprendre** = **mettre à l'épreuve, put to the test, question.**

produire qu'un bon effet;—faites-le parler un peu latin,—non pas
précisément pendant le dîner, cela deviendrait fastidieux, et
quant à moi, je n'y comprends rien,—mais au dessert, entendez-
vous?

5   MAÎTRE BRIDAINE.   Si vous n'y comprenez rien, Monseigneur,
il est probable que votre nièce est dans le même cas.

LE BARON.   Raison de plus; ne voulez-vous pas qu'une femme
admire ce qu'elle comprend? D'où sortez-vous, Bridaine? Voilà
un raisonnement qui fait pitié.

10   MAÎTRE BRIDAINE.   Je connais peu les femmes; mais il me
semble qu'il est difficile qu'on admire ce qu'on ne comprend pas.

LE BARON.   Je les connais, Bridaine, je connais ces êtres charmants et indéfinissables. Soyez persuadé qu'elles aiment à avoir de
la poudre aux yeux,[14] et que plus on leur en jette, plus elles les
15 écarquillent, afin d'en gober davantage. (*Perdican entre d'un côté,
Camille de l'autre.*) Bonjour, mes enfants; bonjour, ma chère
Camille, mon cher Perdican! embrassez-moi, et embrassez-vous.

PERDICAN.   Bonjour, mon père, ma sœur bien-aimée! Quel
bonheur! que je suis heureux!

20   CAMILLE.   Mon père et mon cousin, je vous salue.

PERDICAN.   Comme te voilà grande, Camille! et belle comme le
jour.

LE BARON.   Quand as-tu quitté Paris, Perdican?

PERDICAN.   Mercredi, je crois, ou mardi. Comme te voilà
25 métamorphosée en femme! Je suis donc un homme, moi? Il me
semble que c'est hier que je t'ai vue pas plus haute que cela.

LE BARON.   Vous devez être fatigués; la route est longue, et il
fait chaud.

PERDICAN.   Oh! mon Dieu, non. Regardez donc, mon père,
30 comme Camille est jolie!

LE BARON.   Allons, Camille, embrasse ton cousin.

CAMILLE.   Excusez-moi.

LE BARON.   Un compliment vaut un baiser; embrasse-la, Perdican.

35   PERDICAN.   Si ma cousine recule quand je lui tends la main, je
vous dirai à mon tour: Excusez-moi; l'amour peut voler un baiser,
mais non pas l'amitié.

[14] **à avoir de la poudre aux yeux,** to have the wool pulled over their eyes.

CAMILLE. L'amitié ni l'amour ne doivent recevoir que ce qu'ils peuvent rendre.

LE BARON, *à maître Bridaine.* Voilà un commencement de mauvais augure, hé?

MAÎTRE BRIDAINE, *au baron.* Trop de pudeur est sans doute 5 un défaut; mais le mariage lève bien des scrupules.

LE BARON, *à maître Bridaine.* Je suis choqué,—blessé.—Cette réponse m'a déplu.—*Excusez-moi!* Avez-vous vu qu'elle a fait mine de se signer?—Venez ici que je vous parle.—Cela m'est pénible au dernier point. Ce moment, qui devait m'être si doux, 10 est complètement gâté.—Je suis vexé, piqué.—Diable! voilà qui est fort mauvais.

MAÎTRE BRIDAINE. Dites-leur quelques mots; les voilà qui se tournent le dos.

LE BARON. Eh bien! mes enfants, à quoi pensez-vous donc? 15 Que fais-tu, là, Camille, devant cette tapisserie?

CAMILLE, *regardant un tableau.* Voilà un beau portrait, mon oncle! N'est-ce pas une grand-tante à nous?

LE BARON. Oui, mon enfant, c'est ta bisaïeule,—ou du moins la sœur de ton bisaïeul, car la chère dame n'a jamais concouru,— 20 pour sa part, je crois, autrement qu'en prières,—à l'accroissement de la famille.—C'était, ma foi, une sainte femme.

CAMILLE. Oh! oui, une sainte! c'est ma grand-tante Isabelle. Comme ce costume religieux lui va bien!

LE BARON. Et toi, Perdican, que fais-tu là devant ce pot de 25 fleurs?

PERDICAN. Voilà une fleur charmante, mon père. C'est un héliotrope.

LE BARON. Te moques-tu? elle est grosse comme une mouche.

PERDICAN. Cette petite fleur grosse comme une mouche a bien 30 son prix.

MAÎTRE BRIDAINE. Sans doute! le docteur a raison. Demandez-lui à quel sexe, à quelle classe elle appartient, de quels éléments elle se forme, d'où lui viennent sa sève et sa couleur; il vous ravira en extase [15] en vous détaillant les phénomènes de ce brin 35 d'herbe, depuis la racine jusqu'à la fleur.

[15] **il vous ravira en extase,** he'll raise you to heights of ecstasy.

PERDICAN. Je n'en sais pas si long, mon révérend. Je trouve qu'elle sent bon, voilà tout.

> Perdican, pour rendre sa cousine jalouse, fera semblant de courtiser devant elle et de vouloir épouser une paysanne, Rosette. Jeu cruel, car Rosette se tue en apprenant qu'on se moque d'elle, et Camille, désespérée d'avoir causé ce malheur, s'enfermera dans un couvent.

Musset, *On ne badine pas avec l'amour*, Acte I, scènes 1 et 2, 1834.

Adieu

ADIEU! je crois qu'en cette vie
Je ne te reverrai jamais.
Dieu passe, il t'appelle et m'oublie,
En te perdant, je sens que je t'aimais.

Pas de pleurs, pas de plainte vaine.
Je sais respecter l'avenir.
Vienne la voile qui t'emmène,
En souriant je la verrai partir.

Tu t'en vas pleine d'espérance,
Avec orgueil tu reviendras;
Mais ceux qui vont souffrir de ton absence,
Tu ne les reconnaîtras pas.

Adieu! tu vas faire un beau rêve,
Et t'enivrer d'un plaisir dangereux;
Sur ton chemin l'étoile qui se lève
Longtemps encore éblouira tes yeux.

Un jour tu sentiras peut-être
Le prix d'un cœur qui nous comprend,
Le bien qu'on trouve à le connaître,
Et ce qu'on souffre en le perdant.

Musset, *Poésies nouvelles*, 1836–1852.

Tristesse

Ce sonnet fut écrit en juin 1840 et publié d'abord dans *La
Revue des Deux Mondes* (Décembre 1841).

J'ai perdu ma force et ma vie,
Et mes amis et ma gaîté;
J'ai perdu jusqu'à la fierté
Qui faisait croire à mon génie.

Quand j'ai connu la Vérité,
J'ai cru que c'était une amie;
Quand je l'ai comprise et sentie,
J'en étais déjà dégoûté.

Et pourtant elle est éternelle,
Et ceux qui se sont passés d'elle
Ici-bas ont tout ignoré.

Dieu parle, il faut qu'on lui réponde.
Le seul bien qui me reste au monde
Est d'avoir quelquefois pleuré.

Musset, *Poésies nouvelles*, 1836–1852.

Le Réalisme

Stendhal [1783–1842],

*de son vrai nom, Henri Beyle, est né à Grenoble. Après
sept ans dans les services de l'armée de Napoléon Ier,
il se met à voyager et à écrire. Il aime particulièrement
l'Italie où il est consul à Civita-Vecchia. D'abord il
écrit des livres de voyage sur Rome, Florence, Naples;
ensuite, des romans:* De l'Amour *(1822),* Le Rouge et le
noir *(1831),* La Chartreuse de Parme *(1839). Pour lui,
la seule règle est «d'être vrai.» Il substitue au «moi»
des romantiques, l'objectivisme et l'impersonnalité de
l'artiste. Il annonce la renaissance du roman psychologique. Ignoré pendant toute sa vie, il est considéré
aujourd'hui, par beaucoup, comme le plus grand des
romanciers français, avec Balzac et Proust.*

———•—•———

L'Arrivée du jeune précepteur

Julien Sorel, fils d'un menuisier, a reçu une bonne instruction
classique du curé de son village. Il devient précepteur des
enfants du maire, M. de Rênal.

Avec la vivacité et la grâce qui lui étaient naturelles quand elle
était loin des regards des hommes, madame de Rênal sortait par
la porte-fenêtre du salon qui donnait sur le jardin, quand elle
aperçut près de la porte d'entrée la figure d'un jeune paysan
5 presque encore enfant, extrêmement pâle et qui venait de pleurer.
Il était en chemise bien blanche, et avait sous le bras une veste
fort propre de ratine violette.

Le teint de ce petit paysan était si blanc, ses yeux si doux, que l'esprit un peu romanesque de madame de Rênal eut d'abord l'idée que ce pouvait être une jeune fille déguisée, qui venait demander quelque grâce à M. le maire.[1] Elle eut pitié de cette pauvre créature, arrêtée à la porte d'entrée, et qui évidemment 5 n'osait pas lever la main jusqu'à la sonnette. Madame de Rênal s'approcha, distraite un instant de l'amer chagrin que lui donnait l'arrivée du précepteur. Julien, tourné vers la porte, ne la voyait pas s'avancer. Il tressaillit quand une voix douce dit tout près de son oreille: 10

—Que voulez-vous ici, mon enfant?

Julien se tourna vivement, et, frappé du regard si rempli de grâce de madame de Rênal, il oublia une partie de sa timidité. Bientôt, étonné de sa beauté, il oublia tout, même ce qu'il venait de faire. Madame de Rênal avait répété sa question.   15

—Je viens pour être précepteur, madame, lui dit-il enfin, tout honteux de ses larmes qu'il essuyait de son mieux.

Madame de Rênal resta interdite, ils étaient fort près l'un de l'autre à se regarder. Julien n'avait jamais vu un être aussi bien vêtu et surtout une femme avec un teint si éblouissant, lui parler 20 d'un air doux. Madame de Rênal regardait les grosses larmes qui s'étaient arrêtées sur les joues si pâles d'abord et maintenant si roses de ce jeune paysan. Bientôt elle se mit à rire, avec toute la gaieté folle d'une jeune fille, elle se moquait d'elle-même et ne pouvait se figurer tout son bonheur. Quoi, c'était là ce pré- 25 cepteur qu'elle s'était figuré comme un prêtre sale et mal vêtu, qui viendrait gronder et fouetter ses enfants!

—Quoi, monsieur, lui dit-elle enfin, vous savez le latin?

Ce mot de monsieur étonna si fort Julien qu'il réfléchit un instant.   30

—Oui, madame, dit-il timidement.

Madame de Rênal était si heureuse, qu'elle osa dire à Julien:

—Vous ne gronderez pas trop ces pauvres enfants?

—Moi, les gronder, dit Julien étonné, et pourquoi?   35

—N'est-ce pas, monsieur, ajouta-t-elle après un petit silence

---

[1] **M. le maire**, M. de Rênal was the mayor of the fictional village of Verrières, in the Besançon region.

et d'une voix dont chaque instant augmentait l'émotion, vous serez bon pour eux, vous me le promettez?

S'entendre appeler de nouveau monsieur, bien sérieusement, et par une dame si bien vêtue, était au-dessus de toutes les prévisions de Julien: dans tous les châteaux en Espagne [2] de sa jeunesse, il s'était dit qu'aucune dame comme il faut ne daignerait lui parler que quand il aurait un bel uniforme. Madame de Rênal, de son côté, était complètement trompée par la beauté du teint, les grands yeux noirs de Julien et ses jolis cheveux qui frisaient plus qu'à l'ordinaire, parce que pour se rafraîchir il venait de plonger la tête dans le bassin de la fontaine publique. A sa grande joie, elle trouvait l'air timide d'une jeune fille à ce fatal [3] précepteur, dont elle avait tant redouté pour ses enfants la dureté et l'air rébarbatif. Pour l'âme si paisible de madame de Rênal, le contraste de ses craintes et de ce qu'elle voyait fut un grand événement. Enfin elle revint de sa surprise. Elle fut étonnée de se trouver ainsi à la porte de sa maison avec ce jeune homme presque en chemise et si près de lui.

—Entrons, monsieur, lui dit-elle d'un air assez embarrassé.

De [4] sa vie, une sensation purement agréable n'avait aussi profondément ému madame de Rênal, jamais une apparition aussi gracieuse n'avait succédé à des craintes plus inquiétantes. Ainsi ces jolis enfants, si soignés par elle, ne tomberaient pas dans les mains d'un prêtre sale et grognon. A peine entrée sous le vestibule, elle se retourna vers Julien qui la suivait timidement. Son air étonné, à l'aspect d'une maison si belle, était une grâce de plus aux yeux de madame de Rênal. Elle ne pouvait en croire ses yeux, il lui semblait surtout que le précepteur devait avoir un habit noir.

—Mais, est-il vrai, monsieur, lui dit-elle en s'arrêtant encore, et craignant mortellement de se tromper, tant sa croyance [5] la rendait heureuse, vous savez le latin?

Ces mots choquèrent l'orgueil de Julien et dissipèrent le charme dans lequel il vivait depuis un quart d'heure.

—Oui, madame, lui dit-il en cherchant à prendre un air froid;

---

[2] **châteaux en Espagne,** castles in the air.   [3] **fatal,** unavoidable.
[4] **De,** In all.
[5] **sa croyance,** her belief that Julien was going to be the tutor of her children.

je sais le latin aussi bien que M. le curé, et même quelquefois il
a la bonté de dire mieux que lui.

Madame de Rênal trouva que Julien avait l'air fort méchant,
il s'était arrêté à deux pas d'elle. Elle s'approcha et lui dit à
mi-voix: 5

—N'est-ce pas, les premiers jours, vous ne donnerez pas le fouet
à mes enfants, même quand ils ne sauraient pas leurs leçons?

Ce ton si doux et presque suppliant d'une si belle dame fit tout
à coup oublier à Julien ce qu'il devait à sa réputation de latiniste.
La figure de madame de Rênal était près de la sienne, il sentit 10
le parfum des vêtements d'été d'une femme, chose si étonnante
pour un pauvre paysan. Julien rougit extrêmement et dit avec
un soupir et d'une voix défaillante:

—Ne craignez rien, madame, je vous obéirai en tout.

Ce fut en ce moment seulement, quand son inquiétude pour 15
ses enfants fut tout à fait dissipée, que madame de Rênal fut
frappée de l'extrême beauté de Julien. La forme presque féminine
de ses traits et son air d'embarras ne semblèrent point ridicules
à une femme extrêmement timide elle-même. L'air mâle que l'on
trouve communément nécessaire à la beauté d'un homme lui eût 20
fait peur.

—Quel âge avez-vous, monsieur? dit-elle à Julien.

—Bientôt dix-neuf ans.

—Mon fils aîné a onze ans, reprit madame de Rênal tout à
fait rassurée, ce sera presque un camarade pour vous, vous lui 25
parlerez raison. Une fois son père a voulu le battre, l'enfant a
été malade pendant toute une semaine, et cependant c'était un
bien petit coup.

Quelle différence avec moi! pensa Julien. Hier encore mon père
m'a battu. Que ces gens riches sont heureux!   30

Madame de Rênal en était déjà à [6] saisir les moindres nuances
de ce qui se passait dans l'âme du précepteur; elle prit ce mouvement de tristesse pour de la timidité, et voulut l'encourager.

—Quel est votre nom, monsieur, lui dit-elle avec un accent et
une grâce dont Julien sentit tout le charme, sans pouvoir s'en 35
rendre compte.

—On m'appelle Julien Sorel, madame; je tremble en entrant

[6] **en était déjà à,** already was able to.

pour la première fois de ma vie dans une maison étrangère, j'ai
besoin de votre protection et que vous me pardonniez bien des
choses les premiers jours. Je n'ai jamais été au collège, j'étais trop
pauvre; je n'ai jamais parlé à d'autres hommes que mon cousin
5 le chirurgien-major, membre de la Légion d'honneur, et M. le
curé Chélan. Il vous rendra bon témoignage de moi. Mes frères
m'ont toujours battu, ne les croyez pas s'ils vous disent du mal de
moi, pardonnez mes fautes, madame, je n'aurai jamais mauvaise
intention.

10   Julien se rassurait pendant ce long discours, il examinait
madame de Rênal. Tel est l'effet de la grâce parfaite, quand elle
est naturelle au caractère, et que surtout la personne qu'elle
décore ne songe pas à avoir de la grâce. Julien, qui se connaissait
fort bien en beauté féminine, eût juré dans cet instant qu'elle
15 n'avait que vingt ans. Il eut sur-le-champ l'idée hardie de lui
baiser la main. Bientôt il eut peur de son idée; un instant après
il se dit: il y aurait de la lâcheté à moi de ne pas exécuter une
action qui peut m'être utile, et diminuer le mépris que cette belle
dame a probablement pour un pauvre ouvrier à peine arraché à
20 la scie.[7] Peut-être Julien fut-il un peu encouragé par ce mot de
joli garçon, que depuis six mois il entendait répéter le dimanche
par quelques jeunes filles. Pendant ces débats intérieurs, madame
de Rênal lui adressait deux ou trois mots d'instruction sur la façon
de débuter avec les enfants. La violence que se faisait Julien [8]
25 le rendit de nouveau fort pâle; il dit, d'un air contraint:
    —Jamais, madame, je ne battrai vos enfants; je le jure devant
Dieu.

    Et en disant ces mots, il osa prendre la main de madame de
Rênal et la porter à ses lèvres. Elle fut étonnée de ce geste, et par
30 réflexion, choquée. Comme il faisait très chaud, son bras était
tout à fait nu sous son châle, et le mouvement de Julien, en
portant la main à ses lèvres, l'avait entièrement découvert. Au
bout de quelques instants, elle se gronda elle-même, il lui sembla
qu'elle n'avait pas été assez rapidement indignée.

35   M. de Rênal, qui avait entendu parler, sortit de son cabinet; du

---

[7] à peine arraché à la scie, still fresh from the saw. His father was a carpenter and kept him busy sawing wood.
[8] La violence que se faisait Julien, the battle which Julien was fighting with
himself not to kiss the hand of Madame de Rênal.

même air majestueux et paterne qu'il prenait lorsqu'il faisait des mariages à la mairie, il dit à Julien:

—Il est essentiel que je vous parle avant que les enfants ne vous voient.

Il fit entrer Julien dans une chambre et retint sa femme qui ₅ voulait les laisser seuls. La porte fermée, M. de Rênal s'assit avec gravité.

—M. le curé m'a dit que vous étiez un bon sujet, tout le monde vous traitera ici avec honneur, et si je suis content, j'aiderai à vous faire par la suite un petit établissement.[9] Je veux que vous ₁₀ ne voyiez plus ni parents ni amis, leur ton ne peut convenir à mes enfants. Voici trente-six francs [10] pour le premier mois; mais j'exige votre parole de ne pas donner un sou de cet argent à votre père.

M. de Rênal était piqué contre le vieillard, qui, dans cette ₁₅ affaire, avait été plus fin que lui.

—Maintenant, *monsieur,* car d'après mes ordres tout le monde ici va vous appeler monsieur, et vous sentirez l'avantage d'entrer dans une maison de gens comme il faut; maintenant, monsieur, il n'est pas convenable que les enfants vous voient en veste. Les ₂₀ domestiques l'ont-ils vu? dit M. de Rênal à sa femme.

—Non, mon ami, répondit-elle d'un air profondément pensif.

—Tant mieux. Mettez ceci, dit-il au jeune homme surpris, en lui donnant une redingote à lui. Allons maintenant chez M. Durand, le marchand de drap.
                                                                    ₂₅
Plus d'une heure après, quand M. de Rênal rentra avec le nouveau précepteur tout habillé de noir, il retrouva sa femme assise à la même place. Elle se sentit tranquillisée par la présence de Julien, en l'examinant elle oubliait d'avoir peur. Julien ne songeait point à elle; malgré toute sa méfiance du destin et des ₃₀ hommes, son âme dans ce moment n'était que celle d'un enfant, il lui semblait avoir vécu des années depuis l'instant où, trois heures auparavant, il était tremblant dans l'église. Il remarqua l'air glacé de madame de Rênal, il comprit qu'elle était en colère de ce qu'il avait osé lui baiser la main. Mais le sentiment ₃₅ d'orgueil que lui donnait le contact d'habits si différents de

---

[9] **vous faire ... un petit établissement,** to set you up in a small trade.
[10] **trente-six francs,** seven dollars at that time.

ceux qu'il avait coutume de porter, le mettait tellement hors de
lui-même, et il avait tant d'envie de cacher sa joie, que tous ses
mouvements avaient quelque chose de brusque et de fou. Madame
de Rênal le contemplait avec des yeux étonnés.

5   —De la gravité, monsieur, lui dit M. de Rênal, si vous voulez
être respecté de mes enfants et de mes gens.

—Monsieur, répondit Julien, je suis gêné dans ces nouveaux
habits; moi, pauvre paysan, je n'ai jamais porté que des vestes;
j'irai, si vous le permettez, me renfermer dans ma chambre.

10   —Que te semble cette nouvelle acquisition? dit M. de Rênal à
sa femme.

Par un mouvement presque instinctif, et dont certainement,
elle ne se rendit pas compte, madame de Rênal déguisa la vérité
à son mari.

15   —Je ne suis point aussi enchantée que vous de ce petit paysan,
vos prévenances en feront un impertinent que vous serez obligé
de renvoyer avant un mois.

—Eh bien! nous le renverrons, ce sera une centaine de francs
qu'il m'en pourra coûter, et Verrières sera accoutumée à voir un
20 précepteur aux enfants de M. de Rênal. Ce but n'eût point été
rempli si j'eusse laissé à Julien l'accoutrement d'un ouvrier. En
le renvoyant, je retiendrai, bien entendu, l'habit noir complet
que je viens de lever [11] chez le drapier. Il ne lui restera que ce que
je viens de trouver tout fait chez le tailleur, et dont je l'ai
25 couvert.[12]

L'heure que Julien passa dans sa chambre parut un instant à
madame de Rênal. Les enfants, auxquels l'on avait annoncé le
nouveau précepteur, accablaient leur mère de questions. Enfin
Julien parut, C'était un autre homme. C'eût été mal parler que
30 de dire qu'il était grave; c'était la gravité incarnée. Il fut présenté
aux enfants, et leur parla d'un air qui étonna M. de Rênal lui-
même.

—Je suis ici, messieurs, leur dit-il en finissant son allocution,
pour vous apprendre le latin. Vous savez ce que c'est que de
35 réciter une leçon. Voici la sainte Bible, dit-il en leur montrant

[11] que je viens de lever = que je viens de faire tailler, that I have just had
cut.
[12] et dont je l'ai couvert, and with which I clothed him.

un petit volume *in-32,* relié en noir. C'est particulièrement l'histoire de Notre-Seigneur Jésus-Christ, c'est la partie qu'on appelle
le Nouveau Testament. Je vous ferai souvent réciter des leçons,
faites-moi réciter la mienne.

Adolphe, l'aîné des enfants, avait pris le livre.   5

—Ouvrez-le au hasard, continua Julien, et dites-moi le premier
mot d'un alinéa.¹³ Je réciterai par cœur le livre sacré, règle de
notre conduite à tous, jusqu'à ce que vous m'arrêtiez.

Adolphe ouvrit le livre, lut un mot, et Julien récita toute la
page avec la même facilité que s'il eût parlé français. M. de Rênal 10
regardait sa femme d'un air de triomphe. Les enfants, voyant
l'étonnement de leurs parents, ouvraient de grands yeux. Un
domestique vint à la porte du salon, Julien continua de parler
latin. Le domestique resta d'abord immobile, et ensuite disparut.
Bientôt la femme de chambre de madame et la cuisinière arri- 15
vèrent près de la porte; alors Adolphe avait déjà ouvert le livre
en huit endroits, et Julien récitait toujours avec la même facilité.

—Ah mon Dieu! le joli petit prêtre, dit tout haut la cuisinière,
bonne fille fort dévote.

L'amour-propre de M. de Rênal était inquiet; loin de songer 20
à examiner le précepteur, il était tout occupé à chercher dans sa
mémoire quelques mots latins; enfin, il put dire un vers d'Horace.
Julien ne savait de latin que sa Bible. Il répondit en fronçant le
sourcil:

—Le saint ministère auquel je me destine m'a défendu de lire 25
un poète aussi profane.

M. de Rênal cita un assez grand nombre de prétendus vers
d'Horace. Il expliqua à ses enfants ce que c'était qu'Horace; mais
les enfants, frappés d'admiration, ne faisaient guère attention à
ce qu'il disait. Ils regardaient Julien.   30

Les domestiques étant toujours à la porte, Julien crut devoir
prolonger l'épreuve:

—Il faut, dit-il au plus jeune des enfants, que M. Stanislas-
Xavier m'indique aussi un passage du livre saint.

Le petit Stanislas, tout fier, lut tant bien que mal le premier 35
mot d'un alinéa, et Julien dit toute la page. Pour que rien ne
manquât au triomphe de M. de Rênal, comme Julien récitait,

¹³ **un alinéa,** first line of a paragraph.

entrèrent M. Valenod, le possesseur des beaux chevaux normands,
et M. Charcot de Maugiron, sous-préfet de l'arrondissement. Cette
scène valut à Julien le titre de monsieur; les domestiques eux-
mêmes n'osèrent pas le lui refuser.

5　　Le soir, tout Verrières afflua chez M. de Rênal pour voir la
merveille. Julien répondait à tous d'un air sombre qui tenait à
distance. Sa gloire s'étendit si rapidement dans la ville, que peu
de jours après, M. de Rênal, craignant qu'on ne le lui enlevât,
lui proposa de signer un engagement de deux ans.

10　　—Non, monsieur, répondit froidement Julien, si vous vouliez
me renvoyer je serais obligé de sortir. Un engagement qui me lie
sans vous obliger à rien n'est point égal, je le refuse.

　　Julien sut si bien faire que moins d'un mois après son arrivée
dans la maison, M. de Rênal lui-même le respectait. Le curé étant
15　brouillé avec MM. de Rênal et Valenod, personne ne put trahir
l'ancienne passion de Julien pour Napoléon.[14]

Stendhal, Le Rouge et le noir, Ch. 16, 1831.

[14] **Napoleon,** Julien Sorel burns with a secret admiration for Napoleon. He
wants to succeed as his hero did. Now in the home of a royalist, he must hide
his political feelings.

Honoré de Balzac [1799–1850]

est né à Tours. Après ses études secondaires, il va à Paris où il mène, jusqu'à trente ans, une vie pleine d'entreprises et d'échecs de toutes sortes. De 1822 à 1828 il publie de nombreux romans-feuilletons sous divers pseudonymes. Tour à tour éditeur, imprimeur, homme d'affaires, rien ne lui réussit; il revient toujours au métier d'écrivain. Son premier grand succès est Les Chouans (1829). *C'est alors une suite ininterrompue de chefs-d'œuvre qu'il classe sous le titre de* Comédie humaine: Le Colonel Chabert (1832), Eugénie Grandet (1833), Le Père Goriot (1834), Grandeur et décadence de César Birotteau (1837), Les Paysans (1844), La Cousine Bette (1846). *Il meurt à cinquante et un ans, épuisé par le travail, les soucis financiers et les plaisirs.*

Rêves de grandeur de César

Durant les nuits d'hiver, le bruit ne cesse dans la rue Saint-Honoré que pendant un instant; les maraîchers y continuent, en allant à la Halle,[1] le mouvement qu'ont fait les voitures qui reviennent du spectacle ou du bal. Au milieu de ce point d'orgue [2] qui, dans la grande symphonie du tapage parisien, se rencontre 5 vers une heure du matin, la femme de M. César Birotteau, marchand parfumeur établi près de la place Vendôme, fut réveillée en sursaut par un épouvantable rêve. La parfumeuse s'était vue double; elle s'était apparue à elle-même en haillons, tournant d'une main sèche et ridée le bec-de-cane de sa propre boutique, 10 où elle se trouvait à la fois sur le seuil de la porte et sur son

---

[1] **à la Halle** = **Aux Halles,** main market place in the center of Paris.
[2] **ce point d'orgue,** musical term indicating a pause.

fauteuil dans le comptoir; elle se demandait l'aumône, elle
s'entendait parler à la porte et au comptoir. Elle voulut saisir son
mari et posa la main sur une place froide. Sa peur devint tellement intense, qu'elle ne put remuer son cou, qui se pétrifia; les
5 parois de son gosier se collèrent, la voix lui manqua; elle resta
clouée sur son séant, les yeux agrandis et fixes, les cheveux
douloureusement affectés, les oreilles pleines de sons étranges, le
cœur contracté, mais palpitant, enfin tout à la fois en sueur et
glacée au milieu d'une alcôve dont les deux battants étaient
10 ouverts. ...

Mme Birotteau subit alors quelques-unes des souffrances en
quelque sorte lumineuses que procurent ces terribles décharges
de la volonté répandue ou concentrée par un mécanisme inconnu.
Ainsi, pendant un laps de temps, fort court en l'appréciant à la
15 mesure de nos montres, mais incommensurable au compte de ses
rapides impressions, cette pauvre femme eut le monstrueux pouvoir d'émettre plus d'idées, de faire surgir plus de souvenirs que,
dans l'état ordinaire de ses facultés, elle n'en aurait conçu pendant
toute une journée. La poignante histoire de ce monologue peut se
20 résumer en quelques mots absurdes, contradictoires et dénués de
sens, comme il le fut.[3]

—Il n'existe aucune raison qui puisse faire sortir Birotteau de
mon lit! Il a mangé tant de veau, que peut-être est-il indisposé?
Mais, s'il était malade, il m'aurait éveillée. Depuis dix-neuf ans
25 que nous couchons ensemble dans ce lit, dans cette même maison,
jamais il ne lui est arrivé de quitter sa place sans me le dire, pauvre
mouton! Il n'a découché que pour passer la nuit au corps de
garde.[4] S'est-il couché ce soir avec moi? Mais oui, mon Dieu,
suis-je bête!

30 Elle jeta les yeux sur le lit, et vit le bonnet de nuit de son mari,
qui conservait la forme presque conique de la tête.

—Il est donc mort! Se serait-il tué? Pourquoi? reprit-elle. Depuis
deux ans qu'ils l'ont nommé adjoint au maire, il est *tout je ne*
sais comment. Le mettre dans les fonctions publiques, n'est-ce pas,
35 foi d'honnête femme, à faire pitié? Ses affaires vont bien, il m'a
donné un châle. Elles vont mal peut-être? Bah! je le saurais. Sait-on

[3] **comme il le fut,** as was the monologue.
[4] **au corps de garde,** at the guardhouse, with the National Guard.

jamais ce qu'un homme a dans son sac? [5] ni une femme non plus?
ça n'est pas un mal. Mais n'avons-nous pas vendu pour cinq mille
francs aujourd'hui? D'ailleurs, un adjoint ne peut pas se faire
mourir soi-même, il connaît trop bien les lois. Où donc-est-il?

Elle ne pouvait ni tourner le cou, ni avancer la main pour tirer 5
un cordon de sonnette qui aurait mis en mouvement une cuisinière, trois commis et un garçon de magasin. En proie au
cauchemar qui continuait dans son état de veille, elle oubliait
sa fille paisiblement endormie dans une chambre contiguë à la
sienne, et dont la porte donnait au pied de son lit. Enfin elle cria: 10
«Birotteau!» et ne reçut aucune réponse. Elle croyait avoir crié
le nom, et ne l'avait prononcé que mentalement.

—Aurait-il une maîtresse? Il est trop bête, reprit-elle, et, d'ailleurs, il m'aime trop pour cela. N'a-t-il pas dit à Mᵐᵉ Roguin qu'il
ne m'avait jamais fait d'infidélité, même en pensée? C'est la 15
probité venue sur terre, cet homme-là. Si quelqu'un mérite le
paradis, n'est-ce pas lui? De quoi peut-il s'accuser à son confesseur?
Il lui dit des *nunu*.[6] Pour un royaliste qu'il est, sans savoir pourquoi, par exemple, il ne fait guère bien mousser sa religion.[7]
Pauvre chat, il va dès huit heures en cachette à la messe, comme 20
s'il allait dans une maison de plaisir. Il craint Dieu, pour Dieu
même: l'enfer ne le concerne guère. Comment aurait-il une
maîtresse? Il quitte si peu ma jupe, qu'il m'en ennuie. Il m'aime
mieux que ses yeux, il s'aveuglerait pour moi. Pendant dix-neuf
ans, il n'a jamais proféré de parole plus haute que l'autre, parlant 25
à ma personne. Sa fille ne passe qu'après moi. Mais Césarine est
là. ... (Césarine! Césarine!) Birotteau n'a jamais eu de pensée qu'il
ne me l'ait dite. Il avait bien raison, quand il venait au *Petit
Matelot,* de prétendre que je ne le connaîtrais qu'à l'user! Et plus
là! ... voilà de l'extraordinaire.   30

Elle tourna péniblement la tête et regarda furtivement à travers
sa chambre, alors pleine de ces pittoresques effets de nuit qui font
le désespoir du langage, et semblent appartenir exclusivement au
pinceau des peintres de genre. ... Mᵐᵉ Birotteau crut voir une forte
lumière dans la pièce qui précédait sa chambre, et pensa tout à 35
coup au feu; mais, en apercevant un foulard rouge, qui lui parut

---

⁵ **sac = tête,** head.   ⁶ **nunu,** things of no importance.
⁷ **... religion,** he doesn't make a great show of his religion.

être une mare de sang répandu, les voleurs l'occupèrent exclusivement, surtout quand elle voulut trouver les traces d'une lutte dans
la manière dont les meubles étaient placés. Au souvenir de la
somme qui était en caisse, une crainte généreuse éteignit les froides
5 ardeurs du cauchemar; elle s'élança, toute effarée, en chemise, au
milieu de sa chambre, pour secourir son mari, qu'elle supposait
aux prises avec des assassins.

—Birotteau! Birotteau! cria-t-elle enfin d'une voix pleine
d'angoisses.

10 Elle trouva le marchand parfumeur au milieu de la pièce
voisine, une aune à la main et mesurant l'air, mais si mal en-
veloppé dans sa robe de chambre d'indienne verte à pois couleur
chocolat, que le froid lui rougissait les jambes sans qu'il le sentît,
tant il était préoccupé. Quand César se retourna pour dire à
15 sa femme: «Eh bien, que veux-tu, Constance?» son air, comme
celui des hommes distraits par des calculs, fut si exorbitamment
niais, que Mme Birotteau se mit à rire.

—Mon Dieu, César, es-tu original comme, ça! dit-elle. Pourquoi
me laisses-tu seule sans me prévenir? J'ai manqué mourir de peur,
20 je ne savais quoi m'imaginer. Que fais-tu donc là, ouvert à tous
vents? Tu vas t'enrhumer comme un loup.[8] M'entends-tu, Birotteau?

—Oui, ma femme, me voilà, répondit le parfumeur en rentrant
dans la chambre.

25 —Allons, arrive donc te chauffer, et dis-moi quelle lubie tu
as,[9] reprit Mme Birotteau en écartant les cendres du feu, qu'elle
s'empressa de rallumer. Je suis gelée. Étais-je bête de me lever en
chemise! Mais j'ai vraiment cru qu'on t'assassinait.

Le marchand posa son bougeoir sur la cheminée, s'enveloppa
30 dans sa robe de chambre, et alla chercher machinalement à sa
femme un jupon de flanelle.

—Tiens, mimi, couvre-toi donc, dit-il.—Vingt-deux sur dix-
huit, reprit-il en continuant son monologue, nous pouvons avoir
un superbe salon.

---

[8] **s'enrhumer comme un loup,** to have a terrible cold. The idiom is not used
any more; the modern one is être enrhumé comme tous les diables.
[9] **quelle lubie tu as,** what's gotten into you.

—Ah çà! Birotteau, te voilà donc en train de devenir fou?
Rêves-tu?

—Non, ma femme, je calcule.

—Pour faire tes bêtises, tu devrais bien au moins attendre le
jour, s'écria-t-elle en rattachant son jupon sous sa camisole pour 5
aller ouvrir la porte de la chambre où couchait sa fille.

—Césarine dort, dit-elle, elle ne nous entendra point. Voyons,
Birotteau, parle donc. Qu'as-tu?

—Nous pouvons donner le bal.

—Donner un bal! nous? Foi d'honnête femme, tu rêves, mon 10
cher ami.

—Je ne rêve point, ma belle biche blanche. Écoute, il faut
toujours faire ce qu'on doit relativement à la position où l'on se
trouve. Le gouvernement m'a mis en évidence, j'appartiens au
gouvernement; nous sommes obligés d'en étudier l'esprit et d'en 15
favoriser les intentions en les développant. Le duc de Richelieu
vient de faire cesser l'occupation de la France.[10] Selon M. de la
Billardière,[11] les fonctionnaires qui représentent la ville de Paris
doivent se faire un devoir, chacun dans la sphère de ses influences, de célébrer la libération du territoire. Témoignons un vrai 20
patriotisme qui fera rougir celui des soi-disant libéraux, ces
damnés intrigants, hein? Crois-tu que je n'aime pas mon pays?
Je veux montrer aux libéraux, à mes ennemis, qu'aimer le roi,
c'est aimer la France!

—Tu crois donc avoir des ennemis, mon pauvre Birotteau? 25

—Mais oui, ma femme, nous avons des ennemis. Et la moitié
de nos amis dans le quartier sont nos ennemis. Ils disent tous:
«Birotteau a la chance, Birotteau est un homme de rien, le voilà
cependant adjoint, tout lui réussit.» Eh bien, ils vont être encore
joliment attrapés. Apprends la première que je suis chevalier de 30
la Légion d'honneur: le roi a signé hier l'ordonnance.

—Oh! alors, dit Mme Birotteau toute émue, faut donner le bal,
mon bon ami. Mais qu'as-tu donc tant fait pour avoir la croix?

[10] **Richelieu ... France,** The Duke of Richelieu (1766–1822), foreign minister
of Louis XVIII. France was occupied by the conquerors of Napoleon at Water-
loo (1815–1818).

[11] **M. de la Billardière,** the mayor of the Second District where Birotteau
was deputy-mayor.

—Quand hier M. de la Billardière m'a dit cette nouvelle, reprit M. Birotteau embarrassé, je me suis aussi demandé, comme toi, quels étaient mes titres; mais, en revenant, j'ai fini par les connaître et par approuver le gouvernement. D'abord, je suis roya-
5 liste, j'ai été blessé à Saint-Roch en vendémiaire; [12] n'est-ce pas quelque chose que d'avoir porté les armes dans ce temps-là pour la bonne cause? Puis, selon quelques négociants, je me suis acquitté de mes fonctions consulaires [13] à la satisfaction générale. Enfin, je suis adjoint, le roi accorde quatre croix [14] au corps municipal
10 de la ville de Paris. Examen fait des personnes qui, parmi les adjoints, pouvaient être décorées, le préfet m'a porté le premier sur la liste. Le roi doit, d'ailleurs, me connaître: grâce au vieux Ragon,[15] je lui fournis la seule poudre dont il veuille faire usage; nous possédons seuls la recette de la poudre de la feue reine,[16]
15 pauvre chère auguste victime! Le maire m'a violemment appuyé. Que veux-tu! si le roi me donne la croix sans que je la lui demande, il me semble que je ne peux la refuser sans lui manquer à tous égards. Ai-je voulu être adjoint? Aussi, ma femme, puisque nous avons le vent en *pompe,*[17] comme dit ton oncle Pillerault
20 quand il est dans ses gaietés,[18] suis-je décidé à mettre chez nous tout d'accord avec notre haute fortune. Si je puis être quelque chose, je me risquerai à devenir ce que le bon Dieu voudra que je sois, sous-préfet, si tel est mon destin. Ma femme, tu commets une grave erreur en croyant qu'un citoyen a payé sa dette à son
25 pays après avoir débité pendant vingt ans des parfumeries à ceux qui venaient en chercher. Si l'État réclame le concours de nos lumières, nous les lui devons, comme nous lui devons l'impôt mobilier, les portes et fenêtres,[19] *et cætera.* As-tu donc envie de toujours rester dans ton comptoir? [20] Il y a, Dieu merci, bien assez
30 longtemps que tu y séjournes. Le bal sera notre fête à tous. Adieu

---

[12] à **Saint-Roch en vendémiaire,** on the steps of Saint-Roch Church, not far from the Comédie-Française. During the Royalist riots of the 13th vendémiaire (October, 1795), General Bonaparte had the rioters shot down.
[13] **fonctions consulaires,** as judge at the commercial court.
[14] **croix,** cross of the Legion of Honor.
[15] **Ragon,** predecessor of Birotteau in the perfume shop.
[16] **reine,** Queen Marie-Antoinette, guillotined in 1793.
[17] **... en *pompe,*** *should be* en poupe, since we are sailing before the wind.
[18] **dans ses gaietés,** very gay (after drinking).
[19] **les portes et fenêtres,** There is still a tax on doors and windows in France.
[20] **dans ton comptoir,** behind your cashier's desk.

le détail, pour toi s'entend. Je brûle notre enseigne de *La Reine des roses*, j'efface sur notre tableau CÉSAR BIROTTEAU, MARCHAND PARFUMEUR, SUCCESSEUR DE RAGON, et mets tout bonnement PARFUMERIES en grosses lettres d'or. Je place à l'entresol le bureau, la caisse, et un joli cabinet pour 5 toi. Je fais mon magasin de l'arrière-boutique, de la salle à manger et de la cuisine actuelles. Je loue le premier étage de la maison voisine, où j'ouvre une porte dans le mur. Je retourne l'escalier, afin d'aller de plain-pied d'une maison à l'autre. Nous aurons alors un grand appartement meublé *aux oiseaux!* [21] Oui, je 10 renouvelle ta chambre, je te ménage un boudoir, et donne une jolie chambre à Césarine. La demoiselle de comptoir que tu prendras, notre premier commis et la femme de chambre (oui, madame, vous en aurez une!) logeront au second. Au troisième, il y aura la cuisine, la cuisinière et le garçon de peine. Le quat- 15 rième sera notre magasin général de bouteilles, cristaux et porcelaines. L'atelier de nos ouvrières dans le grenier! Les passants ne verront plus coller les étiquettes, faire des sacs, trier des flacons, boucher des fioles. Bon pour la rue Saint-Denis; [22] mais, rue Saint-Honoré, fi donc! mauvais genre. Dis donc, sommes-nous 20 les seuls parfumeurs qui soient dans les honneurs? N'y a-t-il pas des vinaigriers, des marchands de moutarde qui commandent la garde nationale, et qui sont très bien vus au château? [23] Imitons-les, étendons notre commerce, et en même temps, poussons-nous dans les hautes sociétés.   25

—Tiens, Birotteau, sais-tu ce que je pense en t'écoutant? Eh bien, tu me fais l'effet d'un homme qui cherche midi à quatorze heures. [24] Souviens-toi de ce que je t'ai conseillé quand il a été question de te nommer maire: ta tranquillité avant tout! «Tu es fait, t'ai-je dit, pour être en évidence comme mon bras pour 30 faire une aile de moulin. Les grandeurs seraient ta perte.» Tu ne m'as pas écoutée; la voilà venue, notre perte. Pour jouer un rôle politique, il faut de l'argent; en avons-nous? Comment! tu

[21] meublé *aux oiseaux!* furnished perfectly; today a perfumer speaking slang would say «meublé au poil.»
[22] la rue Saint-Denis, a populous district in northeastern Paris.
[23] au Château, the Tuileries, where Louis XVIII resided; it was destroyed in 1871.
[24] qui cherche midi à quatorze heures, who is looking for difficulties where there are none, who is quibbling.

veux brûler ton enseigne qui a coûté six cents francs, et renoncer
à *La Reine des roses,* à ta vraie gloire? Laisse donc les autres être
des ambitieux. Qui met la main à un bûcher en retire de la
flamme, est-ce vrai? la politique brûle aujourd'hui. Nous avons
5 cent bons mille francs, écus, placés en dehors de notre commerce,
de notre fabrique et de nos marchandises? Si tu veux augmenter
ta fortune, agis aujourd'hui comme en 1793: les rentes sont à
soixante et douze francs, achète des rentes, tu auras dix mille
livres de revenu, sans que ce placement nuise à nos affaires. Profite
10 de ce revirement pour marier notre fille, vends notre fonds et
allons dans ton pays. Comment! pendant quinze ans, tu n'as parlé
que d'acheter *Les Trésorières,* ce joli petit bien près de Chinon, où
il y a des eaux, des prés, des bois, des vignes, des métairies, qui
rapporte mille écus, dont l'habitation nous plaît à tous deux, que
15 nous pouvons avoir encore pour soixante mille francs, et monsieur
veut aujourd'hui devenir quelque chose dans le gouvernement?
Souviens-toi donc de ce que nous sommes, des parfumeurs. Il y a
seize ans, avant que tu eusses inventé la *double pâte des sultanes*
et l'*eau carminative,* si l'on était venu te dire: «Vous allez avoir
20 l'argent nécessaire pour acheter *Les Trésorières,*» ne te serais-tu
pas trouvé mal de joie? Eh bien, tu peux acquérir cette propriété,
dont tu avais tant envie, que tu n'ouvrais la bouche que de ça;
maintenant, tu parles de dépenser en bêtises un argent gagné à
la sueur de notre front, je peux dire le nôtre, j'ai toujours été
25 assise dans ce comptoir par tous les temps comme un pauvre chien
dans sa niche. Ne vaut-il pas mieux avoir un pied-à-terre chez ta
fille, devenue la femme d'un notaire de Paris, et vivre huit mois
de l'année à Chinon, que de commencer ici à faire de cinq sous six
blancs, et de six blancs rien? [25] Attends la hausse des fonds publics,
30 tu donneras huit mille livres de rente à ta fille, nous en garderons
deux mille pour nous, le produit de notre fonds nous permettra
d'avoir *Les Trésorières.* Là, dans ton pays, mon bon petit chat, en
emportant notre mobilier, qui vaut gros, nous serons comme des
princes, tandis qu'ici, faut au moins un million pour faire figure.
35   —Voilà où je t'attendais, ma femme, dit César Birotteau. Je ne
suis pas assez bête encore (quoique tu me croies bien bête, toi!)
pour ne pas avoir pensé à tout. Écoute-moi bien. Alexandre

[25] à faire de cinq sous six blancs, et de six blancs rien, to ruin yourself.

Crottat nous va comme un gant pour gendre, et il aura l'étude de
Roguin; mais crois-tu qu'il se contente de cent mille francs de
dot (une supposition que nous donnions tout notre avoir liquide
pour établir notre fille; et c'est mon avis; j'aimerais mieux n'avoir
que du pain sec pour le reste de mes jours, et la voir heureuse [5]
comme une reine, enfin la femme d'un notaire de Paris, comme
tu dis)? Eh bien, cent mille francs ou même huit mille livres de
rente ne sont rien pour acheter l'étude à Roguin. Ce petit
Xandrot, comme nous l'appelons, nous croit, ainsi que tout le
monde, bien plus riches que nous ne le sommes. Si son père, ce [10]
gros fermier qui est avare comme un colimaçon, ne vend pas pour
cent mille francs de terres, Xandrot ne sera pas notaire, car l'étude
à Roguin vaut quatre ou cinq cent mille francs. Si Crottat n'en
donne pas moitié comptant, comment se tirerait-il d'affaire?
Césarine doit avoir deux cent mille francs de dot; et je veux nous [15]
retirer bons bourgeois de Paris avec quinze mille livres de rente.
Hein! si je te faisais voir cela clair comme le jour, n'aurais-tu pas
la margoulette [26] fermée?

—Ah! si tu as le Pérou ...[27]

—Oui, j'ai, ma biche. Oui, dit-il en prenant sa femme par la [20]
taille et la frappant à petits coups, ému par une joie qui anima tous
ses traits. Je n'ai point voulu te parler de cette affaire avant qu'elle
fût cuite; mais, ma foi, demain je la terminerai peut-être. Voici: Roguin m'a proposé une spéculation si sûre, qu'il s'y met avec Ragon,
avec ton oncle Pillerault et deux autres de ses clients. Nous allons [25]
acheter aux environs de la Madeleine [28] des terrains que, suivant
les calculs de Roguin, nous aurons pour le quart de la valeur à laquelle ils doivent arriver d'ici à trois ans, époque où les baux
étant expirés, nous deviendrons maîtres d'exploiter. Nous sommes
tous six par portions convenues. Moi, je fournis trois cent mille [30]
francs, afin d'y être pour trois huitièmes. Si quelqu'un de nous a
besoin d'argent, Roguin lui en trouvera sur sa part en hypothé-
quant. Pour tenir la queue de la poêle [29] et savoir comment frira
le poisson, j'ai voulu être propriétaire en nom pour la moitié qui

[26] margoulette *slang* = la bouche.
[27] le Pérou = les mines du Pérou, riches.
[28] la Madeleine, At that time, Paris, ending at the Place de la Concorde,
was beginning to expand toward the west.
[29] Pour tenir la queue de la poêle, To be able to run the show.

sera commune entre Pillerault, le bonhomme Ragon et moi.
Roguin sera, sous le nom d'un M. Charles Claparon, mon copro-
priétaire, qui donnera, comme moi, une contre-lettre [30] à ses
associés. Les actes d'acquisition se font par promesses de vente
5 sous seing privé [31] jusqu'à ce que nous soyons maîtres de tous les
terrains. Roguin examinera quels sont les contrats qui devront
être réalisés, car il n'est pas sûr que nous puissions nous dispenser
de l'enregistrement et en rejeter les droits sur ceux à qui nous
vendrons en détail, mais ce serait trop long à t'expliquer. Les
10 terrains payés, nous n'aurons qu'à nous croiser les bras, et dans
trois ans d'ici, nous serons riches d'un million. Césarine aura
vingt ans, notre fonds sera vendu, nous irons alors à la grâce de
Dieu modestement vers les grandeurs.

—Eh bien, où prendras-tu donc tes trois cent mille francs? dit
15 Mme Birotteau.

—Tu n'entends rien aux affaires, ma chatte aimée. Je don-
nerai les cent mille francs qui sont chez Roguin, j'emprunterai
quarante mille francs sur les bâtiments et les jardins où sont nos
fabriques dans le faubourg du Temple, nous avons vingt mille
20 francs en portefeuille; en tout, cent soixante mille francs. Reste
cent quarante mille autres, pour lesquels je souscrirai des effets à
l'ordre de M. Charles Claparon, banquier; il en donnera la valeur,
moins l'escompte. Voilà nos cent mille écus payés; *qui a terme ne
doit rien.*[32] Quand les effets arriveront à échéance, nous les acquit-
25 terons avec nos gains. Si nous ne pouvions plus les solder, Roguin
me remettrait des fonds à cinq pour cent, hypothéqués sur ma part
de terrain. Mais les emprunts sont inutiles: j'ai découvert une
essence pour faire pousser les cheveux, une *huile comagène!*
Livingston m'a posé là-bas une presse hydraulique pour fabriquer
30 mon huile avec des noisettes qui, sous cette forte pression,
rendront aussitôt toute leur huile. Dans un an, suivant mes pro-
babilités, j'aurai gagné cent mille francs, au moins. Je médite une
affiche qui commencera par *A bas les perruques!* dont l'effet sera
prodigieux. Tu ne t'aperçois pas de mes insomnies, toi! Voilà trois

---

[30] **une contre-lettre,** counter-deed.
[31] **sous seing privé,** without the presence of a notary.
[32] **qui a terme ne doit rien,** he who owes money does not need to pay
before the debt is due.

mois que le succès de l'*huile de Macassar* [33] m'empêche de dormir. Je veux couler *Macassar!*

—Voilà donc les beaux projets que tu roules dans ta caboche [34] depuis deux mois, sans vouloir m'en rien dire! Je viens de me voir en mendiante à ma propre porte, quel avis du ciel! Dans quelque 5 temps, il ne nous restera que les yeux pour pleurer. Jamais tu ne feras ça, moi vivante, entends-tu, César! Il se trouve là-dessous quelques manigances que tu n'aperçois pas, tu es trop probe et trop loyal pour soupçonner des friponneries chez les autres. Pourquoi vient-on t'offrir des millions? Tu te dépouilles de toutes tes 10 valeurs, tu t'avances au-delà de tes moyens, et, si ton huile ne prend pas, si l'on ne trouve pas d'argent, si la valeur des terrains ne se réalise pas, avec quoi payerais-tu tes billets? est-ce avec les coques de tes noisettes? Pour te placer plus haut dans la société, tu ne veux plus être en nom, tu veux ôter l'enseigne de *La Reine* 15 *des roses,* et tu vas faire encore tes salamalecs d'affiches et de prospectus qui montreront César Birotteau au coin de toutes les bornes et au-dessus de toutes les planches, aux endroits où l'on bâtit.

> Balzac, *César Birotteau,* ch. 1, 1837.

[33] *Macassar,* old kingdom in Malaya.
[34] caboche, *slang* head.

Gustave Flaubert [1821–1880],

*après une excursion malheureuse dans le romantisme
avec un roman,* La Tentation de saint Antoine (*1849*),
*introduit le réalisme, non seulement de sa province
natale, la Normandie, mais celui de la triste humanité
moyenne, dans le chef-d'œuvre du genre,* Madame
Bovary (*1857*). *Il continue magistralement avec* Un
Cœur simple—*histoire d'une servante dévouée—qui
fait partie de* Trois Contes (*1877*); *nous y trouvons
aussi* La Légende de saint Julien l'hospitalier *dont
nous donnons un extrait. Les autres œuvres de Flaubert
sont* Salammbô (*1862*), *roman touffu sur Carthage,*
L'Éducation sentimentale (*1869*), *frustration d'un étudiant médiocre, et* Bouvard et Pécuchet (*posthume
1881*), *roman inachevé, histoire de deux imbéciles. La
valeur de Flaubert réside dans ses descriptions réalistes,
sa psychologie sûre, et surtout dans son style travaillé,
riche, d'une perfection toute classique.*

―――――――

La Chasse

**Julien naît en France, dans un château féodal au milieu des
bois.**

... Quand il eut sept ans, sa mère lui apprit à chanter. Pour le
rendre courageux, son père le hissa sur un gros cheval. L'enfant
souriait d'aise, et ne tarda pas à savoir tout ce qui concerne les
5 destriers.

Un vieux moine très savant lui enseigna l'Écriture Sainte, la
numération des Arabes,[1] les lettres latines, et à faire sur le vélin

―――――
[1] **des Arabes,** Arabic numerals.

des peintures mignonnes.[2] Ils travaillaient ensemble, tout en haut d'une tourelle, à l'écart du bruit.

La leçon terminée, ils descendaient dans le jardin, où, se promenant pas à pas, ils étudiaient les fleurs. ...

Souvent le châtelain festoyait ses vieux compagnons d'armes.[5] Tout en buvant ils se rappelaient leurs guerres, les assauts des forteresses avec le battement des machines[3] et les prodigieuses blessures. Julien, qui les écoutait, en poussait des cris; alors son père ne doutait pas qu'il ne fût plus tard un conquérant. Mais le soir, au sortir de l'angélus, quand il passait entre les pauvres[10] inclinés, il puisait dans son escarcelle avec tant de modestie et d'un air si noble, que sa mère comptait bien le voir par la suite archevêque.

Sa place dans la chapelle était aux côtés de ses parents; et, si longs que fussent les offices, il restait à genoux sur son prie-Dieu,[15] la toque par terre et les mains jointes.

Un jour, pendant la messe, il aperçut, en relevant la tête, une petite souris blanche qui sortait d'un trou, dans la muraille. Elle trottina sur la première marche de l'autel, et, après deux ou trois tours de droite et de gauche, s'enfuit du même côté. Le dimanche[20] suivant, l'idée qu'il pourrait la revoir le troubla. Elle revint; et, chaque dimanche il l'attendait, en était importuné, fut pris de haine contre elle, et résolut de s'en défaire.

Ayant donc fermé la porte, et semé sur les marches les miettes d'un gâteau, il se posta devant le trou, une baguette à la[25] main.

Au bout de très longtemps un museau rose parut, puis la souris tout entière. Il frappa un coup léger, et demeura stupéfait devant ce petit corps qui ne bougeait plus. Une goutte de sang tachait la dalle. Il l'essuya bien vite avec sa manche, jeta la souris dehors, et[30] n'en dit rien à personne.

Toutes sortes d'oisillons picoraient les graines du jardin. Il imagina de mettre des pois dans un roseau creux. Quand il entendait gazouiller dans un arbre, il en approchait avec douceur, puis levait son tube, enflait ses joues; et les bestioles lui pleuvaient[35]

---

[2] **peintures mignonnes**, miniatures, such as can be found in medieval manuscripts.
[3] **des machines**, of war machines.

sur les épaules si abondamment qu'il ne pouvait s'empêcher de rire, heureux de sa malice.

Un matin, comme il s'en retournait par la courtine, il vit sur la crête du rempart un gros pigeon qui se rengorgeait au soleil.
5 Julien s'arrêta pour le regarder; le mur en cet endroit ayant une brèche, un éclat de pierre se rencontra sous ses doigts. Il tourna son bras, et la pierre abattit l'oiseau qui tomba d'un bloc dans le fossé.

Il se précipita vers le fond, se déchirant aux broussailles, fure-
10 tant partout, plus leste qu'un jeune chien.

Le pigeon, les ailes cassées, palpitait, suspendu dans les branches d'un troène.[4]

La persistance de sa vie irrita l'enfant. Il se mit à l'étrangler; et les convulsions de l'oiseau faisaient battre son cœur, l'emplissaient
15 d'une volupté sauvage et tumultueuse. Au dernier roidissement, il se sentit défaillir.

Le soir, pendant le souper, son père déclara que l'on devait à son âge apprendre la vénerie; et il alla chercher un vieux cahier d'écriture contenant, par demandes et réponses, tout le déduit des
20 chasses. Un maître y démontrait à son élève l'art de dresser les chiens et d'affaiter les faucons, de tendre les pièges, comment re- connaître le cerf à ses fumées, le renard à ses empreintes, le loup à ses déchaussures,[5] le bon moyen de discerner leurs voies, de quelle manière on les lance, où se trouvent ordinairement leurs
25 refuges, quels sont les vents les plus propices, avec l'énumération des cris et les règles de la curée.[6] Quand Julien put réciter par cœur toutes ces choses, son père lui composa une meute. ...[7]

La fauconnerie, peut-être, dépassait[8] la meute; le bon seigneur, à force d'argent, s'était procuré des tiercelets du Caucase, des
30 sacres de Babylone, des gerfauts d'Allemagne, et des faucons- pèlerins,[9] capturés sur les falaises, au bord des mers froides, en de lointains pays. Ils logeaient dans un hangar couvert de chaume,

---

4 **un troène,** privet, shrub with evergreen leaves and small white flowers.
5 **déchaussures,** footprints, tracks.   6 **la curée,** quarry, spoils.
7 **lui composa une meute,** got together a pack of hounds for him.
8 **dépassait,** was superior to.
9 **tiercelets ... faucons-pèlerins,** tercels, male falcons; saker-falcons, from Asia; gerfalcons, large hawks from Arctic Europe; peregrines, large European falcons.

et, attachés par rang de taille sur le perchoir, avaient devant eux une motte de gazon, où de temps à autre on les posait afin de les dégourdir. ...

Souvent on menait dans la campagne des chiens d'oysel,[10] qui tombaient bien vite en arrêt. Alors les piqueurs,[11] s'avançant pas 5 à pas, étendaient avec précaution sur leurs corps impassibles un immense filet. Un commandement les faisait aboyer; des cailles s'envolaient; et les dames des alentours conviées avec leurs maris, les enfants, les camérières, tout le monde se jetait dessus, et les prenait facilement. ... 10

Mais Julien méprisa ces commodes artifices; il préférait chasser loin du monde, avec son cheval et son faucon. C'était presque toujours un grand tartaret [12] de Scythie, blanc comme la neige. Son capuchon de cuir était surmonté d'un panache, des grelots d'or tremblaient à ses pieds bleus; et il se tenait ferme sur le bras de 15 son maître pendant que le cheval galopait, et que les plaines se déroulaient. Julien, dénouant ses longes, le lâchait tout à coup; la bête hardie montait droit dans l'air comme une flèche; et l'on voyait deux taches inégales tourner, se joindre, puis disparaître dans les hauteurs de l'azur. Le faucon ne tardait pas à descendre en 20 déchirant quelque oiseau, et revenait se poser sur le gantelet, les deux ailes frémissantes.

Julien vola de cette manière le héron, le milan, la corneille et le vautour.

Il aimait, en sonnant de la trompe, à suivre ses chiens qui 25 couraient sur le versant des collines, sautaient les ruisseaux, remontaient vers le bois; et, quand le cerf commençait à gémir sous les morsures, il l'abattait prestement, puis se délectait à la furie des mâtins qui le dévoraient, coupé en pièces sur sa peau fumante. ... 30

Il tua des ours à coups de couteau, des taureaux avec la hache, des sangliers avec l'épieu; et même une fois, n'ayant plus qu'un bâton, se défendit contre des loups qui rongeaient des cadavres au pied d'un gibet.

*   *   *   *   *

[10] **chiens d'oysel,** dogs trained for hunting the ouzel, European blackbird.
[11] **piqueurs,** whippers-in.   [12] **tartaret,** large falcon from Tartary.

Un matin d'hiver, il partit avant le jour, bien équipé, une arbalète sur l'épaule et un trousseau de flèches à l'arçon de la selle.

Son genet danois, suivi de deux bassets, en marchant d'un pas
5 égal faisait résonner la terre. Des gouttes de verglas se collaient à son manteau, une brise violente soufflait. Un côté de l'horizon s'éclaircit; et, dans la blancheur du crépuscule, il aperçut des lapins sautillant au bord de leurs terriers. Les deux bassets, tout de suite, se précipitèrent sur eux; et, çà et là, vivement, leur
10 brisaient l'échine.

Bientôt, il entra dans un bois. Au bout d'une branche, un coq de bruyère engourdi par le froid dormait la tête sous l'aile. Julien, d'un revers d'épée, lui faucha les deux pattes, et sans le ramasser continua sa route.

15 Trois heures après, il se trouva sur la pointe d'une montagne tellement haute que le ciel semblait presque noir. Devant lui, un rocher pareil à un long mur s'abaissait, en surplombant un précipice; et, à l'extrémité, deux boucs sauvages regardaient l'abîme. Comme il n'avait pas ses flèches (car son cheval était resté en
20 arrière), il imagina de descendre jusqu'à eux; à demi courbé, pieds nus, il arriva enfin au premier des boucs, et lui enfonça un poignard sous les côtes. Le second, pris de terreur, sauta dans le vide. Julien s'élança pour le frapper, et, glissant du pied droit, tomba sur le cadavre de l'autre, la face au-dessus de l'abîme et les
25 deux bras écartés.

Redescendu dans la plaine, il suivit des saules qui bordaient une rivière. Des grues, volant très bas, de temps à autre passaient au-dessus de sa tête. Julien les assommait avec son fouet, et n'en manqua pas une.

30 Cependant l'air plus tiède avait fondu le givre, de larges vapeurs flottaient, et le soleil se montra. Il vit reluire tout au loin un lac figé, qui ressemblait à du plomb. Au milieu du lac, il y avait une bête que Julien ne connaissait pas, un castor à museau noir. Malgré la distance, une flèche l'abattit; et il fut chargrin de ne
35 pouvoir emporter la peau.

Puis il s'avança dans une avenue de grands arbres, formant avec leurs cimes comme un arc de triomphe, à l'entrée d'une forêt. Un chevreuil bondit hors d'un fourré, un daim parut dans un carre-

four, un blaireau sortit d'un trou, un paon sur le gazon déploya
sa queue;—et quand il les eut tous occis, d'autres chevreuils se
présentèrent, d'autres daims, d'autres blaireaux, d'autres paons,
et des merles, des geais, des putois, des renards, des hérissons, des
lynx, une infinité de bêtes, à chaque pas plus nombreuses. Elles 5
tournaient autour de lui, tremblantes, avec un regard plein de
douceur et de supplication. Mais Julien ne se fatiguait pas de tuer,
tour à tour bandant son arbalète, dégainant l'épée, pointant du [13]
coutelas, et ne pensait à rien, n'avait souvenir de quoi que ce fût.
Il était en chasse dans un pays quelconque, depuis un temps 10
indéterminé, par le fait seul de sa propre existence, tout s'accom-
plissant avec la facilité que l'on éprouve dans les rêves. Un
spectacle extraordinaire l'arrêta. Des cerfs emplissaient un vallon
ayant la forme d'un cirque; et tassés, les uns près des autres, ils se
réchauffaient avec leurs haleines que l'on voyait fumer dans le 15
brouillard.

L'espoir d'un pareil carnage, pendant quelques minutes, le
suffoqua de plaisir. Puis il descendit de cheval, retroussa ses
manches, et se mit à tirer.

Au sifflement de la première flèche, tous les cerfs à la fois 20
tournèrent la tête. Il se fit des enfonçures dans leur masse; des
voix plaintives s'élevaient, et un grand mouvement agita le
troupeau.

Le rebord du vallon était trop haut pour le franchir. Ils bondis-
saient dans l'enceinte, cherchant à s'échapper. Julien visait, tirait; 25
et les flèches tombaient comme les rayons d'une pluie d'orage. Les
cerfs rendus furieux se battirent, se cabraient, montaient les uns
par-dessus les autres; et leurs corps avec leurs ramures emmêlées
faisaient un large monticule, qui s'écroulait, en se déplaçant.

Enfin ils moururent, couchés sur le sable, la bave aux naseaux, 30
les entrailles sorties, et l'ondulation de leurs ventres s'abaissant
par degrés. Puis tout fut immobile.

La nuit allait venir; et derrière le bois, dans les intervalles des
branches, le ciel était rouge comme une nappe de sang.

Julien s'adossa contre un arbre. Il contemplait d'un œil béant 35
l'énormité du massacre, ne comprenant pas comment il avait pu
le faire.

[13] **pointant du,** stabbing with.

De l'autre côté du vallon, sur le bord de la forêt, il aperçut un cerf, une biche et son faon.

Le cerf, qui était noir et monstrueux de taille, portait seize andouillers avec une barbe blanche. La biche, blonde comme les
5 feuilles mortes, broutait le gazon; et le faon tacheté, sans l'interrompre dans sa marche, lui tétait la mamelle.

L'arbalète encore une fois ronfla. Le faon, tout de suite, fut tué. Alors sa mère, en regardant le ciel, brama d'une voix profonde, déchirante, humaine. Julien exaspéré, d'un coup en plein poitrail,
10 l'étendit par terre.

Le grand cerf l'avait vu, fit un bond. Julien lui envoya sa dernière flèche. Elle l'atteignit au front, et y resta plantée.

Le grand cerf n'eut pas l'air de la sentir; en enjambant pardessus les morts, il avançait toujours, allait fondre sur lui, l'éven-
15 trer; et Julien reculait dans une épouvante indicible. Le prodigieux animal s'arrêta; et les yeux flamboyants, solennel comme un patriarche et comme un justicier, pendant qu'une cloche au loin tintait, il répéta trois fois:

—«Maudit! maudit! maudit! Un jour, cœur féroce, tu assassine-
20 ras ton père et ta mère!»

Il plia les genoux, ferma doucement ses paupières, et mourut.

Julien fut stupéfait, puis accablé d'une fatigue soudaine; et un dégoût, une tristesse immense l'envahit. Le front dans les deux mains, il pleura pendant longtemps.

25 Son cheval était perdu; ses chiens l'avaient abandonné; la solitude qui l'enveloppait lui sembla toute menaçante de périls indéfinis. Alors, poussé par un effroi, il prit sa course à travers la campagne, choisit au hasard un sentier, et se trouva presque immédiatement à la porte du château.

30 La nuit, il ne dormit pas. Sous le vacillement de la lampe suspendue, il revoyait toujours le grand cerf noir. Sa prédiction l'obsédait; il se débattait contre elle. «Non! non! non! je ne peux pas les tuer!» puis, il songeait: «Si je le voulais, pourtant? ... » et il avait peur que le Diable ne lui en inspirât l'envie.

35 Durant trois mois, sa mère en angoisse pria au chevet de son lit, et son père, en gémissant, marchait continuellement dans les couloirs. Il manda les maîtres mires [14] les plus fameux, lesquels

---

[14] mires = médecins, doctors.

ordonnèrent des quantités de drogues. Le mal de Julien, disaient-ils, avait pour cause un vent funeste, ou un désir d'amour. Mais le jeune homme, à toutes les questions, secouait la tête.

Les forces lui revinrent; et on le promenait dans la cour, le vieux moine et le bon seigneur le soutenant chacun par un bras. 5

Quand il fut rétabli complètement, il s'obstina à ne point chasser.

Son père, le voulant réjouir, lui fit cadeau d'une grande épée sarrasine.

Elle était au haut d'un pilier, dans une panoplie. Pour l'at- 10 teindre, il fallut une échelle. Julien y monta. L'épée trop lourde lui échappa des doigts, et en tombant frôla le bon seigneur de si près que sa houppelande en fut coupée; Julien crut avoir tué son père, et s'évanouit.

Dès lors, il redouta les armes. L'aspect d'un fer nu le faisait 15 pâlir. Cette faiblesse était une désolation pour sa famille.

Enfin le vieux moine, au nom de Dieu, de l'honneur et des ancêtres, lui commanda de reprendre ses exercices de gentil-homme.[15]

Les écuyers, tous les jours, s'amusaient au maniement de la 20 javeline. Julien y excella bien vite. Il envoyait la sienne dans le goulot des bouteilles, cassait les dents des girouettes, frappait à cent pas les clous des portes.

Un soir d'été, à l'heure où la brume rend les choses indistinctes, étant sous la treille du jardin, il aperçut tout au fond deux 25 ailes blanches qui voletaient à la hauteur de l'espalier. Il ne douta pas que ce ne fût une cigogne; et il lança son javelot.

Un cri déchirant partit.

C'était sa mère, dont le bonnet à longues barbes restait cloué contre le mur.   30

Julien s'enfuit du château, et ne reparut plus.

> Flaubert, «La Légende de saint Julien l'hospitalier,»
> *Trois Contes,* 1877.

[15] **exercices de gentilhomme,** horseback riding, fencing, and hunting.

Le Naturalisme

Emile Zola [1840–1902],

est né à Aix-en-Provence, d'un père italien naturalisé français et d'une mère française. Après avoir échoué au baccalauréat, il fait du journalisme et de la littérature à Paris. S'inspirant de Taine et de Claude Bernard, il veut montrer comment l'organisme humain se modifie dans la «lutte pour la vie.» Le succès lui vient avec un roman sur l'alcoolisme, L'Assommoir *(1877),* et Nana *(1880). Il continue avec* Germinal *(1885),* La Terre *(1888),* La Bête humaine *(1890) et d'autres moins bons. Il donne à son œuvre le titre général* Les Rougon-Macquart, histoire naturelle et sociale d'une famille sous le Second Empire. *Un titre de gloire plus durable est d'avoir défendu le capitaine juif Dreyfus, injustement accusé de trahison (*J'Accuse, *1898). Zola fut asphyxié par l'oxyde de carbone d'un poêle qu'il avait laissé allumé pendant la nuit dans sa chambre dont la fenêtre était fermée.*

Le Père Fouan renié par sa famille

Fouan, vieux paysan de Rognes, près de Cloyes (40 milles au nord-ouest d'Orléans), a donné ses terres à son fils, Buteau. Celui-ci, brutal et avare, ne tient pas sa promesse de bien soigner son père. Il lui vole même des titres que le vieux essaie en vain de retrouver. Jeté à la porte par son fils, Fouan erre dans la campagne.

Fouan descendit la côte. Sa colère s'était brusquement calmée, il
s'arrêta, en bas, sur la route, hébété de se trouver dehors, sans
savoir où aller. Trois heures sonnèrent à l'église, un vent humide
glaçait cette grise après-midi d'automne; et il grelottait, car il
n'avait pas même ramassé son chapeau, tant la chose s'était vite 5
faite. Heureusement, il avait sa canne. Un instant, il remonta
vers Cloyes; puis, il se demanda où il allait de ce côté, il rentra
dans Rognes, du pas dont il s'y traînait d'habitude. Devant chez
Macqueron, l'idée lui vint de boire un verre; mais il se fouillait, il
n'avait pas un sou, la honte le prit de se montrer, dans la peur 10
qu'on ne connût déjà l'histoire. Justement, il lui sembla que
Lengaigne, debout sur sa porte, le regardait de biais, comme on
regarde les va-nu-pieds des grands chemins. Lequeu, derrière les
vitres d'une des fenêtres de l'école, ne le salua pas. Ça se comprenait, il retombait dans le mépris de tous, maintenant qu'il 15
n'avait plus rien, dépouillé de nouveau, et cette fois jusqu'à la
peau de son corps.

Quand il fut arrivé à l'Aigre,[1] Fouan s'adossa un moment
contre le parapet du pont. La pensée de la nuit qui se ferait
bientôt le tracassait. Où coucher? Pas même un toit. Le chien 20
des Bécu qu'il vit passer, lui fit envie, car cette bête-là, au moins,
savait le trou de paille où elle dormirait. Lui, cherchait confusément, ensommeillé dans la détente de sa colère. Ses paupières
s'étaient closes, il tâchait de se rappeler les coins abrités, protégés
du froid. Cela tournait au cauchemar, tout le pays défilait, nu, 25
balayé de coups de vent. Mais il se secoua, se réveilla, en un sursaut
d'énergie. Fallait point se désespérer de la sorte. On ne laisserait
pas crever dehors un homme de son âge.

Machinalement, il traversa le pont et se trouva devant la petite
ferme des Delhomme. Tout de suite, quand il s'en aperçut, il 30
obliqua, tourna derrière la maison, pour qu'on ne le vît point.
Là, il fit une nouvelle pause, collé contre le mur de l'étable, dans
laquelle il entendait causer Fanny, sa fille. Était-ce donc qu'il
avait songé à se remettre [2] chez elle? lui-même n'aurait pu le dire,
ses pieds seuls l'avaient conduit. Il revoyait l'intérieur du logis, 35
comme s'il y était rentré, la cuisine à gauche, sa chambre au

---

[1] l'Aigre, tributary of the Charente River.
[2] se remettre, to return, live again.

premier, au bout du fenil. Un attendrissement lui coupait les
jambes, il aurait défailli, si le mur ne l'avait soutenu. Longtemps,
il resta immobile, sa vieille échine calée contre cette maison.
Fanny parlait toujours dans l'étable, sans qu'il pût distinguer les
5 mots: c'était peut-être ce gros bruit étouffé qui lui remuait le
cœur. Mais elle devait quereller une servante, sa voix se haussa, il
l'entendit, sèche et dure, sans paroles grossières, dire des choses
si blessantes à cette malheureuse, qu'elle en sanglotait. Et il en
souffrait lui aussi, son émotion s'en était allée, il se raidissait, à la
10 certitude que, s'il avait poussé la porte, sa fille l'aurait accueilli
de cette voix mauvaise. Il s'imagina qu'elle répétait: «Papa, il
viendra nous demander à genoux de le reprendre!» la phrase qui
avait coupé tous liens entre eux, à jamais, comme d'un coup de
hache. Non, non! plutôt mourir de faim, plutôt coucher derrière
15 une haie, que de la voir triompher, de son air fier de femme sans
reproche! Il décolla son dos de la muraille, il s'éloigna péniblement.

Pour ne pas reprendre la route, Fouan, qui se croyait guetté par
tout le monde, remonta la rive droite de l'Aigre, après le pont, et
20 se trouva bientôt au milieu des vignes. Son idée devait être de
gagner ainsi la plaine, en évitant le village. Seulement, il arriva
qu'il dut passer à côté du Château, où ses jambes semblaient aussi
l'avoir ramené, dans cet instinct des vieilles bêtes de somme qui
retournent aux écuries où elles ont eu leur avoine. La montée
25 l'étouffait, il s'assit à l'écart, soufflant, réfléchissant. Sûrement que,
s'il avait dit à Jésus-Christ: [3]«Je vas [4] me plaindre en justice, aide-
moi contre Buteau,» le bougre l'aurait reçu à cul ouvert; [5] et l'on
aurait fait une sacrée noce,[6] le soir. Du coin où il était, il flairait
justement une ripaille,[7] quelque soûlerie qui durait depuis
30 le matin. Attiré, le ventre creux, il s'approcha, il reconnut la voix
de Canon, sentit l'odeur des haricots rouges à l'étuvée,[8] que la
Trouille cuisinait si bien, quand son père voulait fêter une apparition du camarade. Pourquoi ne serait-il pas entré godailler avec
les deux chenapans,[9] qu'il écoutait brailler dans la fumée des

---

[3] **Jésus-Christ,** Fouan's other son.　　[4] **Je vas = Je vais.**
[5] **à cul ouvert,** *vulgar for* **à bras ouverts,** with open arms.
[6] **faire une sacrée noce,** to go on a big drinking bout.
[7] **une ripaille,** shindig, big feast.　　[8] **à l'étuvée,** stewing.
[9] **godailler avec les deux chenapans,** to get drunk and gorge himself with
the two scoundrels.

pipes, bien au chaud, tellement soûls, qu'il les jalousait? Une
brusque détonation de Jésus-Christ lui alla au cœur, il avançait la
main vers la porte, lorsque le rire aigu de la Trouille le paralysa.
... Tout d'un coup, la porte s'ouvrit, la gueuse venait jeter un
regard dehors, ayant flairé quelqu'un. Il n'avait eu que le temps 5
de se jeter derrière les buissons, il se sauva, en distinguant, dans
la nuit tombante, ses yeux verts qui luisaient.

Lorsque Fouan fut en plaine, sur le plateau, il éprouva une
sorte de soulagement, sauvé des autres, heureux d'être seul et
d'en crever. Longtemps, il rôda au hasard. La nuit s'était faite, 10
le vent glacé le flagellait. Parfois, à certains grands souffles,
il devait tourner le dos, l'haleine coupée, sa tête nue hérissée
de ses rares cheveux blancs. Six heures sonnèrent, tout le monde
mangeait dans Rognes; et il avait une faiblesse des membres, qui ralentissait sa marche. Entre deux bourrasques, une 15
averse tomba, drue, cinglante. Il fut trempé, marcha encore, en
reçut deux autres. Et, sans savoir comment, il se trouva sur la place
de l'Église, devant l'antique maison patrimoniale des Fouan, celle
que Françoise et Jean occupaient à cette heure. Non! il ne pouvait
s'y réfugier, on l'avait aussi chassé de là. La pluie redoublait, si 20
rude, qu'une lâcheté l'envahit. Il s'était approché de la porte des
Buteau, à côté, guettant la cuisine, d'où sortait une odeur de
soupe aux choux. Tout son pauvre corps y revenait se soumettre,
un besoin physique de manger, d'avoir chaud, l'y poussait. Mais,
dans le bruit des mâchoires, des mots échangés l'arrêtèrent.   25

—Et le père, s'il ne rentrait point?

—Laisse donc! il est trop sur sa gueule,[10] pour ne pas rentrer
quand il aura faim!

Fouan s'écarta, avec la crainte qu'on ne l'aperçut à cette porte,
comme un chien battu qui retourne à sa pâtée. Il était suffoqué 30
de honte, une résolution farouche le prenait de se laisser mourir
dans un coin. On verrait bien s'il était sur sa gueule! Il redescendit
la côte, il s'affaissa au bout d'une poutre, devant la maréchalerie
de Clou. Ses jambes ne pouvaient plus le porter, il s'abandonnait,
dans le noir et le désert de la route, car les veillées [11] étaient com- 35
mencées, le mauvais temps avait fait clore les maisons, pas une
âme n'y semblait vivre. Maintenant, les averses calmaient le vent,

[10] **il est trop sur sa gueule,** he's too fond of his belly.
[11] **les veillées,** social evenings.

la pluie ruisselait droite, continue, d'une violence de déluge. Il
ne se sentait pas la force de se relever et de chercher un abri. Sa
canne entre les genoux, son crâne lavé par l'eau, il demeurait immobile, stupide [12] de tant de misère. Même il ne réfléchissait
5 point, c'était comme ça: quand on n'avait ni enfants, ni maison,
ni rien, on se serrait le ventre, on couchait dehors. Neuf heures
sonnèrent, puis dix. La pluie continuait, fondait ses vieux os.
Mais des lanternes parurent, filèrent rapidement: c'était la sortie
des veillées, et il eut un réveil encore, en reconnaissant la Grande
10 qui revenait de chez les Delhomme, où elle économisait sa
chandelle. Il se leva d'un effort dont ses membres craquèrent, il
la suivit de loin, n'arriva pas assez vite pour entrer en même
temps qu'elle. Devant la porte refermée, il hésitait, le cœur défaillant. Enfin il frappa, il était trop malheureux. ...

15 Fouan dut frapper trois fois, si peureusement, que la Grande
n'entendait point. Enfin, elle se décida à demander:

—Qui est là?

—Moi.

—Qui, toi?

20 —Moi, ton frère.

Sans doute, elle avait reconnu la voix tout de suite, et elle ne se
pressait pas, pour le plaisir de le forcer à causer. Un silence
s'était fait, elle demanda de nouveau:

—Qu'est-ce que tu veux?

25 Il tremblait, il n'osait répondre. Alors, brutalement, elle
rouvrit; mais, comme il entrait, elle barra la porte de ses bras
maigres, elle le laissa dans la rue, sous la pluie battante, dont le
ruissellement triste n'avait pas cessé.

—Je le sais, ce que tu veux. On est venu me dire ça, à la
30 veillée. ... Oui, tu as eu la bêtise de te faire manger [13] encore, tu
n'as pas même su garder l'argent de ta cachette, et tu veux que je
te ramasse, hein?

Puis, voyant qu'il s'excusait, bégayait des explications, elle
s'emporta.

35 —Si je ne t'avais pas averti! Mais te l'ai-je assez répété qu'il
fallait être bête et lâche pour renoncer à sa terre! ... Tant mieux,

---

[12] stupide, stunned.
[13] de te faire manger encore, of allowing yourself to be fleeced again.

si te voilà tel que je le disais, chassé par tes gueux d'enfants,
courant la nuit comme un mendiant qui n'a pas même une pierre
à lui pour dormir!

Les mains tendues, il pleura, il essaya de l'écarter. Elle tenait
bon, elle achevait de se vider le cœur.   5

—Non, non! va demander un lit à ceux qui t'ont volé. Moi, je
ne te dois rien. La famille m'accuserait encore de me mêler de ses
affaires. ... D'ailleurs, ce n'est point tout ça, tu as donné ton bien,
jamais je ne pardonnerai. ...

Et, redressée, avec son cou flétri et ses yeux ronds d'oiseau de 10
proie, elle lui jeta la porte sur la face,[14] violemment.

—C'est bien fait, crève dehors!

Fouan resta là, raidi, immobile, devant cette porte impitoyable,
pendant que, derrière lui, la pluie continuait avec son roulement
monotone. Enfin, il se retourna, il se renfonça dans la nuit d'encre 15
que noyait cette chute lente et glacée du ciel.

Où alla-t-il? Il ne se le rappela jamais bien. Ses pieds glissaient
dans les flaques, ses mains tâtonnaient pour ne pas se heurter contre les murs et les arbres. Il ne pensait plus, ne savait plus, ce coin
de village dont il connaissait chaque pierre, était comme un lieu 20
lointain, inconnu, terrible, où il se sentait étranger et perdu,
incapable de se conduire. Il obliqua à gauche, craignit des trous,
revint à droite, s'arrêta frissonnant, menacé de toutes parts. Et,
ayant rencontré une palissade, il la suivit jusqu'à une petite porte,
qui céda. Le sol se dérobait, il roula dans un trou. Là, on était 25
bien, la pluie ne pénétrait pas, il faisait chaud; mais un grognement l'avait averti, il était avec un cochon, qui, dérangé, croyant à
de la nourriture, lui poussait déjà son groin dans les côtes. Une
lutte s'engagea, il était si faible, que la peur d'être dévoré le fit
sortir. Alors, ne pouvant aller plus loin, il se coucha contre la 30
porte, ramassé, roulé en boule, pour que l'avancement du toit le
protégeât de l'eau. Des gouttes quand même continuèrent à lui
tremper les jambes, des souffles lui glaçaient sur le corps ses vêtements mouillés. Il enviait le cochon, il serait retourné avec lui,
s'il ne l'avait pas entendu, derrière son dos, manger la porte, avec 35
des reniflements voraces.

---

[14] elle lui jeta la porte sur la face = elle lui claqua la porte au nez, she
slammed the door in his face.

Au petit jour, Fouan sortit de la somnolence douloureuse où il s'était anéanti. Une honte le reprenait, la honte de se dire que son histoire courait le pays,[15] que tous le savaient par les routes, comme un pauvre. Quand on n'a plus rien, il n'y a pas de justice,
5 il n'y a pas de pitié à attendre. Il fila le long des haies, avec l'inquiétude de voir une fenêtre s'ouvrir, quelque femme matinale le reconnaître. La pluie tombait toujours, il gagna la plaine, se cacha au fond d'une meule. Et la journée entière se passa pour lui à fuir de la sorte, d'abri en abri, dans un tel effarement qu'au bout
10 de deux heures, il se croyait découvert et changeait de trou. L'unique idée, maintenant, qui lui battait le crâne, était de savoir si ce serait bien long de mourir. Il souffrait moins du froid, la faim surtout le torturait, il allait pour sûr mourir de faim. Encore une nuit, encore un jour, peut-être. Tant qu'il fit clair, il ne
15 faiblit pas, il aimait mieux finir ainsi que de retourner chez les Buteau. Mais une angoisse affreuse l'envahit avec le crépuscule qui tombait, une terreur de recommencer l'autre nuit, sous ce déluge entêté. Le froid le reprenait jusque dans les os, la faim lui rongeait la poitrine, intolérable. Lorsque le ciel fut noir, il se
20 sentit comme noyé, emporté par ces ténèbres ruisselantes; sa tête ne commandait plus, ses jambes marchaient toutes seules, la bête l'emmenait; et ce fut alors que, sans l'avoir voulu, il se retrouva dans la cuisine des Buteau, dont il venait de pousser la porte.

Justement, Buteau et Lise achevaient la soupe aux choux de la
25 veille. Lui, au bruit, avait tourné la tête, et il regardait Fouan, silencieux, fumant dans ses vêtements trempés. Un long temps se passa, il finit par dire, avec un ricanement:

—Je savais bien que vous n'auriez pas de cœur.

Le vieux, fermé, figé,[16] n'ouvrit pas les lèvres, ne prononça pas
30 un mot.

—Allons, la femme, donne-lui tout de même la pâtée, puisque la faim le ramène.

Déjà, Lise s'était levée et avait apporté une écuellée de soupe. Mais Fouan reprit l'écuelle, alla s'asseoir à l'écart, sur un tabouret,
35 comme s'il avait refusé de se mettre à la table, avec ses enfants; et, goulûment, par grosses cuillerées, il avala. Tout son corps trem-

---

[15] courait le pays: was known everywhere.
[16] fermé, figé, (with his face) blank, set.

blait, dans la violence de sa faim. Buteau, lui, achevait de dîner sans hâte, se balançant sur sa chaise, piquant de loin des morceaux de fromage, qu'il mangeait au bout de son couteau. La gloutonnerie du vieillard l'occupait, il suivait la cuillère des yeux, il goguenarda.

—Dites donc, ça paraît vous avoir ouvert l'appétit, cette promenade au frais. Mais faudrait pas se payer ça tous les jours, vous coûteriez trop à nourrir.

Le père avalait, avec un bruit rauque du gosier, sans une parole. Et le fils continua:

—Ah! ce bougre de farceur qui découche! Il est peut-être allé voir les garces. ...

Pas de réponse encore, le même entêtement de silence, rien que la déglutition violente des cuillerées qu'il engouffrait.

—Eh! je vous parle, cria Buteau irrité, vous pourriez bien me faire la politesse de répondre.

Fouan ne leva même pas de la soupe ses yeux fixes et troubles. Il ne semblait ni entendre ni voir, isolé, à des lieues, comme s'il avait voulu dire qu'il était revenu manger, que son ventre était là, mais que son cœur n'y était plus. Maintenant, il raclait le fond de l'écuelle avec la cuillère, rudement, pour ne rien perdre de sa portion.

Lise, remuée par cette grosse faim, se permit d'intervenir.

—Lâche-le, puisqu'il veut faire le mort.

—C'est qu'il ne va pas recommencer à se foutre de moi! reprit rageusement Buteau. Une fois, ça passe. Mais vous entendez, sacré têtu? que l'histoire d'aujourd'hui vous serve de leçon! Si vous m'embêtez encore, je vous laisse crever de faim sur la route!

Fouan, ayant fini, quitta péniblement sa chaise; et, toujours muet, de ce silence de tombe qui paraissait grandir, il tourna le dos, il se traîna sous l'escalier, jusqu'à son lit, où il se jeta tout vêtu. Le sommeil l'y foudroya, il dormit à l'instant, sans un souffle, sous un écrasement de plomb. Lise, qui vint le voir, retourna dire à son homme qu'il était peut-être bien mort. Mais Buteau, s'étant dérangé, haussa les épaules. Ah! ouiche,[17] mort! est-ce que ça mourait comme ça? Fallait seulement qu'il eût tout de même roulé, pour être dans un état pareil. Le lendemain matin, lorsqu'ils

[17] **Ah! ouiche!** Don't you believe it!

jetèrent un coup d'œil, le vieux n'avait pas bougé; et il dormait encore le soir, et il ne se réveilla qu'au matin de la seconde nuit, après trente-six heures d'anéantissement.

—Tiens! vous rev'là! [18] dit Buteau en ricanant. Moi qui croyais
5 que ça continuerait, que vous ne mangeriez plus de pain!

Le vieux ne le regarda pas, ne répondit pas, et sortit s'asseoir sur la route, pour prendre l'air.

Alors, Fouan s'obstina. Il semblait avoir oublié les titres qu'on refusait de lui rendre; du moins, il n'en causait plus, il ne les
10 cherchait plus, indifférent peut-être, en tous cas résigné; mais sa rupture était complète avec les Buteau, il· restait dans son silence, comme séparé et enseveli. Jamais, dans aucune circonstance, pour aucune nécessité, il ne leur adressait la parole. La vie demeurait commune, il couchait là, mangeait là, il les voyait, les coudoyait
15 du matin au soir; et pas un regard, pas un mot, l'air d'un aveugle et d'un muet, la promenade traînante d'une ombre, au milieu de vivants. Lorsqu'on se fut lassé de s'occuper de lui, sans en tirer un souffle, on le laissa à son obstination. Buteau, Lise elle-même, cessèrent également de lui parler, le tolérant autour d'eux comme
20 un meuble qui aurait changé de place, finissant par perdre la conscience nette de sa présence. Le cheval et les deux vaches comptaient davantage.

Zola, La Terre, 5ᵉ Partie, ch. 2, 1888.

[18] **vous rev'là = vous êtes réveillé!** You've come to!

Guy de Maupassant [1850–1893]

C'est Flaubert, son parrain, qui a encouragé Mau-
passant à écrire dans le genre réaliste où lui-même
excellait; seulement, l'élève a accentué le caractère
triste et morbide du réalisme, qui devient ainsi le
«naturalisme.» Né au château de Miromesnil, près de
Dieppe, en Normandie, Maupassant est d'abord petit
employé de ministère à Paris. Le succès lui vient avec
un conte, Boule de suif *(1880). En dix ans de travail*
acharné il donne des recueils de contes, surtout Contes
de la bécasse *(1883),* Contes du jour et de la nuit
(1885), et des romans: Une Vie *(1883),* Bel Ami *(1885)*
et Pierre et Jean *(1888), qui lui font une réputation*
universelle, plus grande aujourd'hui à l'étranger qu'en
France. L'excès de travail et de plaisirs le conduit à
la folie (1891), et dix-huit mois plus tard il meurt dans
la maison de santé du docteur Blanche, à Paris.

L'Orphelin

Mlle Source avait adopté ce garçon autrefois en des circonstances
bien tristes. Elle était âgée alors de trente-six ans et sa difformité
(elle avait glissé des genoux de sa bonne dans la cheminée, étant
enfant, et toute sa figure, brûlée horriblement, était demeurée
affreuse à voir), sa difformité l'avait décidée à ne se point marier, 5
car elle ne voulait pas être épousée pour son argent.

Une voisine, devenue veuve étant grosse, mourut en couches,[1]
ne laissant pas un sou. Mlle Source recueillit le nouveau-né, le
mit en nourrice, l'éleva, l'envoya en pension, puis le reprit à
l'âge de quatorze ans, afin d'avoir dans sa maison vide quelqu'un 10
qui l'aimât, qui prît soin d'elle, qui lui rendît douce la vieillesse.

[1] **en couches,** in childbirth.

Elle habitait une petite propriété de campagne à quatre lieues de Rennes, et elle vivait maintenant sans servante. La dépense ayant augmenté de plus du double depuis l'arrivée de cet orphelin, ses trois mille francs [2] de revenu ne pouvaient plus suffire à
5 nourrir trois personnes.

Elle faisait elle-même le ménage et la cuisine, et elle envoyait aux commissions le petit, qui s'occupait encore [3] à cultiver le jardin. Il était doux, timide, silencieux et caressant. Et elle éprouvait une joie profonde, une joie nouvelle à être embrassée
10 par lui, sans qu'il parût surpris ou effrayé de sa laideur. Il l'appelait tante et la traitait comme une mère.

Le soir, ils s'asseyaient tous deux au coin du feu, et elle préparait des douceurs. Elle faisait chauffer du vin et griller une tranche de pain, et c'était une petite dînette charmante avant d'aller se
15 mettre au lit. Souvent elle le prenait sur ses genoux et le couvrait de caresses en lui murmurant des mots tendrement passionnés. Elle l'appelait: «Ma petite fleur, mon chérubin, mon ange adoré, mon divin bijou.» Il se laissait faire doucement, cachant sa tête sur l'épaule de la vieille fille.
20 Bien qu'il eût maintenant près de quinze ans, il était demeuré frêle et petit, avec un air un peu maladif.

Quelquefois, Mlle Source l'emmenait à la ville voir deux parentes qu'elle avait, cousines éloignées, mariées dans un faubourg, sa seule famille. Les deux femmes lui en voulaient toujours d'avoir
25 adopté cet enfant, à cause de l'héritage; mais elles la recevaient quand même avec empressement, espérant leur part, un tiers sans doute, si on divisait également sa succession.

Elle était heureuse, très heureuse, à toute heure occupée de son enfant. Elle lui acheta des livres pour lui orner l'esprit, et il se
30 mit à lire passionnément.

Le soir, maintenant, il ne montait plus sur ses genoux, pour la câliner comme autrefois; mais il s'asseyait vivement sur sa petite chaise au coin de la cheminée, et il ouvrait un volume. La lampe posée au bord de la tablette,[4] au-dessus de sa tête, éclairait ses
35 cheveux bouclés et un morceau de la chair du front; il ne remuait

---

[2] **trois mille francs,** $600 at that time.   [3] **encore,** besides.
[4] **la tablette,** the shelf.

plus, il ne relevait pas les yeux, il ne faisait pas un geste, il lisait, entré,[5] disparu tout entier dans l'aventure du livre.

Elle, assise en face de lui, le contemplait d'un regard ardent et fixe, étonnée de son attention, jalouse, prête à pleurer souvent.

Elle lui disait par instants: «Tu vas te fatiguer, mon trésor!»[5] espérant qu'il relèverait la tête et viendrait l'embrasser; mais il ne répondait même pas, il n'avait pas entendu, il n'avait pas compris: il ne savait rien autre chose que [6] ce qu'il voyait dans les pages.

Pendant deux ans il dévora des volumes en nombre incalcula-[10] ble. Son caractère changea.

Plusieurs fois ensuite, il demanda à Mlle Source de l'argent, qu'elle lui donna. Comme il lui en fallait toujours davantage, elle finit par refuser, car elle avait de l'ordre et de l'énergie, et elle savait être raisonnable quand il le fallait.   [15]

A force de supplications, il obtint d'elle encore, un soir, une forte somme; mais comme il l'implorait de nouveau quelques jours plus tard, elle se montra inflexible, et elle ne céda plus en effet.

Il parut en prendre son parti.   [20]

Il redevint tranquille, comme autrefois, aimant rester assis pendant des heures entières sans faire un mouvement, les yeux baissés, enfoncé en des songeries. Il ne parlait plus même avec Mlle Source, répondant à peine à ce qu'elle lui disait, par phrases courtes et précises.   [25]

Il était gentil pour elle, cependant, et plein de soins; mais il ne l'embrassait plus jamais.

Le soir, maintenant, quand ils demeuraient face à face des deux côtés de la cheminée, immobiles et silencieux, il lui faisait peur quelquefois. Elle voulait le réveiller, dire quelque chose, n'im-[30] porte quoi, pour sortir de ce silence effrayant comme les ténèbres d'un bois. Mais il ne paraissait plus l'entendre, et elle frémissait d'une terreur de pauvre femme faible quand elle lui avait parlé cinq ou six fois de suite sans obtenir un mot.

Qu'avait-il? Que se passait-il en cette tête fermée? Quand elle [35]

---

[5] entré, engrossed, withdrawn.
[6] rien autre chose que = rien d'autre que, nothing else but.

était demeurée ainsi deux ou trois heures en face de lui, elle se
sentait devenir folle, prête à fuir, à se sauver dans la campagne,
pour éviter ce muet et éternel tête-à-tête, et, aussi, un danger vague
qu'elle ne soupçonnait pas, mais qu'elle sentait.

5   Elle pleurait souvent, toute seule.

Qu'avait-il? Qu'elle témoignât un désir, il l'exécutait sans murmurer. Qu'elle eût besoin de quelque chose à la ville, il s'y
rendait aussitôt. Elle n'avait pas à se plaindre de lui, non certes!
Cependant ...

10   Une année encore s'écoula, et il lui sembla qu'une nouvelle
modification s'était accomplie dans l'esprit mystérieux du jeune
homme. Elle s'en aperçut, elle le sentit, elle le devina. Comment?
N'importe! Elle était sûre de ne s'être point trompée; mais elle
n'aurait pu dire en quoi les pensées inconnues de cet étrange
15 garçon avaient changé.

Il lui semblait qu'il avait été jusque-là comme un homme hésitant qui aurait pris tout à coup une résolution. Cette idée lui vint
un soir en rencontrant son regard, un regard fixe, singulier, qu'elle
ne connaissait point.

20   Alors il se mit à la contempler à tout moment, et elle avait envie
de se cacher pour éviter cet œil froid, planté sur elle.

Pendant des soirs entiers, il la fixait, se détournant seulement
quand elle disait, à bout de force:

—Ne me regarde donc pas comme ça, mon enfant!

25   Alors il baissait la tête.

Mais dès qu'elle avait tourné le dos, elle sentait de nouveau
son œil sur elle. Où qu'elle allât, il la poursuivait de son regard
obstiné.

Parfois, quand elle se promenait dans son petit jardin, elle
30 l'apercevait tout à coup blotti dans un massif comme s'il se fût
mis en embuscade; ou bien, lorsqu'elle s'installait devant son logis
à raccommoder des bas, et qu'il bêchait quelque carré de légumes,
il la guettait, tout en travaillant, d'une façon sournoise et continue.

35   Elle avait beau lui demander:

—Qu'as-tu, mon petit? Depuis trois ans tu deviens tout différent.
Je ne te reconnais pas. Dis-moi ce que tu as, ce que tu penses, je
t'en supplie.

Il prononçait invariablement, d'un ton calme et fatigué:

—Mais je n'ai rien, ma tante!

Et quand elle insistait, le suppliant:

—Eh! mon enfant, réponds-moi, réponds-moi quand je te parle. Si tu savais quel chagrin tu me fais, tu me répondrais toujours et tu ne me regarderais pas comme ça. As-tu de la peine? Dis-le moi, je te consolerai. ...

Il s'en allait d'un air las en murmurant:

—Mais je t'assure que je n'ai rien.

Il n'avait pas beaucoup grandi, ayant toujours l'aspect d'un enfant, bien que les traits de sa figure fussent d'un homme. Ils étaient durs et comme inachevés cependant. Il semblait incomplet, mal venu,[7] ébauché seulement, et inquiétant comme un mystère. C'était un être fermé, impénétrable, en qui semblait se faire sans cesse un travail mental, actif et dangereux.

Mlle Source sentait bien tout cela et elle ne dormait plus d'angoisse. Des terreurs affreuses l'assaillaient, des cauchemars épouvantables. Elle s'enfermait dans sa chambre et barricadait sa porte, torturée par l'épouvante!

De quoi avait-elle peur?

Elle n'en savait rien.

Peur de tout, de la nuit, des murs, des formes que la lune projette à travers les rideaux blancs des fenêtres, et peur de lui surtout!

Pourquoi?

Qu'avait-elle à craindre? Le savait-elle! ...

Elle ne pouvait plus vivre ainsi! Elle était sûre qu'un malheur la menaçait, un malheur affreux.

Elle partit un matin, en secret, et se rendit à la ville auprès de ses parentes. Elle leur raconta la chose d'une voix haletante. Les deux femmes pensèrent qu'elle devenait folle et tâchèrent de la rassurer.

Elle disait:

—Si vous saviez comme il me regarde du matin au soir! Il ne me quitte pas des yeux! Par moments j'ai envie de crier au secours, d'appeler les voisins, tant j'ai peur! Mais qu'est-ce que je leur dirais? Il ne me fait rien que de me regarder.

[7] mal venu, seedy looking.

Les deux cousines demandaient:

—Est-il quelquefois brutal avec vous; vous répond-il durement?

Elle reprenait:

—Non, jamais; il fait tout ce que je veux! il travaille bien, il
5 est rangé [8] maintenant; mais je n'y tiens plus de peur. Il a quelque
chose dans la tête,[9] j'en suis certaine, bien certaine. Je ne veux
plus rester toute seule avec lui comme ça dans la campagne.

Les parentes, effarées, lui représentaient qu'on s'étonnerait,
qu'on ne comprendrait pas; et elles lui conseillèrent de taire ses
10 craintes et ses projets, sans la dissuader cependant de venir habiter
la ville, espérant par là un retour de l'héritage entier.

Elles lui promirent même de l'aider à vendre sa maison et à
en trouver une autre auprès d'elles.

Mlle Source rentra dans son logis. Mais elle avait l'esprit telle-
15 ment bouleversé qu'elle tressaillait au moindre bruit et que ses
mains se mettaient à trembler à la plus petite émotion.

Deux fois encore elle retourna s'entendre avec ses parentes, bien
résolue maintenant à ne plus rester ainsi dans sa demeure isolée.

Elle découvrit enfin dans le faubourg un petit pavillon qui lui
20 convenait et elle l'acheta en secret.

La signature du contrat eut lieu un mardi matin, et Mlle Source
occupa le reste de la journée à faire ses préparatifs de déménagement.

Elle reprit, à huit heures du soir, la diligence qui passait à
25 un kilomètre de sa maison; et elle se fit arrêter à l'endroit où
le conducteur avait l'habitude de la déposer. L'homme lui cria
en fouettant ses chevaux:

—Bonsoir, mademoiselle Source, bonne nuit!

Elle répondit en s'éloignant:

30   —Bonsoir, père Joseph.

Le lendemain, à sept heures trente du matin, le facteur qui
porte les lettres au village remarqua sur le chemin de traverse,
non loin de la grand-route, une grande flaque de sang encore
frais. Il se dit: «Tiens! quelque pochard qui aura saigné du nez.»
35 Mais il aperçut dix pas plus loin un mouchoir de poche aussi

---

[8] **il est rangé,** he has settled down.
[9] **... dans la tête,** He has something on his mind.

taché de sang. Il le ramassa. Le linge était fin, et le piéton surpris s'approcha du fossé où il crut voir un objet étrange.

Mlle Source était couchée sur l'herbe du fond, la gorge ouverte d'un coup de couteau.

Une heure après, les gendarmes, le juge d'instruction et beaucoup d'autorités faisaient des suppositions autour du cadavre.

Les deux parentes, appelées en témoignage, vinrent raconter les craintes de la vieille fille et ses derniers projets.

L'orphelin fut arrêté. Depuis la mort de celle qui l'avait adopté, il pleurait du matin au soir, plongé, du moins en apparence, dans le plus violent des chagrins.

Il prouva qu'il avait passé la soirée, jusqu'à onze heures, dans un café, Dix personnes l'avaient vu, étaient restées jusqu'à son départ.

Or, le cocher de la diligence déclara avoir déposé sur la route l'assassinée entre neuf heures et demie et dix heures. Le crime ne pouvait avoir eu lieu que dans le trajet de la grand-route à la maison, au plus tard vers dix heures.

Le prévenu fut acquitté.

Un testament, ancien déjà, déposé chez un notaire de Rennes, le faisait légataire universel; il hérita.

Les gens du pays, pendant longtemps, le mirent en quarantaine,[10] le soupçonnant toujours. Sa maison, celle de la morte, était regardée comme maudite. On l'évitait dans la rue.

Mais il se montra si bon enfant, si ouvert, si familier qu'on oublia peu à peu l'horrible doute. Il était généreux, prévenant, causant avec les plus humbles, de tout, tant qu'on voulait.

Le notaire, Me Rameau, fut un des premiers à revenir sur son compte, séduit par sa loquacité souriante. Il déclara un soir, dans un dîner chez le percepteur:

—Un homme qui parle avec tant de facilité et qui est toujours de bonne humeur ne peut pas avoir un pareil crime sur la conscience.

Touchés par cet argument, les assistants[11] réfléchirent, et ils se rappelèrent en effet les longues conversations de cet homme qui

---

[10] **le mirent en quarantaine,** gave him the silent treatment.
[11] **les assistants,** the people present.

les arrêtait, presque de force, au coin des chemins, pour leur communiquer ses idées, qui les forçait à entrer chez lui quand ils passaient devant son jardin, qui avait le bon mot plus facile que le lieutenant de gendarmerie [12] lui-même, et la gaieté si communi-
5 cative que, malgré la répugnance qu'il inspirait, on ne pouvait s'empêcher de rire toujours en sa compagnie.

Toutes les portes s'ouvrirent pour lui.

Il est maire de sa commune aujourd'hui.

Maupassant, *Le Père Milon,* 1898.

[12] **lieutenant de gendarmerie,** state police officer.

Le Parnasse et Le Symbolisme

Leconte de Lisle [1818–1894],

*est né à la Réunion, île de l'Océan Indien. Il se rend
en France pour faire ses études de droit. Il fait surtout
du journalisme à Paris et s'intéresse aux idées socia-
listes. Mieux encore, il s'intéresse à l'antiquité grecque
et hindoue qu'il fait revivre dans des poèmes imper-
sonnels, d'une forme parfaite:* Poèmes antiques (*1852*),
Poèmes barbares (*1862*). *Il évoque admirablement des
scènes exotiques dans lesquelles il unit, avec un art
incomparable, une précision presque scientifique.*

Les Éléphants
[1855]

Le sable rouge est comme une mer sans limite,
Et qui flambe, muette, affaissée en son lit.
Une ondulation immobile remplit
L'horizon aux vapeurs de cuivre où l'homme habite.

Nulle vie et nul bruit. Tous les lions repus
Dorment au fond de l'antre éloigné de cent lieues,
Et la girafe boit dans les fontaines bleues,
Là-bas, sous les dattiers des panthères connus.

Pas un oiseau ne passe en fouettant de son aile
L'air épais, où circule un immense soleil.

161

Parfois quelque boa, chauffé dans son sommeil,
Fait onduler son dos dont l'écaille étincelle.

Tel l'espace enflammé brûle sous les cieux clairs.
Mais, tandis que tout dort aux mornes solitudes,
Les éléphants rugueux, voyageurs lents et rudes,
Vont au pays natal à travers les déserts.

D'un point de l'horizon, comme des masses brunes,
Ils viennent, soulevant la poussière, et l'on voit,
Pour ne point dévier du chemin le plus droit,
Sous leur pied large et sûr crouler au loin les dunes.

Celui qui tient la tête est un vieux chef. Son corps
Est gercé comme un tronc que le temps ronge et mine;
Sa tête est comme un roc, et l'arc de son échine
Se voûte puissamment à ses moindres efforts.

Sans ralentir jamais et sans hâter sa marche,
Il guide au but certain ses compagnons poudreux;
Et, creusant par derrière un sillon sablonneux,
Les pèlerins massifs suivent leur patriarche.

L'oreille en éventail, la trompe entre les dents,
Ils cheminent, l'œil clos. Leur ventre bat et fume,
Et leur sueur dans l'air embrasé monte en brume;
Et bourdonnent autour mille insectes ardents.

Mais qu'importent la soif et la mouche vorace,
Et le soleil cuisant leur dos noir et plissé?
Ils rêvent en marchant du pays délaissé,
Des forêts de figuiers où s'abrita leur race.

Ils reverront le fleuve échappé des grands monts,
Où nage en mugissant l'hippopotame énorme,
Où, blanchis par la lune et projetant leur forme,
Ils descendaient pour boire en écrasant les joncs.

Aussi, pleins de courage et de lenteur, ils passent,
Comme une ligne noire, au sable illimité;
Et le désert reprend son immobilité
Quand les lourds voyageurs à l'horizon s'effacent.

Leconte de Lisle, *Poèmes barbares,* 1862.

Charles Baudelaire [1821–1867]

passe toute sa vie, solitaire et révolté, à Paris, où il est né. Il se rattache d'abord au Parnasse, puis annonce le Symbolisme. Dans Les Fleurs du mal *(1857) il fait revivre le drame de sa conscience tourmentée. Ses vers firent scandale par leurs descriptions sensuelles. Longtemps méprisé, il est maintenant placé au premier rang des poètes français; il est la grande inspiration de la poésie moderne.*

Élévation

Le poète traite l'idée de l'évasion du réel dans un monde idéal.

Au-dessus des étangs, au-dessus des vallées,
Des montagnes, des bois, des nuages, des mers,
Par delà le soleil, par delà les éthers,
Par delà les confins des sphères étoilées,

Mon esprit tu te meus avec agilité,
Et, comme un bon nageur qui se pâme dans l'onde,
Tu sillonnes [1] gaîment l'immensité profonde
Avec une indicible et mâle volupté.

Envole-toi bien loin de ces miasmes morbides; [2]
Va te purifier dans l'air supérieur,
Et bois, comme une pure et divine liqueur,
Le feu clair qui remplit les espaces limpides.

[1] **Tu sillonnes,** You break through.
[2] **ces miasmes morbides,** these noxious exhalations.

Derrière les ennuis et les vastes chagrins
Qui chargent de leur poids l'existence brumeuse,
Heureux celui qui peut, d'une aile vigoureuse
S'élancer vers les champs lumineux et sereins!

Celui dont les pensers, comme des alouettes,
Vers les cieux le matin prennent un libre essor,
—Qui plane sur la vie et comprend sans effort
Le langage des fleurs et des choses muettes!

Baudelaire, *Les Fleurs du mal:* «Spleen et idéal,» III, 1857.

Le Flacon

Il est de forts parfums pour qui toute matière
Est poreuse. On dirait qu'ils pénètrent le verre.
En ouvrant un coffret venu de l'Orient
Dont la serrure grince et rechigne [1] en criant,

Ou dans une maison déserte quelque armoire
Pleine de l'âcre odeur des temps, poudreuse et noire,
Parfois on trouve un vieux flacon qui se souvient,
D'où jaillit toute vive une âme qui revient.

Mille pensers [2] dormaient, chrysalides funèbres,
Frémissant doucement dans les lourdes ténèbres,
Qui dégagent leur aile et prennent leur essor,
Teintés d'azur, glacés de rose, lamés d'or.

Voilà le souvenir enivrant qui voltige
Dans l'air troublé; les yeux se ferment; le Vertige
Saisit l'âme vaincue et la pousse à deux mains
Vers un gouffre obscurci de miasmes humains;

Il la terrasse au bord du gouffre séculaire,
Où, Lazare odorant déchirant son suaire,

---

[1] **rechigne,** offers difficulties.   [2] **pensers** *poet.* = **pensées,** thoughts.

Se meut dans son réveil le cadavre spectral
D'un vieil amour ranci, charmant et sépulcral.

Ainsi, quand je serai perdu dans la mémoire
Des hommes, dans le coin d'une sinistre armoire
Quand on m'aura jeté, vieux flacon désolé,
Décrépit, poudreux, sale, abject, visqueux, fêlé,

Je serai ton cercueil, aimable pestilence!
Le témoin de ta force et de ta virulence,
Cher poison préparé par les anges! liqueur
Qui me ronge, ô la vie et la mort de mon cœur!

Baudelaire, *Les Fleurs du mal:* «Spleen et idéal,» LI, 1857.

La Corde

«Les illusions,—me disait mon ami,—sont aussi innombrables
peut-être que les rapports des hommes entre eux, ou des hommes
avec les choses. Et quand l'illusion disparaît, c'est-à-dire quand
nous voyons l'être ou le fait tel qu'il existe en dehors de nous, nous
5 éprouvons un bizarre sentiment, compliqué moitié de regret pour
le fantôme disparu, moitié de surprise agréable devant la nouveauté, devant le fait réel. S'il existe un phénomène évident,
trivial, toujours semblable, et d'une nature à laquelle il soit impossible de se tromper, c'est l'amour maternel. Il est aussi difficile
10 de supposer une mère sans amour maternel qu'une lumière sans
chaleur; n'est-il donc pas parfaitement légitime d'attribuer à
l'amour maternel toutes les actions et les paroles d'une mère,
relatives à son enfant? Et cependant écoutez cette petite histoire,
où j'ai été singulièrement mystifié par l'illusion la plus natu-
15 relle.
   «Ma profession de peintre me pousse à regarder attentivement
les visages, les physionomies qui s'offrent dans ma route, et vous
savez quelle jouissance nous tirons de cette faculté qui rend à
nos yeux la vie plus vivante et plus significative que pour les autres
20 hommes. Dans le quartier reculé que j'habite, et où de vastes
espaces gazonnés séparent encore les bâtiments, j'observai souvent

un enfant dont la physionomie ardente et espiègle, plus que toutes les autres, me séduisit tout d'abord. Il a posé plus d'une fois pour moi, et je l'ai transformé tantôt en petit bohémien, tantôt en ange, tantôt en Amour mythologique. Je lui ai fait porter le violon du vagabond, la Couronne d'Épines et les Clous de la [5] Passion, et la Torche d'Éros.[1] Je pris enfin à toute la drôlerie de ce gamin un plaisir si vif, que je priai un jour ses parents, de pauvres gens, de vouloir bien me le céder, promettant de bien l'habiller, de lui donner quelque argent et de ne pas lui imposer d'autre peine que de nettoyer mes pinceaux et de faire mes com-[10]missions. Cet enfant, débarbouillé, devint charmant, et la vie qu'il menait chez moi lui semblait un paradis, comparativement à celle qu'il aurait subie dans le domicile paternel. Seulement il manifesta bientôt un goût immodéré pour le sucre et les liqueurs; si bien qu'un jour où je constatai que, malgré mes nombreux [15] avertissements, il avait encore commis un nouveau larcin de ce genre, je le menaçai de le renvoyer à ses parents. Puis je sortis, et mes affaires me retinrent assez longtemps hors de chez moi.

«Quels ne furent pas mon horreur et mon étonnement quand, rentrant à la maison, le premier objet qui frappa mes regards fut [20] mon petit bonhomme, l'espiègle compagnon de ma vie, pendu au panneau de cette armoire! Ses pieds touchaient presque le plancher; une chaise, qu'il avait sans doute repoussée du pied, était renversée à côté de lui; sa tête était penchée convulsivement sur une épaule; son visage, boursouflé, et ses yeux, tout grands [25] ouverts avec une fixité effrayante, me causèrent d'abord l'illusion de la vie. Le dépendre n'était pas une besogne aussi facile que vous le pouvez croire. Il était déjà fort roide, et j'avais une répugnance inexplicable à le faire brusquement tomber sur le sol. Il fallait le soutenir tout entier avec un bras, et, avec la main de [30] l'autre bras, couper la corde. Mais cela fait, tout n'était pas fini; le petit monstre s'était servi d'une ficelle fort mince qui était entrée profondément dans les chairs, et il fallait maintenant, avec de minces ciseaux, chercher la corde entre les deux bourrelets de l'enflure, pour lui dégager le cou.

[35]

«J'ai négligé de vous dire que j'avais vivement appelé au

---

[1] la **Torche d'Éros,** Eros, god of love, is often represented holding a torch upside down.

secours; mais tous mes voisins avaient refusé de me venir en aide,
fidèles en cela aux habitudes de l'homme civilisé, qui ne veut
jamais, je ne sais pourquoi, se mêler des affaires d'un pendu. Enfin,
vint un médecin qui déclara que l'enfant était mort depuis
5 plusieurs heures. Quand, plus tard, nous eûmes à le déshabiller
pour l'ensevelissement, la rigidité cadavérique était telle, que
désespérant de fléchir les membres, nous dûmes lacérer et couper
les vêtements pour les lui enlever.

    «Le commissaire, à qui, naturellement, je dus déclarer l'acci-
10 dent, me regarda de travers, et me dit: ‹ Voilà qui est louche!› [2]
mû sans doute par un désir invétéré et une habitude d'état [3] de
faire peur, à tout hasard, aux innocents comme aux coupables.

    «Restait une tâche suprême à accomplir, dont la seule pensée
me causa une angoisse terrible: il fallait avertir les parents. Mes
15 pieds refusaient de m'y conduire. Enfin j'eus ce courage. Mais, à
mon grand étonnement, la mère fut impassible, pas une larme
ne suinta du coin de son œil. J'attribuai cette étrangeté à l'horreur
même qu'elle devait éprouver, et je me souvins de la sentence connue: ‹ Les douleurs les plus terribles sont les douleurs muettes. ›
20 Quant au père, il se contenta de dire d'un air moitié abruti,
moitié rêveur: ‹ Après tout, cela vaut peut-être mieux ainsi; il
aurait toujours mal fini! ›

    «Cependant le corps était étendu sur mon divan, et, assisté
d'une servante, je m'occupais des derniers préparatifs, quand la
25 mère entra dans mon atelier. Elle voulait, disait-elle, voir le
cadavre de son fils. Je ne pouvais pas, en vérité, l'empêcher de
s'enivrer de son malheur et lui refuser cette suprême et sombre
consolation. Ensuite elle me pria de lui montrer l'endroit où
son petit s'était pendu. ‹ Oh! non, madame,—lui répondis-je,—cela
30 vous ferait mal. › Et comme involontairement mes yeux se tournaient vers la funèbre armoire, je m'aperçus, avec un dégoût mêlé
d'horreur et de colère, que le clou était resté fiché [4] dans la paroi,
avec un long bout de corde qui traînait encore. Je m'élançais
vivement pour arracher ces derniers vestiges du malheur, et comme
35 j'allais les lancer au dehors par la fenêtre ouverte, la pauvre
femme saisit mon bras et me dit d'une voix irrésistible: ‹ Oh!

---

[2] **Voilà qui est louche!**, There's something queer about this!
[3] **une habitude d'état**, a professional habit.   [4] **fiché**, driven.

monsieur! laissez-moi cela! je vous en prie! je vous en supplie!›
Son désespoir l'avait, sans doute, me parut-il, tellement affolée,
qu'elle s'éprenait de tendresse maintenant pour ce qui avait servi
d'instrument à la mort de son fils, et le voulait garder comme une
horrible et chère relique.—Et elle s'empara du clou et de la 5
ficelle.

«Enfin! enfin! tout était accompli. Il ne me restait plus qu'à
me remettre au travail, plus vivement encore que d'habitude, pour
chasser peu à peu ce petit cadavre qui hantait les replis de mon
cerveau, et dont le fantôme me fatiguait de ses grands yeux fixes. 10
Mais le lendemain je reçus un paquet de lettres: les unes, des
locataires de ma maison, quelques autres des maisons voisines;
l'une, du premier étage; l'autre, du second; l'autre, du troisième,
et ainsi de suite, les unes en style demi-plaisant, comme cherchant
à déguiser sous un apparent badinage la sincérité de la demande; 15
les autres, lourdement effrontées et sans orthographe, mais toutes
tendant au même but, c'est-à-dire à obtenir de moi un morceau
de la funeste et béatifique corde. Parmi les signataires il y avait,
je dois le dire, plus de femmes que d'hommes; mais tous, croyez-le
bien, n'appartenaient pas à la classe infime et vulgaire. J'ai gardé 20
ces lettres.

«Et alors, soudainement, une lueur se fit dans mon cerveau, et je
compris pourquoi la mère tenait à m'arracher la ficelle et par quel
commerce elle entendait se consoler.» —Parbleu,—répondis-je à
mon ami—un mètre de corde de pendu, à cent francs le décimètre, 25
l'un dans l'autre,[5] chacun payant selon ses moyens, cela fait mille
francs, un réel, un efficace soulagement pour cette pauvre mère!

Baudelaire, *Petits poèmes en prose,* 1868.

[5] **l'un dans l'autre,** more or less.

Stéphane Mallarmé [1842–1898]

fut longtemps professeur d'anglais à Paris, sa ville natale. Il est considéré comme le maître du Symbolisme. Sa poésie est idéaliste, délicate, mais rendue souvent obscure par des phrases contournées et par l'emploi répété du «symbole.» Son poème le plus célèbre est L'Après-midi d'un faune (1876), mis en musique par Claude Debussy.

Brise Marine
[1866]

Des fenêtres de son appartement à Tournon, Mallarmé pouvait voir le Rhône, et «il ne cesse d'entendre l'invitation au voyage que lui chantent les eaux. ...»

La chair est triste, hélas! et j'ai lu tous les livres.
Fuir! là-bas fuir! Je sens que des oiseaux sont ivres
D'être parmi l'écume inconnue et les cieux!
Rien, ni les vieux jardins reflétés par les yeux
Ne retiendra ce cœur qui dans la mer se trempe,
O nuits! ni la clarté déserte [1] de ma lampe
Sur le vide papier que la blancheur défend,
Et ni la jeune femme allaitant son enfant. [2]
Je partirai! Steamer [3] balançant ta mâture,
Lève l'ancre pour une exotique nature! [4]
Un Ennui, désolé par les cruels espoirs,
Croit encore à l'adieu suprême des mouchoirs!
Et, peut-être, les mâts, invitant les orages

[1] la clarté déserte, the lonely light.
[2] jeune femme ... enfant, his own wife, and his daughter Geneviève. Not even family ties can restrain the poet in his desire to escape.
[3] steamer [stimœr].   [4] une exotique nature, exotic lands.

Sont-ils de ceux qu'un vent penche sur les naufrages
Perdus, sans mâts, sans mâts, ni fertiles îlots ...
Mais, ô mon cœur, entends le chant des matelots!

Mallarmé, *Vers et prose*, 1893.

Autre Éventail de Mademoiselle Mallarmé
[1884]

O rêveuse,[1] pour que je plonge
Au pur délice sans chemin,[2]
Sache, par un subtil mensonge,
Garder mon aile dans ta main.

Une fraîcheur de crépuscule
Te vient à chaque battement
Dont le coup prisonnier recule
L'horizon délicatement.

Vertige! voici que frissonne
L'espace comme un grand baiser
Qui, fou de naître [3] pour personne,
Ne peut jaillir ni s'apaiser.

Sens-tu le paradis farouche
Ainsi qu'un rire enseveli
Se couler du coin de ta bouche
Au fond de l'unanime pli!

Le sceptre [4] des rivages roses
Stagnants sur les soirs d'or, ce l'est,[5]
Ce blanc vol fermé que tu poses
Contre le feu d'un bracelet.

Mallarmé, *Poésies*, 1887.

---

[1] **rêveuse,** Geneviève, daughter of the poet.
[2] **sans chemin,** without a goal.
[3] **fou de naître,** angry because it was born.
[4] **le sceptre** *i.e.* the fan.
[5] **ce l'est,** is (rhymes with **bracelet**).

Paul Verlaine [1844–1896]

*est né à Metz, en Lorraine. Après avoir, comme **Baudelaire**, rompu avec son milieu bourgeois, il mène à
Paris une vie de bohème. Il publie* Poèmes saturniens
(1866), Fêtes galantes *(1869)*, La Bonne chanson *(1870)*,
Romances sans paroles *(1874)*. Il est emprisonné
pour avoir blessé son ami Rimbaud (1874). Il devient
tour à tour professeur de français en Angleterre, et
professeur au collège de Rethel (1887). Il publie* Sagesse
*(1881), où il se montre un doux mystique catholique.
Il devient un des chefs de l'école symboliste et publie*
Les Poètes maudits *(1884). Mais sa santé s'altère et
après avoir passé d'hôpital en hôpital, il meurt en 1896,
à l'âge de 52 ans.*

———— • ————

Mon Rêve Familier

Je fais souvent ce rêve étrange et pénétrant
D'une femme inconnue, et que j'aime et qui **m'aime,**
Et qui n'est chaque fois, ni tout à fait la même
Ni tout à fait une autre, et m'aime et me comprend.

Car elle me comprend, et mon cœur transparent
Pour elle seule, hélas! cesse d'être un problème
Pour elle seule, et les moiteurs de mon front blême,
Elle seule les sait rafraîchir, en pleurant.

Est-elle brune, blonde ou rousse?—Je l'ignore.
Son nom? Je me souviens qu'il est doux et sonore
Comme ceux des aimés que la Vie exila.[1]

[1] **que la Vie exila,** who have died.

Son regard est pareil au regard des statues,
Et pour sa voix, lointaine, et calme, et grave, elle a
L'inflexion des voix chères qui se sont tues.

Verlaine, *Poèmes saturniens*, 1866.

Écoutez la Chanson Bien Douce

Le poète évoque son amour pour sa femme dont il est divorcé, mais qu'il ne peut oublier.

Écoutez la chanson bien douce
Qui ne pleure que pour vous plaire,
Elle est discrète, elle est légère:
Un frisson d'eau sur de la mousse!

La voix [1] vous fut connue (et chère!),
Mais à présent elle est voilée
Comme une veuve désolée,
Pourtant, comme elle, est encore fière,

Et dans les longs plis de son voile [2]
Qui palpite aux brises d'automne,
Cache et montre au cœur qui s'étonne
La vérité comme une étoile.

Elle dit, la voix reconnue,
Que la bonté c'est notre vie,
Que de la haine et de l'envie
Rien ne reste, la mort venue.

Elle parle aussi de la gloire
D'être simple sans plus attendre,
Et de noces d'or [3] et du tendre
Bonheur d'une paix sans victoire.

[1] **La voix,** the voice of the poet.   [2] **voile,** widow's weed.
[3] **noces d'or,** golden wedding (anniversary).

Accueillez la voix qui persiste
Dans son naïf épithalame.[4]
Allez, rien n'est meilleur à l'âme
Que de faire une âme moins triste!

Elle est en peine et de passage
L'âme qui souffre sans colère,
Et comme sa morale est claire! ...
Écoutez la chanson bien sage.

                              Verlaine, *Sagesse*, XVI, 1881.

[4] **épithalame**, epithalamium, poem composed for a wedding.

Arthur Rimbaud [1854–1891]

se révolte de bonne heure contre la tyrannie de sa mère et du milieu bourgeois de sa ville de Charleville (Ardennes). A dix-sept ans il part pour Paris, où il exerce une très mauvaise influence morale sur Verlaine. Il publie Une Saison en enfer *(1873), œuvre en prose. Croyant Rimbaud mort, Verlaine fait publier ses poèmes, d'une originalité violente, sous le titre* Il-luminations *(1886). Cette œuvre exerce une influence capitale sur la poésie moderne et illustre cette conviction de Rimbaud: «il faut être voyant, se faire voyant ... par un long, immense et raisonné dérèglement de tous les sens.» Après avoir beaucoup voyagé, il meurt à Marseille, amputé d'une jambe, à l'âge de 37 ans.*

Roman

[1870]

I

On n'est pas sérieux quand on a dix-sept ans.
Un beau soir,—foin des bocks [1] et de la limonade,
Des cafés tapageurs aux lustres éclatants!—
On va sous les tilleuls verts de la promenade.

Les tilleuls sentent bon dans les bons soirs de juin,
L'air est parfois si doux qu'on ferme la paupière.
Le vent chargé de bruits—la ville n'est pas loin—
A des parfums de vigne et des parfums de bière.

[1] **foin des bocks,** disdainful of the glasses of beer.

II

Voilà qu'on aperçoit un tout petit chiffon
D'azur sombre encadré d'une petite branche,
Piqué d'une mauvaise étoile qui se fond
Avec de doux frissons, petite et toute blanche.

Nuit de juin! Dix-sept ans! ... On se laisse griser.[2]
La sève est du champagne et vous monte à la tête.
On divague; on se sent aux lèvres un baiser
Qui palpite, là, comme une petite bête.

III

Le cœur fou robinsonne[3] à travers les romans,
Lorsque, dans la clarté pâle d'un réverbère,
Passe une demoiselle aux petits airs charmants
Sous l'ombre du faux col effrayant de son père.

Et comme elle vous trouve immensément naïf,
Tout en faisant trotter ses petites bottines,
Elle se tourne alerte et d'un mouvement vif.
Sur vos lèvres, alors, meurent les cavatines.[4]

IV

Vous êtes amoureux, loué[5] jusqu'au mois d'août!
Vous êtes amoureux: vos sonnets la font rire.
Tous vos amis s'en vont, vous êtes mauvais goût.
—Puis l'adorée, un soir, a daigné vous écrire.

Ce soir-là, vous rentrez aux cafés éclatants,
Vous demandez des bocks ou de la limonade ...
On n'est pas sérieux quand on a dix-sept ans
Et qu'on a des tilleuls verts sur la promenade.

                                   Rimbaud, *Poésies,* 1891.

[2] **on se laisse griser,** one becomes tipsy.
[3] **robinsonne,** frolics, *lit.* goes to Robinson. (Robinson is a popular resort south of Paris. The verb **robinsonner** was coined by Rimbaud.)
[4] **cavatines,** simple and charming melodies.
[5] **loué,** at her beck and call.

Le Dormeur du Val
[1870]

C'est un trou de verdure où chante une rivière
Accrochant follement aux herbes des haillons
D'argent,[1] où le soleil, de la montagne fière,
Luit; c'est un petit val qui mousse de rayons.

Un soldat jeune, bouche ouverte, tête nue
Et la nuque baignant dans le frais cresson bleu,[2]
Dort: il est étendu dans l'herbe, sous la nue,
Pâle dans son lit vert où la lumière pleut.[3]

Les pieds dans les glaïeuls, il dort. Souriant comme
Sourirait un enfant malade, il fait un somme.
Nature, berce-le chaudement: il a froid!

Les parfums ne font pas frissoner sa narine;
Il dort dans le soleil, la main sur sa poitrine
Tranquille. Il a deux trous rouges au côté droit.

Rimbaud, *Poésies,* 1891.

[1] **haillons d'argent,** splashes of light (*lit.* tatters of silver).
[2] **le cresson bleu,** the blue water cress.
[3] **pleut,** pours forth.

Le Vingtième Siècle

Fin du XIXe siècle–1914

A la fin du XIXe siècle il y eut une réaction contre les excès des naturalistes, et un retour à la convention, à l'ordre, à la moralité. Des romanciers traditionalistes, comme Paul Bourget (1852–1935), *Le Disciple,* et Maurice Barrès (1862–1923), *Colette Baudoche,* défendent ces idées. D'un autre côté, un groupe d'écrivains humanitaires cherche à amener des réformes politiques et sociales: Anatole France (1844–1924), *L'Ile des Pingouins, Histoire contemporaine.* En poésie, le Symbolisme avait exprimé des états d'âme, des impressions fluides, avec le souci de produire une musique affectant les sens plutôt que l'intelligence. Les néo-symbolistes, comme Henri de Régnier (1864–1936), *Les Jeux rustiques et divins,* la comtesse de Noailles (1876–1933), *Les Éblouissements,* continuent cette poétique où le lyrisme est personnel mais aussi général.

Des courants nouveaux se manifestent brutalement, des formules révolutionnaires surgissent. En poésie, s'inspirant du cubisme que lancent en peinture Matisse, Braque et Picasso, Guillaume Apollinaire (p. 200) avec *Alcools* (1913) se pose comme l'un des chefs du surréalisme, mouvement qui ne s'affirmera bruyamment qu'après la première Grande Guerre. Cette poésie a le parti pris de choquer, de faire table rase du passé; elle se base sur les rêves, l'automatisme de la pensée. Le chef en est André Breton (1894–   ). D'un autre côté, nous avons des poètes indépendants comme Francis Jammes (1868–1938), qui suggère la présence du surnaturel; Charles Péguy (1873–1914), qui exalte les vertus nationales et catholiques; Paul Claudel (1868–1955), dont l'œuvre reflète une poésie chrétienne aux sujets et au ton très élevés. Au théâtre, le romantisme jette une dernière flamme avec Edmond Rostand (1868–1918), *Cyrano de Bergerac* (1897); Claudel compose des drames-mystères comme *L'Annonce faite à Marie* (1912). La philosophie de l'intuition et de l'élan vital de Henri Bergson (1859–1951), dans *L'Évolution créatrice,* exerce une influence profonde sur la littérature moderne.

Les Années 1914–1940

LE ROMAN. Dans le roman les tendances sont diverses. Dans *A la Recherche du temps perdu* (1913–1928), Marcel Proust (p. 183) expose minutieusement sa théorie et sa conception du «temps»: le passé ne meurt pas; il reste dans le subconscient. Le «temps retrouvé,» pour Proust, est le temps perdu à observer la vie, mais il est «retrouvé» quand on fait ressusciter le passé par la sensation et l'intensité du souvenir. André Gide (p. 187) est le champion de la liberté individuelle et intellectuelle, mais en même temps il exige une discipline artistique, nourrie des classiques. Parmi les romanciers les plus en vue aujourd'hui citons: Georges Duhamel (1884–   ), humanitaire et anti-matérialiste, *Le Journal de Salavin, La Chronique des Pasquier,* 10 volumes (1933–1945); François Mauriac (1885–   ), romancier catholique du péché et du repentir, peint les conflits de la passion et de la foi dans *Thérèse Desqueyroux* (1927), suivi de *Le Nœud de vipères* (1932), *La Fin de la nuit* (1935); Georges Bernanos (1888–1948) qui s'attache aussi à peindre le croyant tenté par le mal, *Journal d'un curé de campagne* (1936); Henri de Montherlant (1896–   ), individualiste violent qui affecte de mépriser les femmes, *Les Jeunes filles,* 4 volumes (1936–1939); André Malraux (p. 222) ressemble aux romanciers américains par la brutalité de son récit. Ses œuvres sont remplies d'idées révolutionnaires, d'abord sympathiques au communisme, mais plus tard objectives et artistiques. Son chef-d'œuvre est *La Condition humaine* (1933), dans lequel il peint l'homme accablé par la fatalité. Antoine de Saint-Exupéry (p. 213), écrivain-aviateur, nous donne sa conception du rôle de l'homme: sacrifice, dévouement à une tache à accomplir, noble idéal à atteindre. Colette (p. 194) se distingue par son style souple, chaud, qui décrit fort bien les sensations de la vie. Marcel Aymé

(p. 230), un des meilleurs conteurs du XXe siècle, mélange le réel
et le fantastique. Jean Giono (1895–   ), dans *Un de Baumugnes*
(1929), *Regain* (1930), *Le Hussard sur le toit* (1951), professe
l'amour de la terre, des montagnes de sa province natale, la
Provence. Albert Camus (p. 244) est le rénovateur de la philosophie
de «l'absurde,» dans *L'Étranger* (1942)—dont le héros est indifférent, «étranger» à tout ce qui l'environne—, *La Peste* (1947).
Jean-Paul Sartre (1905–   ) lance en France *l'existentialisme*
de l'Allemand athée Heidegger avec une grosse thèse: *L'Être et
le néant* (1943); dans *La Nausée* (1938), et *Le Mur* (1939), Sartre
décrit un monde hostile, confus, où domine le sentiment de
l'inutilité de l'homme et de la vie.

LE THÉÂTRE. Jean Giraudoux (p. 203) tour à tour romancier,
poète et dramaturge, a rendu au théâtre français ses qualités
classiques, sa finesse philosophique, sa noblesse. Jean Cocteau
(1889–   ), poète, romancier, homme de théâtre, metteur en
scène, a popularisé le surréalisme et l'a adapté à la vie sociale. Il
est surtout connu par ses pièces de déséquilibrés, *Les Enfants
terribles* (1929), *Les Parents terribles* (1938), et des films bien
connus comme *Le Sang d'un poète, La Belle et la bête, Orphée.*
Montherlant se distingue surtout au théâtre avec *La Reine morte*
(1942), et *Le Maître de Santiago* (1945), toutes deux d'inspiration
espagnole. Sartre réussit avec *Les Mouches* (1942), tragédie sur
la liberté; *Huis-clos* (1944) avec seulement trois personnages qui,
arrivant en enfer, sont condamnés à habiter ensemble, chacun
étant le bourreau de l'autre: «l'enfer, c'est les autres»; *Les Mains
sales* (1948) qui montre les contradictions du communisme dont
Sartre s'est rapproché depuis. Jean Anouilh (1910–   ) possède
un talent varié, brillant: *Le Voyageur sans bagages* (1936), *Le Bal
des voleurs* (1937), *L'Invitation au château* (1946) (*Ring around
the Moon*), *L'École des pères* (1952), *Ornifle ou le courant d'air*
(1955).

LA POÉSIE. En poésie, l'influence de la deuxième Grande Guerre
est très marquée. Les poètes sont surtout ceux de la Résistance:
Éluard (1895–1952), *Au Rendez-vous allemand* (1945); Aragon
(p. 210); René Char (1907–   ), d'abord surréaliste. Mettons à
part Henri Michaux (1899–   ), poète d'origine belge, qui
n'appartient à aucune catégorie définie. Ses poèmes reflètent ses

voyages et cauchemars: *Écuador* (1929), *Plumes* (1936), *Au Pays de la magie* (1942), *Face aux verrous* (1954). Prévert (p. 219), tendre anarchiste, est très personnel; sa poésie utilise toutes les possibilités des images, des idées, des mots.

CONCLUSION. La littérature française d'aujourd'hui se réclame plutôt du classicisme que du romantisme. Elle est objective, intellectuelle. La plupart des écrivains sont «engagés» c'est-à-dire qu'ils militent pour un idéal social, politique et artistique. Ils ne s'attachent pas autant que les écrivains américains à une histoire dynamique, mais ils se plaisent aux descriptions, aux digressions philosophiques. Les grands noms sont nombreux, c'est avec regret que nous n'avons pu en présenter davantage.

Marcel Proust [1871–1922]

est né a Paris dans une famille aisée; son père était un médecin connu. Dès l'enfance il souffre de l'asthme. Il commence des études de droit et mène une vie mondaine. Après la mort de ses parents (1903–1905), il se retire du monde et se met à écrire A La Recherche du temps perdu, *roman en seize volumes dont voici quelques titres:* Du Côté de chez Swann (*1913*), A l'Ombre des jeunes filles en fleur (*1918*), Le Côté de Guermantes (*1920*), Le Temps retrouvé (*posthume, 1927*).

———•———

Les Souliers rouges

Le riche amateur d'art, Charles Swann, est en visite chez ses cousins, le duc et la duchesse de Guermantes. Les Guermantes attendent leur voiture pour se rendre à une soirée. Ils demandent à Swann s'il va les accompagner en Italie. Swann répond négativement.

«Eh bien, en un mot la raison qui vous empêchera de venir en Italie? questionna la duchesse en se levant pour prendre congé de nous. —Mais, ma chère amie, c'est que je serai mort depuis plusieurs mois. D'après les médecins que j'ai consultés, à la fin de l'année, le mal que j'ai, et qui peut du reste m'emporter tout de 5 suite, ne me laissera pas en tous les cas plus de trois ou quatre mois à vivre, et encore c'est un grand maximum, répondit Swann en souriant tandis que le valet de pied ouvrait la porte vitrée du vestibule pour laisser passer la duchesse. —Qu'est-ce que vous me dites là? s'écria la duchesse en s'arrêtant une seconde dans sa 10 marche vers la voiture et en levant ses beaux yeux bleus et mélancoliques, mais pleins d'incertitude. Placée pour la première fois de sa vie entre deux devoirs aussi différents que monter dans sa

voiture pour aller dîner en ville, et témoigner de la pitié à un
homme qui va mourir, elle ne voyait rien dans le code des con-
venances qui lui indiquât la jurisprudence à suivre et, ne sachant
auquel donner la préférence, elle crut devoir faire semblant de
5 ne pas croire que la seconde alternative eût à se poser, de façon
à obéir à la première qui demandait en ce moment moins d'efforts,
et pensa que la meilleure manière de résoudre le conflit était de
le nier. —Vous voulez plaisanter? dit-elle à Swann. —Ce serait une
plaisanterie d'un goût charmant, répondit ironiquement Swann.
10 Je ne sais pas pourquoi je vous dis cela, je ne vous avais pas parlé
de ma maladie jusqu'ici. Mais comme vous me l'avez demandé
et que maintenant je peux mourir d'un jour à l'autre ... Mais
surtout je ne veux pas que vous vous retardiez, vous dînez en
ville, ajouta-t-il parce qu'il savait que, pour les autres, leurs propres
15 obligations mondaines priment [1] la mort d'un ami, et qu'il se
mettait à leur place, grâce à sa politesse. Mais celle de la duchesse
lui permettait aussi d'apercevoir confusément que le dîner où
elle allait devait moins compter pour Swann que sa propre mort.
Aussi, tout en continuant son chemin vers la voiture, baissa-t-elle
20 les épaules en disant: —Ne vous occupez pas de ce dîner. Il n'a
aucune importance! Mais ces mots mirent de mauvaise humeur
le duc qui s'écria: —Voyons, Oriane, ne restez pas à bavarder
comme cela et à échanger vos jérémiades avec Swann, vous savez
bien pourtant que Mme de Saint-Euverte [2] tient à ce qu'on se
25 mette à table à huit heures tapant. Il faut savoir ce que vous
voulez, voilà bien cinq minutes que vos chevaux attendent. Je
vous demande pardon, Charles, dit-il, en se tournant vers Swann,
mais il est huit heures moins dix. Oriane est toujours en retard,
il nous faut plus de cinq minutes pour aller chez la mère Saint-
30 Euverte. Mme de Guermantes s'avança décidément vers la voiture et redit un dernier adieu à Swann. —Vous savez, nous re-
parlerons de cela, je ne crois pas un mot de ce que vous dites,
mais il faut en parler ensemble. On vous aura bêtement effrayé,
venez déjeuner, le jour que vous voudrez (pour Mme de Guer-
35 mantes tout se résolvait toujours en déjeuners), vous me direz
votre jour et votre heure, et relevant sa jupe rouge elle posa son

---

[1] **priment,** come before.
[2] **Mme de Saint-Euverte,** one of the relatives of the Guermantes.

pied sur le marchepied. Elle allait entrer en voiture, quand,
voyant ce pied, le duc s'écria d'une voix terrible: —Oriane, qu'est-ce
que vous allez faire, malheureuse! Vous avez gardé vos souliers
noirs! Avec une toilette rouge! Remontez vite mettre vos souliers
rouges, ou bien, dit-il au valet de pied, dites tout de suite à la 5
femme de chambre de Mme la duchesse de descendre des souliers
rouges.—Mais, mon ami, répondit doucement la duchesse, gênée
de voir que Swann, qui sortait avec moi, mais avait voulu laisser
passer la voiture devant nous, avait entendu, puisque nous sommes
en retard. —Mais non, nous avons tout le temps. Il n'est que 10
moins dix, nous ne mettrons pas dix minutes pour aller au parc
Monceau.[3] Et puis enfin, qu'est-ce que vous voulez, il serait huit
heures et demie, ils patienteront, vous ne pouvez pourtant pas
aller avec une robe rouge et des souliers noirs. D'ailleurs nous ne
serons pas les derniers, allez, il y a les Sassenage, vous savez qu'ils 15
n'arrivent jamais avant neuf heures moins vingt. La duchesse remonta dans sa chambre. —Hein, nous dit M. de Guermantes, les
pauvres maris, on se moque bien d'eux, mais ils ont du bon tout
de même. Sans moi, Oriane allait dîner en souliers noirs. —Ce
n'est pas laid, dit Swann, et j'avais remarqué les souliers noirs, qui 20
ne m'avaient nullement choqué. —Je ne vous dis pas,[4] répondit
le duc, mais c'est plus élégant qu'ils soient de la même couleur
que la robe. Et puis, soyez tranquille, elle n'aurait pas été plutôt
arrivée qu'elle s'en serait aperçue et c'est moi qui aurais été obligé
de venir chercher les souliers. J'aurais dîné à neuf heures. Adieu, 25
mes petits enfants, dit-il, en nous repoussant doucement, allez-
vous-en, avant qu'Oriane ne redescende. Ce n'est pas qu'elle
n'aime vous voir tous les deux. Au contraire, c'est qu'elle aime
trop vous voir. Si elle vous trouve encore là, elle va se remettre à
parler, elle est déjà très fatiguée, elle arrivera au dîner morte. Et 30
puis je vous avouerai franchement que moi je meurs de faim. J'ai
très mal déjeuné ce matin en descendant de train. Il y avait bien
une sacrée sauce béarnaise,[5] mais malgré cela je ne serai pas fâché
du tout, mais du tout, de me mettre à table. Huit heures moins
cinq! Ah! les femmes! Elle va nous faire mal à l'estomac à tous les 35

[3] **parc Monceau,** a fine park in the northwestern section of Paris.
[4] **Je ne vous dis pas,** I don't deny it.
[5] **sauce béarnaise,** egg and butter sauce.

deux. Elle est bien moins solide qu'on ne croit. Le duc n'était
nullement gêné de parler des malaises de sa femme et des siens à
un mourant, car les premiers, l'intéressant davantage, lui apparais-
saient plus importants. Aussi fut-ce seulement par bonne éduca-
5 tion et gaillardise, qu'après nous avoir éconduits gentiment,[6] il
cria à la cantonade [7] et d'une voix de stentor, de la porte, à
Swann qui était déjà dans la cour: —Et puis vous, ne vous laissez
pas frapper par ces bêtises de médecins, que diable! Ce sont des
ânes. Vous vous portez comme le Pont-Neuf.[8] Vous nous enterrerez
10 tous!»

Proust, *A la Recherche du temps perdu*, «Le Côté de Guermantes,»
1920–1921, Copyright by Librairie Gallimard, Paris, tous droits
réservés.

[6] **après ... gentiment,** after having gently gotten rid of us.
[7] **il cria à la cantonade,** he yelled to someone outside.
[8] **Vous vous portez comme le Pont-Neuf,** You're as sound as the rock of
Gibraltar. The Pont-Neuf, on the Seine River, is the oldest bridge in Paris.

André Gide [1869–1951],

*naît à Paris, fils d'un professeur de droit, protestant. Il
a une enfance maladive et puritaine. Après son baccalauréat, il fréquente les milieux symbolistes, se révolte
contre les préjugés moraux de sa famille. Il écrit, dans
une prose artistique, des essais:* Traité du narcisse
(1891), Les Nourritures terrestres *(1897) et surtout des
romans:* L'Immoraliste *(1902),* La Porte étroite *(1909),*
Isabelle *(1911),* Les Caves du Vatican *(1914),* La Symphonie pastorale *(1919),* Les Faux-Monnayeurs *(1926).
Citons aussi son autobiographie,* Si le Grain ne meurt
(1926) dont nous avons tiré un extrait, et son vaste
Journal *(arrêté en 1949). Il reçoit le Prix Nobel en
1947.*

Souvenirs de jeunesse

Mes parents avaient pris coutume de passer les vacances d'été dans
le Calvados,[1] à la Roque-Baignard,[2] cette propriété qui revint à
ma mère au décès de ma grand-mère Rondeaux. Les vacances du
nouvel an, nous les passions à Rouen dans la famille de ma mère;
celles de Pâques, à Uzès, auprès de ma grand-mère paternelle.   5
    Rien de plus différent que ces deux familles; rien de plus
différent que ces deux provinces de France, qui conjuguent en
moi leurs contradictoires influences. Souvent je me suis persuadé
que j'avais été contraint à l'œuvre d'art,[3] parce que je ne pouvais
réaliser que par elle l'accord de ces éléments trop divers, qui sinon 10
fussent restés à se combattre, ou tout au moins à dialoguer en moi.
Sans doute ceux-là seuls sont-ils capables d'affirmations puissantes,

---

[1] **le Calvados,** maritime department in Normandy.
[2] **la Roque-Baignard,** a village in Calvados.
[3] **contraint à l'œuvre d'art,** forced to be a writer.

que pousse en un seul sens l'élan de leur hérédité. Au contraire, les produits de croisement en qui coexistent et grandissent, en se neutralisant, des exigences opposées, c'est parmi eux, je crois, que se recrutent les arbitres et les artistes. Je me trompe fort si les
5 exemples ne me donnent raison. ...

La maison faisait angle entre la rue de Crosne et la rue Fontenelle.[4] Elle ouvrait sa porte cochère sur celle-là; sur celle-ci le plus grand nombre de ses fenêtres. Elle me paraissait énorme; elle l'était. Il y avait en bas, en plus du logement des concierges, de la
10 cuisine, de l'écurie, de la remise, un magasin pour les «rouenneries»[5] que fabriquait mon oncle à son usine du Houlme, à quelques kilomètres de Rouen. Et à côté du magasin, ou plus proprement de la salle de dépôt, il y avait un petit bureau, dont l'accès était également défendu aux enfants, et qui du reste se
15 défendait bien tout seul par son odeur de vieux cigare, son aspect sombre et rébarbatif. Mais combien la maison, par contre, était aimable!

Dès l'entrée, la clochette au son doux et grave semblait vous souhaiter bon accueil. Sous la voûte, à gauche, la concierge, de la
20 porte vitrée de sa loge exhaussée de trois marches, vous souriait. En face s'ouvrait la cour, où de décoratives plantes vertes, dans des pots alignés contre le mur du fond, prenaient l'air, et, avant d'être ramenées dans la serre du Houlme, d'où elles venaient et où elles allaient refaire leur santé, se reposaient à tour de rôle de
25 leur service d'intérieur.[6] Ah! que cet intérieur était tiède, moite, discret et quelque peu sévère, mais confortable, honnête et plaisant. La cage d'escalier prenait jour par en bas sous la voûte, et tout en haut par un toit vitré. A chaque palier, de longues banquettes de velours vert, sur lesquelles il faisait bon s'étendre
30 à plat ventre pour lire. Mais combien on était mieux encore, entre le deuxième étage et le dernier, sur les marches mêmes, que couvrait un tapis chiné noir et blanc bordé de larges bandes rouges. Du toit vitré tombait une lumière tamisée, tranquille; la marche au-dessus de celle sur laquelle j'étais assis me servait
35 d'appui-coude, de pupitre et lentement me pénétrait le côté. ...

---

[4] **Crosne ... Fontenelle,** two streets in the northwestern section of Rouen.
[5] **«rouenneries,»** printed cotton goods, twills, *etc.*, manufactured near Rouen.
[6] **de leur service d'intérieur,** from being placed inside.

J'écrirai mes souvenirs comme ils viennent, sans chercher à les ordonner. Tout au plus les puis-je grouper autour des lieux et des êtres; ma mémoire ne se trompe pas souvent de place; mais elle brouille les dates; je suis perdu si je m'astreins à de la chronologie. A reparcourir le passé, je suis comme quelqu'un dont le regard n'apprécierait pas bien les distances et parfois reculerait extrêmement ce que l'examen reconnaîtra beaucoup plus proche. C'est ainsi que je suis resté longtemps convaincu d'avoir gardé le souvenir de l'entrée des Prussiens [7] à Rouen:

C'est la nuit. On entend la fanfare militaire, et du balcon de la rue de Crosne où elle passe, on voit les torches résineuses fouetter d'inégales lueurs les murs étonnés des maisons. ...

Ma mère à qui, plus tard, j'en reparlai, me persuada que d'abord, en ce temps, j'étais beaucoup trop jeune pour en avoir gardé quelque souvenir que ce soit; qu'au surplus jamais un Rouennais, ou en tout cas aucun de ma famille, ne se serait mis au balcon pour voir passer fût-ce Bismarck [8] ou le roi de Prusse [9] lui-même, et que si les Allemands avaient organisé des cortèges, ceux-ci eussent défilé devant des volets clos. Certainement, mon souvenir devait être des «retraites aux flambeaux» qui, tous les samedis soirs, remontaient ou descendaient la rue de Crosne après que les Allemands avaient depuis longtemps déjà vidé la ville.

—C'était là ce que nous te faisions admirer du balcon, en te chantant, te souviens-tu

Zim laï la! Zim laï la   25
Les beaux militaires!

Et soudain je reconnaissais aussi la chanson. Tout se remettait à sa place et reprenait sa proportion. Mais je me sentais un peu volé; il me semblait que j'étais plus près de la vérité d'abord, et que méritait bien d'être un événement historique ce qui, devant mes sens tout neufs, se douait d'une telle importance. De là ce besoin inconscient de le reculer à l'excès afin que le magnifiât la distance.

[7] **l'entrée des Prussiens,** Rouen was occupied by the Prussians in December, 1870, during the Franco-German War.
[8] **Bismarck,** Prussian statesman (1815–1898).
[9] **roi de Prusse,** William I (1797–1888) accompanied the German armies and was proclaimed emperor at Versailles in January, 1871. Gide was only one year old!

Il en est de même de ce bal, rue de Crosne, que ma mémoire s'est longtemps obstinée à placer du temps de ma grand-mère—qui mourut en 73, alors que je n'avais que quatre ans.—Il s'agit évidemment d'une soirée que mon oncle et ma tante Henri
5 donnèrent trois ans plus tard, à la majorité de leur fille:

Je suis déjà couché, mais une singulière rumeur, un frémissement du haut en bas de la maison, joints à des vagues harmonieuses, écartent de moi le sommeil. Sans doute ai-je remarqué, dans la journée, des préparatifs. Mais, un bal, sais-je ce que c'est?
10 Je n'y avais pas attaché d'importance et m'étais couché comme les autres soirs. Mais cette rumeur à présent ... J'écoute; je tâche de surprendre quelque bruit plus distinct, de comprendre ce qui se passe. Je tends l'oreille. A la fin, n'y tenant plus, je me lève, je sors de la chambre à tâtons dans le couloir sombre et, pieds nus,
15 gagne l'escalier plein de lumière. Ma chambre est au troisième étage. Les vagues de sons montent du premier; il faut aller voir; et, à mesure que de marche en marche je me rapproche, je distingue des bruits de voix, des froissements d'étoffes, des chuchotements et des rires. Rien n'a l'air coutumier; il me semble que je
20 vais être initié tout à coup à une autre vie, mystérieuse, différemment réelle, plus brillante et plus pathétique, et qui commence seulement lorsque les petits enfants sont couchés. Les couloirs du second tout emplis de nuit sont déserts; la fête est au-dessous. Avancerai-je encore? On va me voir. On va me punir de ne pas
25 dormir, d'avoir vu. Je passe ma tête à travers les fers de la rampe. Précisément des invités arrivent, un militaire en uniforme, une dame toute en rubans, toute en soie; elle tient un éventail à la main; le domestique, mon ami Victor, que je ne reconnais pas d'abord à cause de ses culottes et de ses bas blancs, se tient devant
30 la porte ouverte du premier salon et introduit.[10] Tout à coup quelqu'un bondit vers moi; c'est Marie, ma bonne, qui comme moi tâchait de voir, dissimulée un peu plus bas au premier angle de l'escalier. Elle me saisit dans ses bras; je crois d'abord qu'elle va me reconduire dans ma chambre, m'y enfermer; mais non, elle
35 veut bien me descendre, au contraire, jusqu'à l'endroit où elle était, d'où le regard cueille un petit brin de la fête. A présent j'entends parfaitement bien la musique. Au son des instruments que je ne puis voir, des messieurs tourbillonnent avec des dames

---

10 **introduit,** ushers in, admits the visitors.

parées qui toutes sont beaucoup plus belles que celles du milieu du jour. La musique cesse; les danseurs s'arrêtent; et le bruit des voix remplace celui des instruments. Ma bonne va me remmener; mais à ce moment une des belles dames, qui se tenait debout appuyée près de la porte et s'éventait, m'aperçoit; elle vient à moi, 5 m'embrasse et rit parce que je ne la reconnais pas. C'est évidemment cette amie de ma mère que j'ai vue précisément ce matin; mais tout de même je ne suis pas bien sûr que ce soit tout à fait elle, elle réellement. Et quand je me retrouve dans mon lit, j'ai les idées toutes brouillées et je pense, avant de sombrer dans le 10 sommeil, confusément: il y a la réalité et il y a les rêves; et puis il y a *une seconde réalité*.

La croyance indistincte, indéfinissable, à je ne sais quoi d'autre, à côté du réel, du quotidien, de l'avoué, m'habita durant nombre d'années; et je ne suis pas sûr de n'en pas retrouver en moi, encore 15 aujourd'hui quelques restes. Rien de commun avec les contes de fées, de goules ou de sorcières; ni même avec ceux d'Hoffmann [11] ou d'Andersen. Non, je crois bien qu'il y avait plutôt là un maladroit besoin d'épaissir la vie—besoin que la religion, plus tard, serait habile à contenter; et une certaine propension, aussi, 20 à supposer le clandestin. C'est ainsi qu'après la mort de mon père, si grand garçon que je fusse déjà, n'allai-je pas m'imaginer qu'il n'était pas mort pour de vrai! ou du moins—comment exprimer cette sorte d'appréhension?—qu'il n'était mort qu'à [12] notre vie ouverte et diurne, mais que, de nuit, secrètement, alors que je 25 dormais, il venait retrouver ma mère. Durant le jour mes soupçons se maintenaient incertains, mais je les sentais se préciser et s'affirmer, le soir, immédiatement avant de m'endormir. Je ne cherchais pas à percer le mystère; je sentais que j'eusse empêché tout net ce que j'eusse essayé de surprendre; assurément j'étais 30 trop jeune encore, et ma mère me répétait trop souvent, et à propos de trop de choses: «Tu comprendras plus tard»—mais certains soirs, en m'abandonnant au sommeil, il me semblait vraiment que je cédais la place.

André Gide, *Si le Grain ne meurt*, éd. NRF, 1928. Copyright by Librairie Gallimard, Paris, tous droits réservés.

---

[11] **Hoffmann** (1776–1822), German musician and writer, author of *Contes fantastiques* (1817).
[12] qu'à = que pour.

Paul Valéry [1871–1945],

philosophe et poète, est né à Sète, sur la Méditerranée.
Jeune homme, il vit à Montpellier où il fait la connais-
sance d'André Gide. A Paris il subit l'influence de
Stéphane Mallarmé. Ses premiers vers sont réunis dans
Album de vers anciens *(1890–1900–1920). Après un essai*
en prose, La Soirée avec M. Teste *(1896), il abandonne*
la littérature et s'attaque aux mathématiques et à la
psychologie: L'Âme et la danse *(1923),* Rhumbs *(1926).*
Sa gloire lui vient surtout de ses poèmes, Charmes
(1922). Ils ne sont pas nombreux, mais chacun a une
architecture solide et compliquée. Valéry est un des
plus grands poètes du XXᵉ siècle; il exerce une pro-
fonde influence sur la littérature et la pensée fran-
çaises d'aujourd'hui.

La Fileuse

La fileuse s'endort, s'arrête peu à peu de filer de la laine, et
devient comme la rose, son amie, oisive.

Assise, la fileuse au bleu de [1] la croisée
Où le jardin mélodieux se dodeline,[2]
Le rouet ancien qui ronfle l'a grisée.

Lasse, ayant bu l'azur, de filer [3] la câline
Chevelure,[4] à ses doigts si faibles évasive,[5]
Elle songe, et sa tête petite s'incline.

1 **au bleu de = au ciel bleu de.**
2 **se dodeline = se balance doucement,** sways gently to and fro.
3 **Lasse de filer,** Tired of spinning.
4 **la câline chevelure,** the tuft of wool, soft and caressing.
5 **... évasive,** escaping her fingers, so weak.

Un arbuste et l'air pur font une source vive
Qui suspendue au jour,[6] délicieuse arrose
De ses pertes de fleurs [7] le jardin de l'oisive.

Une tige, où le vent vagabond se repose,
Courbe le salut vain de sa grâce étoilée,
Dédiant magnifique, au vieux rouet, sa rose.

Mais la dormeuse file une laine isolée; [8]
Mystérieusement l'ombre frêle se tresse
Au fil de ses doigts longs et qui dorment, filée.

Le songe se dévide avec une paresse
Angélique, et sans cesse, au doux fuseau crédule,
La chevelure ondule au gré de la caresse ...

Derrière tant de fleurs, l'azur se dissimule,
Fileuse de feuillage et de lumière ceinte: [9]
Tout le ciel vert se meurt. Le dernier arbre brûle.[10]

Ta sœur, la grande rose où sourit une sainte,
Parfume ton front vague au vent de son haleine
Innocente, et tu crois languir ... Tu es éteinte [11]

Au bleu de la croisée où tu filais la laine.

Valéry, *Album de vers anciens*, 1890–1900–1920. Copyright by Librairie Gallimard, Paris, tous droits réservés.

[6] **au jour,** in the light entering from the window.
[7] **pertes de fleurs,** falling petals.
[8] **une laine isolée,** a special wool, the wool of dreams.
[9] **ceinte,** surrounded.
[10] **brûle,** burns (*or* seems to burn) from the setting sun.
[11] **Tu es éteinte = tu n'es plus éclairée,** you are no longer in the light.

Gabrielle-Sidonie Colette [1873–1954],

née en Bourgogne, de mère parisienne et de père méridional, se montre, à l'école, intelligente et originale. En 1893 elle épouse Henry Gauthier-Villars avec qui elle écrit, sous le nom de Willy, la célèbre série des Claudine *(1900–1903).* L'héroïne est Colette elle-même. Elle continue par Dialogues de bêtes *(1904).* En 1906 elle danse au music-hall et cette carrière lui inspire La Vagabonde *(1910),* L'Envers du music-hall *(1913). Elle fait du journalisme, continue à écrire des romans:* Chéri *(1920),* Le Blé en herbe (The Game of Love, *1923),* La Fin de Chéri *(1926),* La Naissance du jour *(1928),* Julie de Carneilhan *(1941),* Gigi *(1945). En 1945 elle est élue à l'Académie Goncourt.*

———•———

La Petite Bouilloux

Cette petite Bouilloux était si jolie que nous nous en apercevions. Il n'est pas ordinaire que des fillettes reconnaissent en l'une d'elles la beauté et lui rendent hommage. Mais l'incontestée petite Bouilloux nous désarmait. Quand ma mère la rencontrait dans la
5 rue, elle arrêtait la petite Bouilloux et se penchait sur elle, comme elle faisait pour sa rose safranée, pour son cactus à fleur pourpre, pour son papillon du pin, endormi et confiant sur l'écorce écailleuse. Elle touchait les cheveux frisés, dorés comme la châtaigne mi-mûre, la joue transparente et rose de la petite Bouilloux, re-
10 gardait battre les cils démesurés sur l'humide et vaste prunelle sombre, les dents briller sous une lèvre sans pareille, et laissait partir l'enfant, qu'elle suivait des yeux, en soupirant:

—C'est prodigieux! ...

Quelques années passèrent, ajoutant des grâces à la petite Bouil-
15 loux. Il y eut des dates que notre admiration commémorait: une

distribution de prix [1] où la petite Bouilloux, timide et récitant
tout bas une fable inintelligible, resplendit sous ses larmes comme
une pêche sous l'averse. ... La première communion de la petite
Bouilloux fit scandale: elle alla boire chopine [2] après les vêpres,
avec son père, le scieur de long,[3] au café du Commerce, et dansa 5
le soir, féminine déjà et coquette, balancée sur ses souliers blancs,
au bal public.

D'un air orgueilleux, auquel elle nous avait habituées, elle
nous avertit après, à l'école, qu'elle entrait en apprentissage.

—Ah! ... Chez qui?   10

—Chez Mme Adolphe.

—Ah! ... Tu vas gagner tout de suite?

—Non, je n'ai pas treize ans, je gagnerai l'an prochain.

Elle nous quitta sans effusion et nous la laissâmes froidement
aller. Dejà sa beauté l'isolait, et elle ne comptait point d'amies 15
dans l'école, où elle apprenait peu. Ses dimanches et ses jeudis,
au lieu de la rapprocher de nous, appartenaient à une famille
«mal vue,» à des cousines de dix-huit ans, effrontées sur le pas de
la porte, à des frères, apprentis charrons, qui «portaient cravate,»
à quatorze ans et fumaient, leur sœur au bras, entre le «Tir 20
parisien» de la foire et le gai «Débit» [4] que la veuve à Pimolle
achalandait [5] si bien.

Dès le lendemain matin, je vis la petite Bouilloux, car elle
montait vers son atelier de couture, et je descendais vers l'école.
De stupeur, d'admiration jalouse, je restai plantée, du côté de la 25
rue des Sœurs, regardant Nana Bouilloux qui s'éloignait. Elle
avait troqué son sarrau noir, sa courte robe de petite fille contre
une jupe longue, contre un corsage de satinette rose à plis plats.
Un tablier de mohair noir parait le devant de sa jupe, et ses
bondissants cheveux, disciplinés, tordus en «huit,» [6] casquaient 30
étroitement la forme charmante et nouvelle d'une tête ronde,
impérieuse, qui n'avait plus d'enfantin que sa fraîcheur et son
impudence, pas encore mesurée, de petite dévergondée villageoise.

Le cours supérieur [7] bourdonna, ce matin-là.

---

[1] **distribution de prix,** Commencement exercises.
[2] **boire chopine,** to have a drink.   [3] **scieur de long,** pit sawyer.
[4] **«Débit,»** the name of a tavern.   [5] **achalandait,** filled with customers.
[6] **tordus en «huit,»** twisted to form the figure "eight."
[7] **Le cours supérieur,** sort of junior high school.

—J'ai vu Nana Bouilloux! En «long,» [8] ma chère, en long qu'elle est habillée! En chignon! Et une paire de ciseaux pendante!

Je rentrai, haletante, à midi, pressée de crier:

5 —Maman! j'ai vu Nana Bouilloux! Elle passait devant la porte! En long, maman, en long, qu'elle est habillée! Et en chignon! Et des talons hauts, et une paire de ...

—Mange, Minet-Chéri, mange, ta côtelette sera froide.

—Et un tablier, maman, oh! un si joli tablier en mohair, 10 comme de la soie! ... Est-ce que je ne pourrais pas ...

—Non, Minet-Chéri, tu ne pourrais pas.

—Mais puisque Nana Bouilloux peut bien ...

—Oui, elle peut, et même elle doit, à treize ans, porter chignon, tablier court, jupe longue,—c'est l'uniforme de toutes les petites 15 Bouilloux du monde, à treize ans,—malheureusement.

—Mais ...

—Oui, tu voudrais un uniforme complet de petite Bouilloux. Ça se compose de tout ce que tu as vu, plus: une lettre bien cachée dans la poche du tablier, un amoureux qui sent le vin et le cigare 20 à un sou; deux amoureux, trois amoureux ... et un peu plus tard ... beaucoup de larmes ... un enfant malingre et caché que le busc du corset a écrasé pendant des mois ... C'est ça, Minet-Chéri, l'uniforme complet des petites Bouilloux. Tu le veux?

—Mais non, maman ... Je voulais essayer si le chignon ...

25 Ma mère secouait la tête avec une malice grave.

—Ah! non. Tu ne peux avoir le chignon sans le tablier, le tablier sans la lettre, la lettre sans les souliers à talons, ni les souliers sans ... le reste! C'est à choisir!

Ma convoitise se lassa vite. La radieuse petite Bouilloux ne 30 fut plus qu'une passante quotidienne, que je regardais à peine. Tête nue l'hiver et l'été, elle changeait chaque semaine la couleur vive de ses blouses. Par grand froid, elle serrait sur ses minces épaules élégantes un petit fichu inutile. Droite, éclatante comme une rose épineuse, les cils abattus sur la joue ou dévoilant l'œil 35 humide et sombre, elle méritait, chaque jour davantage, de régner sur des foules, d'être contemplée, parée, chargée de joyaux. La

8 **En «long,»** With a long skirt.

crépelure domptée de ses cheveux châtains se révélait, quand même, en petites ondes qui accrochaient la lumière, en vapeur dorée sur la nuque et près des oreilles. Elle avait un air toujours vaguement offensé, des narines courtes et veloutées, qui faisaient penser à une biche. 5

Elle eut quinze ans, seize ans,—moi aussi. Sauf qu'elle riait beaucoup le dimanche, au bras de ses cousines et de ses frères, pour montrer ses dents, Nana Bouilloux se tenait assez bien.

—Pour une petite Bouilloux, ma foi, il n'y a rien à dire; reconnaissait la voix publique. 10

Elle eut dix-sept ans, dix-huit ans, un teint comme un fruit abrité du vent, des yeux qui faisaient baisser les regards, une démarche apprise on ne sait où. Elle se mit à fréquenter les «parquets»,[9] aux foires et aux fêtes, à danser furieusement, à se promener très tard, dans le chemin de ronde,[10] un bras d'homme 15 autour de la taille. Toujours méchante, mais rieuse, et poussant à la hardiesse ceux qui se seraient contentés de l'aimer.

Un soir de Saint-Jean,[11] elle dansait au parquet installé place du Grand-Jeu, sous la triste lumière et l'odeur des lampes à pétrole. Les souliers à clous levaient la poussière de la place, entre les 20 planches du «parquet.» Tous les garçons gardaient en dansant le chapeau sur la tête, comme il se doit. Des filles blondes devenaient lie-de-vin dans leurs corsages collés, des brunes, venues des champs et brûlées, semblaient noires. Mais dans une bande d'ouvrières dédaigneuses, Nana Bouilloux, en robe d'été à petites fleurs, buvait 25 de la limonade au vin rouge quand les Parisiens entrèrent dans le bal.

Deux Parisiens comme on en voit l'été à la campagne, des amis d'un châtelain voisin, qui s'ennuyaient; des Parisiens en serge blanche et en tussor qui venaient se moquer, un moment, d'une 30 Saint-Jean de village. ... Ils cessèrent de rire en apercevant Nana Bouilloux et s'assirent à la buvette pour la voir de plus près. Ils échangèrent, à mi-voix, des paroles qu'elle feignait de ne pas entendre. Car sa fierté de belle créature lui défendit de tourner

9 **«parquets,»** dance halls (*lit.* floors).
10 **le chemin de ronde,** sentry path (along ramparts).
11 **Saint-Jean,** Saint John's Day, June 24; the following Sunday is a holiday in some towns.

les yeux vers eux, et de pouffer comme ses compagnes. Elle entendit: «Cygne parmi les oies ... Un Greuze! ...[12] crime de laisser s'enterrer ici une merveille ...» Quand le Parisien en serge blanche invita la petite Bouilloux à valser, elle se leva sans étonnement, 5 et dansa muette, sérieuse; ses cils plus beaux qu'un regard touchaient, parfois, le pinceau d'une moustache blonde.

Après la valse, les Parisiens s'en allèrent, et Nana Bouilloux s'assit à la buvette en s'éventant. Le fils Leriche l'y vint chercher, et Houette, et même Honce, le pharmacien, et même Possy, 10 l'ébéniste, grisonnant, mais fin danseur. A tous, elle répondit: «Merci bien, je suis fatiguée,» et elle quitta le bal à dix heures et demie.

Et puis, il n'arriva plus rien à la petite Bouilloux. Les Parisiens ne revinrent pas, ni ceux-là, ni d'autres. Houette, Honce, le fils 15 Leriche, les commis voyageurs au ventre barré d'or,[13] les soldats permissionnaires et les clercs d'huissier gravirent en vain notre rue escarpée, aux heures où descendait l'ouvrière bien coiffée, qui passait raide avec un signe de tête. Ils l'espérèrent aux bals, où elle but de la limonade d'un air distingué et répondit à tous: 20 «Merci bien, je ne danse pas, je suis fatiguée.» Blessés, ils ricanaient, après quelques jours: «Elle a attrapé une fatigue de trente-six semaines,[14] oui!» et ils épièrent sa taille. ... Mais rien n'arriva à la petite Bouilloux, ni cela ni autre chose. Elle attendait, simplement. Elle attendait, touchée d'une foi orgueilleuse, consciente 25 de ce que lui devait un hasard qui l'avait trop bien armée. Elle attendait ... ce Parisien de serge blanche? Non. L'étranger, le ravisseur. L'attente orgueilleuse la fit pure, silencieuse; elle dédaigna, avec un petit sourire étonné, Honce, qui voulut l'élever au rang de pharmacienne légitime, et le premier clerc de l'huissier. 30 Sans plus déchoir, et reprenant en une fois ce qu'elle avait jeté —rires, regards, duvet lumineux de sa joue, courte lèvre enfantine et rouge, gorge qu'une ombre bleue divise à peine—à des manants, elle attendit son règne, et le prince qui n'avait pas de nom.

Je n'ai pas revu, en passant une fois dans mon pays natal, 35 l'ombre de celle qui me refusa si tendrement ce qu'elle appelait

---

[12] **Greuze,** sentimental French painter (1725–1805).
[13] **au ventre barré d'or,** with heavy gold chains across their stomachs.
[14] **Elle a attrapé ... semaines,** She is pregnant.

«l'uniforme des petites Bouilloux.» Mais comme l'automobile qui m'emmenait montait lentement—une rue où je n'ai plus de raison de m'arrêter, une passante se rangea pour éviter la roue. Une femme mince, bien coiffée, les cheveux en casque à la mode d'autrefois, des ciseaux de couturière pendus à une «châtelaine» [15] 5 d'acier, sur son tablier noir. De grands yeux vindicatifs, une bouche serrée qui devait se taire longuement, la joue et la tempe jaunies de celles qui travaillent à la lampe; une femme de quarante-cinq à ... mais non, mais non; une femme de trente-huit ans, une femme de mon âge, exactement de mon âge, je 10 n'en pouvais pas douter ... Dès que la voiture lui laissa le passage, la «petite Bouilloux» descendit la rue, droite, indifférente, après qu'un coup d'œil, âpre et anxieux, lui eut révélé que la voiture s'en allait, vide du ravisseur attendu.

Colette, *La Maison de Claudine*, 1922. Copyright Éditions Ferenczi, tous droits réservés.

[15] «châtelaine,» hook, worn at the waist, to which keys are attached.

Apollinaire [1880–1918],

de son vrai nom Wilhelm Apollinaris de Kostrowitzki,
est né à Rome d'une princesse polonaise et d'un père
inconnu. Après une enfance passée sur la Riviera fran-
çaise, il travaille dans une banque à Paris et écrit dans
des revues d'avant-garde. Il devient le champion du
cubisme (Les Peintres cubistes, 1913) et un des initia-
teurs du surréalisme. Il publie des poèmes, Alcools
(1913), Calligrammes (1918) et un roman, Le Poète
assassiné (1916). Il est mort deux jours avant l'armi-
stice, des suites d'une blessure reçue sur le front de
France en 1915.

——— • • ———

Marie
[1911–1912]

Vous y dansiez petite fille
Y danserez-vous mère-grand [1]
C'est la maclotte [2] qui sautille
Toutes les cloches sonneront
Quand donc reviendrez-vous Marie

Des masques sont silencieux
Et la musique est si lointaine
Qu'elle semble venir des cieux
Oui je veux vous aimer mais vous aimer à peine
Et mon mal est délicieux

Les brebis s'en vont dans la neige
Flocons de laine et ceux d'argent

[1] **Y danserez-vous mère-grand,** Will you dance when you are a grandmother?
[2] **la maclotte,** tadpole.

Des soldats passent et que n'ai-je
Un cœur à moi ce cœur changeant
Changeant et puis encor que sais-je

Sais-je où s'en iront tes cheveux
Crépus comme mer qui moutonne
Sais-je où s'en iront tes cheveux
Et tes mains feuilles de l'automne
Qui jonchent aussi nos aveux

Je passais au bord de la Seine
Un livre ancien sous le bras
Le fleuve est pareil à ma peine
Il s'écoule et ne tarit pas
Quand donc finira la semaine

Apollinaire, *Alcools,* poèmes, 1898–1913. Copyright
Librairie Gallimard, tous droits réservés.

Les Colchiques [1]

[1902]

Le pré est vénéneux mais joli en automne
Les vaches y paissant
Lentement s'empoisonnent
Le colchique couleur de cerne [2] et de lilas
Y fleurit tes yeux sont comme cette fleur-là
Violâtres comme leur cerne et comme cet automne
Et ma vie pour tes yeux lentement s'empoisonne

Les enfants de l'école viennent avec fracas
Vêtus de hoquetons [3] et jouant de l'harmonica
Ils cueillent les colchiques qui sont comme des mères
Filles de leurs filles et sont couleur de tes paupières

[1] **Les Colchiques,** autumn crocuses.
[2] **couleur de cerne,** color of purple like that of circles under the eyes.
[3] **hoquetons,** sleeveless cotton tunics.

Qui battent comme les fleurs battent au vent dément
Le gardien du troupeau chante tout doucement
Tandis que lentes et meuglant les vaches abandonnent
Pour toujours ce grand pré mal fleuri par l'automne

Apollinaire, *Alcools*, poèmes (1898–1913). Copyright
Librairie Gallimard, tous droits réservés.

Jean Giraudoux [1882–1944],

diplomate et romancier, est né dans le Limousin. Après de brillantes études à l'École Normale Supérieure, il se met à voyager. Il publie un recueil de nouvelles, Provinciales *(1909). Il entre dans le service diplomatique et occupe une importante position au ministère des Affaires Étrangères. Officier pendant la première Grande Guerre, il reçoit la Légion d'honneur à titre militaire. Il passe quelque temps en Amérique, à Harvard, et décrit ses impressions, favorables, dans* Amica America *(1918). Après la guerre il compose ses romans les plus importants:* Suzanne et le Pacifique *(1921),* Siegfried et le Limousin *(1922). Il se distingue encore plus dans le théâtre:* Siegfried *(1928),* Amphitryon 38 *(1929),* La Guerre de Troie n'aura pas lieu *(1935),* Ondine *(1938),* La Folle de Chaillot *(1945) mise au théâtre après sa mort par Louis Jouvet. Giraudoux est sans aucun doute, avec Claudel, le plus original des auteurs dramatiques français du XXᵉ siècle.*

Ondine et le Chevalier

Des pêcheurs, Auguste et Eugénie, se plaignent de leur fille, Ondine, qui a quinze ans et n'est pas sérieuse. Un chevalier errant frappe à leur porte pour leur demander abri contre la pluie.

SCÈNE TROISIÈME

AUGUSTE, EUGÉNIE, LE CHEVALIER, ONDINE

ONDINE (*de la porte, où elle est restée immobile*).   Comme vous êtes beau!

AUGUSTE.   Que dis-tu, petite effrontée?

ONDINE.   Je dis: comme il est beau!

AUGUSTE.   C'est notre fille, seigneur. Elle n'a pas d'usage.[1]

ONDINE.   Je dis que je suis bien heureuse de savoir que les hommes sont aussi beaux. ... Mon cœur n'en bat plus! ...

5 AUGUSTE.   Vas-tu te taire!

ONDINE.   J'en frissonne!

AUGUSTE.   Elle a quinze ans, chevalier. Excusez-la.

ONDINE.   Je savais bien qu'il devait y avoir une raison pour être fille. La raison est que les hommes sont aussi beaux ...

10 AUGUSTE.   Tu ennuies notre hôte.

ONDINE.   Je ne l'ennuie pas du tout. Je lui plais. Vois comme il me regarde ... Comment t'appelles-tu?

AUGUSTE.   On ne tutoie pas un seigneur, pauvre enfant!

ONDINE (qui s'est approchée).   Qu'il est beau! Regarde cette 15 oreille, père, c'est un coquillage! Tu penses que je vais lui dire vous, à cette oreille? ... A qui appartiens-tu, petite oreille? ... Comment s'appelle-t-il?

LE CHEVALIER.   Il s'appelle Hans.

ONDINE.   J'aurais dû m'en douter. Quand on est heureux et 20 qu'on ouvre la bouche, on dit Hans.

LE CHEVALIER.   Hans von Wittenstein.

ONDINE.   Quand il y a de la rosée, le matin, et qu'on est oppressée, et qu'une buée sort de vous, malgré soi on dit Hans.

LE CHEVALIER.   Von Wittenstein zu Wittenstein.

25 ONDINE.   Quel joli nom! Que c'est joli, l'écho dans un nom! ... Pourquoi es-tu ici? ... Pour me prendre?

AUGUSTE.   C'est assez. ... Va dans ta chambre.

ONDINE.   Prends-moi! ... Emporte-moi!

(Eugénie revient avec son plat.)

EUGÉNIE.   Voici votre truite au bleu,[2] seigneur. Mangez-la. Cela 30 vous vaudra mieux que d'écouter notre folle ...

ONDINE.   Sa truite au bleu!

LE CHEVALIER.   Elle est magnifique!

ONDINE.   Tu as osé faire une truite au bleu, mère! ...

EUGÉNIE.   Tais-toi. En tout cas, elle est cuite. ...

---

[1] **Elle n'a pas d'usage,** She has no manners.
[2] **au bleu = au court-bouillon,** sauce made from meat or vegetable stock, well-spiced, and used for cooking fish.

ONDINE. O ma truite chérie, toi qui depuis ta naissance nageais vers l'eau froide!

AUGUSTE. Tu ne vas pas pleurer pour une truite!

ONDINE. Ils se disent mes parents ... Et ils t'ont prise ... Et ils t'ont jetée vive dans l'eau qui bout! 5

LE CHEVALIER. C'est moi qui l'ai demandé, petite fille.

ONDINE. Vous? ... J'aurais dû m'en douter ... A vous regarder de près tout se devine ... Vous êtes une bête, n'est-ce pas?

EUGÉNIE. Excusez-nous, seigneur!

ONDINE. Vous ne comprenez rien à rien, n'est-ce pas? C'est 10 cela la chevalerie, c'est cela le courage! ... Vous cherchez des géants qui n'existent point, et si un petit être vivant saute dans l'eau claire, vous le faites cuire au bleu!

LE CHEVALIER. Et je le mange, mon enfant! Et je le trouve succulent! 15

ONDINE. Vous allez voir comme il est succulent. ... (*Elle jette la truite par la fenêtre*) ... Mangez-le maintenant ... Adieu ...

EUGÉNIE. Où t'en vas-tu encore, petite!

ONDINE. Il y a là, dehors, quelqu'un qui déteste les hommes et veut me dire ce qu'il sait d'eux. ... Toujours j'ai bouché mes 20 oreilles, j'avais mon idée. C'est fini, je l'écoute. ...

EUGÉNIE. Elle va ressortir, à cette heure!

ONDINE. Dans une minute, je saurai tout, je saurai ce qu'ils sont, tout ce qu'ils sont, tout ce qu'ils peuvent faire. Tant pis pour vous ... 25

AUGUSTE. Faut-il te retenir de force? (*Elle l'évite d'un bond.*)

ONDINE. Je sais déjà qu'ils mentent, que ceux qui sont beaux sont laids, ceux qui sont courageux sont lâches. ... Je sais que je les déteste!

LE CHEVALIER. Eux t'aimeront, petite. 30

ONDINE (*sans se retourner, mais s'arrêtant*). Qu'a-t-il dit?

LE CHEVALIER. Rien ... Je n'ai rien dit.

ONDINE (*de la porte*). Répétez, pour voir!

LE CHEVALIER. Eux t'aiment, petite.

ONDINE. Moi, je les hais. (*Elle disparaît dans la nuit.*) 35

SCÈNE QUATRIÈME

LE CHEVALIER, AUGUSTE, EUGÉNIE.

LE CHEVALIER.   Félicitations. Vous l'élevez bien.

AUGUSTE.   Dieu sait pourtant que nous la réprimandons à chaque faute.

LE CHEVALIER.   Il faut la battre.

5   EUGÉNIE.   Allez l'attraper!

LE CHEVALIER.   L'enfermer, la priver de dessert.

AUGUSTE.   Elle ne mange rien.

LE CHEVALIER.   Elle a bien de la chance. Je meurs de faim. Refaites-moi une truite au bleu. Rien que pour la punir.

10   AUGUSTE.   C'était la dernière, Seigneur. ... Mais nous avons fumé un jambon. Eugénie va vous en couper quelques tranches.

LE CHEVALIER.   Elle vous permet de tuer les cochons? C'est heureux!   (*Eugénie sort.*)

AUGUSTE.   Elle vous a mécontenté, chevalier! J'en suis navré.

15   LE CHEVALIER.   Elle m'a mécontenté parce que je suis bête, comme elle le dit. Au fond, nous autres hommes sommes tous les mêmes, mon vieux pêcheur. Vaniteux comme des pintades. Quand elle me disait que j'étais beau, je sais que je ne suis pas beau, mais elle me plaisait. Et elle m'a déplu quand elle m'a dit que j'étais

20 lâche, et je sais que je ne suis pas lâche. ...

AUGUSTE.   Vous êtes bien bon de le prendre ainsi. ...

LE CHEVALIER.   Oh! Je ne le prends pas bien. ... Je suis furieux. Je suis toujours furieux contre moi, quand les autres ont tort!

EUGÉNIE.   Je ne trouve pas le jambon, Auguste!

(*Auguste la rejoint.*)

SCÈNE CINQUIÈME

LE CHEVALIER, ONDINE.

(*Ondine est venue doucement jusqu'à la table derrière le chevalier qui tend les mains au feu et d'abord ne se retourne pas.*)

25   ONDINE.   Moi, on m'appelle Ondine.

LE CHEVALIER.   C'est un joli nom.

ONDINE.   Hans et Ondine ... C'est ce qu'il y a de plus joli comme noms au monde, n'est-ce pas?

LE CHEVALIER.   Ou Ondine et Hans.

ONDINE.   Oh non! Hans d'abord. C'est le garçon. Il passe le premier. Il commande ... Ondine est la fille ... Elle est un pas en arrière ... Elle se tait.

LE CHEVALIER.   Elle se tait! Comment diable s'y prend-elle!   5

ONDINE.   Hans la précède partout d'un pas ... Aux cérémonies ... Chez le roi ... Dans la vieillesse. Hans meurt le premier ... C'est horrible ... Mais Ondine le rattrape vite ... Elle se tue ...

LE CHEVALIER.   Que racontes-tu là!

ONDINE.   Il y a un petit moment affreux à passer. La minute 10 qui suit la mort de Hans ... Mais ça n'est pas long ...

LE CHEVALIER.   Heureusement, cela n'engage à rien de parler de la mort, à ton âge ...

ONDINE.   A mon âge? ... Tuez-vous, pour voir. Vous verrez si je ne me tue pas ...   15

LE CHEVALIER.   Jamais je n'ai eu moins envie de me tuer. ...

ONDINE.   Dites-moi que vous ne m'aimez pas! Vous verrez si je ne me tue pas ...

LE CHEVALIER.   Tu m'ignorais voilà un quart d'heure, et tu veux mourir pour moi? Je nous croyais brouillés, à cause de la 20 truite?

ONDINE.   Oh tant pis pour la truite! C'est un peu bête, les truites. Elle n'avait qu'à éviter les hommes, si elle ne voulait pas être prise. Moi aussi je suis bête. Moi aussi je suis prise.

LE CHEVALIER.   Malgré ce que ton ami inconnu, là, au dehors, 25 t'a dit des hommes?

ONDINE.   Il m'a dit des bêtises.

LE CHEVALIER.   Je vois. Tu faisais les demandes et les réponses. ...

ONDINE.   Ne plaisantez pas ... Il n'est pas loin ... Il est terrible ... 30

LE CHEVALIER.   Tu ne me feras pas croire que tu as peur de quelqu'un, ou de quelque chose?

ONDINE.   Oui, j'ai peur que vous ne m'abandonniez ... Il m'a dit que vous m'abandonneriez. Mais il m'a dit aussi que vous n'êtes pas beau ... Puisqu'il s'est trompé pour ceci, il peut se 35 tromper pour cela.

LE CHEVALIER.   Toi, tu es comment? Belle ou laide?

ONDINE.   Cela dépendra de vous, de ce que vous ferez de moi.

Je préférerais être belle. Je préférerais que vous m'aimiez ... Je préférerais être la plus belle ...

LE CHEVALIER.   Tu es une petite menteuse ... Tu n'en étais que plus jolie, tout à l'heure, quand tu me haïssais ... C'est tout ce qu'il t'a dit?

ONDINE.   Il m'a dit aussi que si je vous embrassais, j'étais perdue ... Il a eu tort ... Je ne pensais pas à vous embrasser.

LE CHEVALIER.   Maintenant, tu y penses?

ONDINE.   J'y pense éperdument.

LE CHEVALIER.   Pensez-y de loin.

ONDINE.   Oh, vous ne perdez rien. Vous serez embrassé dès ce soir ... Mais il est si doux d'attendre ... Nous nous rappellerons cette heure-là, plus tard ... C'est l'heure où vous ne m'avez pas embrassée ...

LE CHEVALIER.   Ma petite Ondine ...

ONDINE.   C'est l'heure où vous ne m'avez pas dit que vous m'aimiez ... N'attendez plus ... Dites-le-moi ... Je suis là, les mains tremblantes ... Dites-le-moi.

LE CHEVALIER.   Tu penses que cela se dit comme cela, qu'on s'aime? ...

ONDINE.   Parlez! Commandez! Ce que c'est lent, un homme! Je ne demande pas mieux que de me mettre comme il faut être! ... Sur vos genoux, n'est-ce pas!

LE CHEVALIER.   Prendre une fille sur mes genoux, avec mon armure? Je mets dix minutes rien que pour dévisser les épaules.

ONDINE.   Moi, j'ai un moyen pour défaire les armures.

(L'armure s'est défaite d'un coup, Ondine s'est précipitée sur les genoux de Hans.)

LE CHEVALIER.   Tu es folle! Et mes bras? Tu crois qu'ils s'ouvrent à la première venue?

ONDINE.   Moi, j'ai un moyen pour faire ouvrir les bras. ...

(Le chevalier soudain conquis ouvre ses bras.)

ONDINE.   Et pour les refermer.

(Il referme ses bras. Une voix de femme, s'élève au dehors.)

LA VOIX.   Ondine!

ONDINE *(tournée vers la fenêtre, furieuse)*.   Tu vas te taire, toi! Qui est-ce qui te parle! ...

LA VOIX.   Ondine!

ONDINE. Est-ce que je me mêle de tes affaires? Est-ce que tu m'as consultée, toi, pour ton mariage!

LA VOIX. Ondine!

ONDINE. Il est beau, pourtant, ton mari! le phoque, avec ses trous de nez sans nez! Un collier de perles, et il t'a eue! ... De 5 perles pas même assorties.

LE CHEVALIER. A qui parles-tu, Ondine?

ONDINE. A des voisines.

LE CHEVALIER. Je croyais votre maison isolée.

ONDINE. Il y a des envieuses partout. Elles sont jalouses de 10 moi. ...

UNE AUTRE VOIX. Ondine.

ONDINE. Et toi! Parce qu'un souffleur a fait le jet d'eau devant toi,[3] tu t'es jetée dans ses nageoires!

LE CHEVALIER. Les voix sont charmantes. 15

ONDINE. Mon nom est charmant, pas leur voix! Embrasse-moi, Hans, pour me brouiller avec elles à jamais ... Tu n'as pas le choix d'ailleurs! ...

UNE VOIX D'HOMME. Ondine!

ONDINE. Trop tard. Va-t'en! 20

LE CHEVALIER. C'est l'ami dont tu parlais, celui-là?

ONDINE (criant). Je suis sur ses genoux! Il m'aime!

LA VOIX D'HOMME. Ondine!

ONDINE. Je ne t'entends plus. On ne t'entend plus d'ici ... Et d'ailleurs, c'est trop tard ... Tout est fait. Je suis sa maîtresse, oui, 25 sa maîtresse! Tu ne comprends pas? C'est un mot qu'ils ont pour appeler leur femme. (Bruit à la porte de la cuisine.)

LE CHEVALIER (poussant doucement Ondine à terre). Voici tes parents, Ondine.

ONDINE. Ah! tu le connais! C'est dommage. Je ne croyais point 30 te l'avoir appris!

LE CHEVALIER. Quoi, petite femme?

ONDINE. Le moyen d'ouvrir tes bras ...

Giraudoux, *Ondine*, Acte I, scènes 3, 4, 5, 1938. Copyright by Éditions Bernard Grasset, tous droits réservés.

[3] **un souffleur a fait le jet d'eau devant toi,** a dolphin spouted water in front of you.

Louis Aragon [1897–   ],

poète de la Résistance (1940–1945) et romancier, s'attache d'abord au mouvement surréaliste avec Anicet *(1921),* Traité du style *(1928). Il va ensuite au réalisme avec des romans,* Les Cloches de Bâle *(1934),* Les Beaux Quartiers *(1936). Il reçoit la médaille militaire pendant la bataille de 1940, période qui lui est une source d'inspiration poétique:* Le Crève-Cœur *(1941),* La Diane française *(1945), chantant l'ennui du soldat et l'amour de la patrie. Ses dernières œuvres sont* L'Homme communiste *(1946) et un long poème autobiographique,* Les Yeux de la mémoire *(1954).*

Elsa [1] Je T'aime

Au biseau des baisers
Les ans passent trop vite
Évite évite évite
Les souvenirs brisés

Oh toute une saison qu'il avait fait bon vivre
Cet été fut trop beau comme un été des livres
Insensé j'avais cru pouvoir te rendre heureuse
Quand c'était la forêt de la Grande-Chartreuse
Ou le charme d'un soir dans le port de Toulon
Bref comme est le bonheur qui survit mal à l'ombre

Au biseau des baisers
Les ans passent trop vite
Évite évite évite
Les souvenirs brisés

[1] *Elsa,* his wife, Elsa Triolet, talented novelist of Russian origin.
210

Je chantais l'an passé quand les feuilles jaunirent
Celui qui dit adieu croit pourtant revenir
Il semble à ce qui meurt qu'un monde recommence
Il ne reste plus rien des mots de la romance
Regarde dans mes yeux qui te voient si jolie
N'entends-tu plus mon cœur ni moi ma folie

> Au biseau des baisers
> Les ans passent trop vite
> Évite évite évite
> Les souvenirs brisés

Le soleil est pareil au pianiste blême
Qui chantait quelques mots les seuls toujours les mêmes
Chérie Il t'en souvient de ces jours sans menace
Lorsque nous habitions tous deux à Montparnasse
La vie aura coulé sans qu'on y prenne garde
Le froid revient déjà le soir le cœur retarde

> Au biseau des baisers
> Les ans passent trop vite
> Évite évite évite
> Les souvenirs brisés

Ce quatrain qui t'a plu pour sa musique triste
Quand je te l'ai donné comme un trèfle flétri
Stérilement dormait au fond de ma mémoire
Je le tire aujourd'hui de l'oublieuse armoire
Parce que lui du moins tu l'aimais comme on chante
Elsa je t'aime ô ma touchante ô ma méchante

> Au biseau des baisers
> Les ans passent trop vite
> Évite évite évite
> Les souvenirs brisés

Rengaine de cristal murmure monotone
Ce n'est jamais pour rien que l'air que l'on fredonne
Dit machinalement des mots comme des charmes
Un jour vient où les mots se modèlent aux larmes

Ah fermons ce volet qui bat sans qu'on l'écoute
Ce refrain d'eau tombe entre nous comme une goutte

Évite évite évite
Les souvenirs brisés
Au biseau des baisers
Les ans passent trop vite

Aragon, *Le Crève-Cœur*, 1941. Reproduit avec la gracieuse
permission de M. Louis Aragon.

Antoine de Saint-Exupéry [1900–1944],

moraliste, philosophe, aviateur civil et militaire, n'était pas écrivain de profession, mais vivait surtout pour l'aviation. Après la guerre de 1914–1918, il est pilote militaire en Afrique du Nord et écrit son premier livre, Courrier-Sud (*1928*). *Ensuite il est engagé par la Compagnie Générale d'entreprises aéronautiques et pilote le courrier sur la ligne France-Amérique du Sud. Il continue de décrire sa vie et ses impressions d'aviateur:* Vol de nuit (*1931*), Terre des hommes (Wind, Sand and Stars, *1939*), Pilote de guerre (Flight to Arras, *1942*). *Il écrit un charmant conte* Le Petit Prince (*1943*). *Il disparaît en 1944 au cours d'une mission de reconnaissance pendant la bataille du sud de la France.*

———— • ◆ • ————

Capotage

En 1935, accompagné de l'observateur Prévot, Saint-Exupéry tente le raid aérien Paris-Indochine. Il a fait escale à Tunis et à Benghazi, en Libye. Vers minuit il décolle de Benghazi.

En route.

Je roule sur cette route d'or,[1] vers une trouée sans obstacles. Mon avion, type «Simoun,»[2] décolle sa surcharge bien avant d'avoir épuisé l'aire disponible. Le projecteur me suit et je suis gêné pour virer. Enfin, il me lâche, on a deviné qu'il m'éblouissait. 5 Je fais demi-tour à la verticale, lorsque le projecteur me frappe de nouveau au visage, mais à peine m'a-t-il touché, il me fuit et dirige ailleurs sa longue flûte d'or. Je sens, sous ces ménagements,

---

[1] **sur cette route d'or,** on this lighted airstrip.
[2] **type «Simoun,»** type of plane used in France and North Africa, after the First World War; the **simoun** (*Eng.* simoom) is the burning wind which blows over the Sahara.

une extrême courtoisie. Et maintenant je vire encore vers le désert.

Les météos de Paris, Tunis et Benghazi m'ont annoncé un vent arrière de trente à quarante kilomètres-heure. Je compte
5 sur trois cents kilomètres-heure de croisière. Je mets le cap sur le milieu du segment de droite qui joint Alexandrie au Caire. J'éviterai ainsi les zones interdites de la côte et, malgré les dérives inconnues que je subirai, je serai accroché, soit à ma droite, soit à ma gauche, par les feux de l'une ou l'autre de ces villes ou, plus
10 généralement, par ceux de la vallée du Nil. Je naviguerai trois heures vingt si le vent n'a point varié. Trois heures quarante-cinq s'il a faibli. Et je commence à absorber mille cinquante kilomètres de désert.

Plus de lune. Un bitume noir [3] qui s'est dilaté jusqu'aux
15 étoiles. Je n'apercevrai pas un feu, je ne bénéficierai d'aucun repère, faute de radio je ne recevrai pas un signe de l'homme avant le Nil. Je ne tente même pas d'observer autre chose que mon compas et mon Sperry.[4] Je ne m'intéresse plus à rien, sinon à la lente période de respiration, sur l'écran sombre de l'instru-
20 ment, d'une étroite ligne de radium. Quand Prévot se déplace, je corrige doucement les variations du centrage.[5] Je m'élève à 2.000, là où les vents, m'a-t-on signalé, sont favorables. A longs intervalles j'allume une lampe pour observer les cadrans-moteurs qui ne sont pas tous lumineux, mais la majeure partie du temps
25 je m'enferme bien dans le noir, parmi mes minuscules constella- tions qui répandent la même lumière minérale que les étoiles, la même lumière inusable et secrète, et qui parlent le même langage. Moi aussi, comme les astronomes, je lis un livre de mécanique céleste. Moi aussi je me sens studieux et pur. Tout s'est éteint
30 dans le monde extérieur. Il y a Prévot qui s'endort, après avoir bien résisté, et je goûte mieux ma solitude. Il y a le doux gronde- ment du moteur et, en face de moi, sur la planche de bord, toutes ces étoiles calmes.

Je médite cependant. Nous ne bénéficions point de la lune et
35 nous sommes privés de radio. Aucun lien, si ténu soit-il, ne nous

---

[3] **Un bitume noir,** the color of the night is compared to that of asphalt.
[4] **Sperry,** gyro-compass, invented by Elmer Sperry (1911).
[5] **centrage,** trim, balance of the plane in forward flight with free controls.

liera plus au monde jusqu'à ce que nous donnions du front
contre [6] le filet de lumière du Nil. Nous sommes hors de tout,
et notre moteur seul nous suspend et nous fait durer dans ce
bitume. Nous traversons la grande vallée noire des contes de
fées, celle de l'épreuve. Ici point de secours. Ici point de pardon [5]
pour les erreurs. Nous sommes livrés à la discrétion de Dieu.

Un rai de lumière filtre d'un joint du standard électrique.[7] Je
réveille Prévot pour qu'il l'éteigne. Prévot remue dans l'ombre
comme un ours, s'ébroue, s'avance. Il s'absorbe dans je ne sais
quelle combinaison de mouchoirs et de papier noir. Mon rai de [10]
lumière a disparu. Il formait cassure dans ce monde. Il n'était
point de la même qualité que la pâle et lointaine lumière du
radium. C'était une lumière de boîte de nuit et non une lumière
d'étoile. Mais surtout il m'éblouissait, effaçait les autres lueurs.

Trois heures de vol. Une clarté qui me paraît vive jaillit sur [15]
ma droite. Je regarde. Un long sillage lumineux s'accroche à la
lampe de bout d'aile, qui, jusque-là, m'était demeurée invisible.
C'est une lueur intermittente, tantôt appuyée,[8] tantôt effacée:
voici que je rentre dans un nuage. C'est lui qui réfléchit ma
lampe. A proximité de mes repères j'eusse préféré un ciel pur. [20]
L'aile s'éclaire sous le halo. La lumière s'installe, et se fixe, et
rayonne, et forme là-bas un bouquet rose. Des remous profonds
me basculent.[9] Je navigue quelque part dans le vent d'un cumulus
dont je ne connais pas l'épaisseur. Je m'élève juqu'à deux mille
cinq et n'émerge pas. Je redescends à mille mètres. Le bouquet de [25]
fleurs est toujours présent, immobile et de plus en plus éclatant.
Bon. Ça va. Tant pis. Je pense à autre chose. On verra bien quand
on en sortira. Mais je n'aime pas cette lumière de mauvaise
auberge.[10]

Je calcule: «Ici je danse un peu, et c'est normal, mais j'ai subi [30]
des remous tout le long de ma route malgré le ciel pur et l'altitude. Le vent n'est point calmé, et je dois dépasser la vitesse de
trois cents kilomètres-heure.» Après tout, je ne sais rien de bien
précis, j'essaierai de me repérer quand je sortirai du nuage.

---

[6] **nous donnions du front contre,** we run head on into.
[7] **standard électrique,** electrical switchboard.
[8] **appuyée,** strong.
[9] **Des ... basculent,** Strong eddy-currents tip my plane.
[10] **de mauvaise auberge,** of a badly-lit inn.

Et l'on en sort. Le bouquet s'est brusquement évanoui. C'est sa disparition qui m'annonce l'événement. Je regarde vers l'avant et j'aperçois, autant que l'on peut rien apercevoir, une étroite vallée de ciel et le mur du prochain cumulus. Le bouquet déjà
5 s'est ranimé.

Je ne sortirai plus de cette glu, sauf pour quelques secondes. Après trois heures trente de vol elle commence à m'inquiéter, car je me rapproche du Nil si j'avance comme je l'imagine. Je pourrai peut-être l'apercevoir, avec un peu de chance, à travers les couloirs,
10 mais ils ne sont guère nombreux. Je n'ose pas descendre encore: si, par hasard, je suis moins rapide que je ne le crois, je survole encore des terres élevées.

Je n'éprouve toujours aucune inquiétude, je crains simplement de risquer une perte de temps. Mais je fixe une limite à ma
15 sérénité: quatre heures quinze de vol. Après cette durée, même par vent nul, et le vent nul est improbable, j'aurai dépassé la vallée du Nil.

Quand je parviens aux franges du nuage, le bouquet lance des feux à éclipses de plus en plus précipités, puis s'éteint d'un
20 coup. Je n'aime pas ces communications chiffrées avec les démons de la nuit.

Une étoile verte émerge devant moi, rayonnante comme un phare. Est-ce une étoile ou est-ce un phare? Je n'aime pas non plus cette clarté surnaturelle, cet astre de roi-mage, cette invitation
25 dangereuse.

Prévot s'est réveillé et éclaire les cadrans-moteurs. Je les repousse, lui et sa lampe. Je viens d'aborder cette faille entre deux nuages, et j'en profite pour regarder sous moi. Prévot se rendort.

Il n'y a d'ailleurs rien à regarder.

30 Quatre heures cinq de vol. Prévot est venu s'asseoir auprès de moi:

—On devrait arriver au Caire. ...

—Je pense bien ...

—Est-ce une étoile ça, ou un phare?

35 J'ai réduit un peu mon moteur, c'est sans doute ce qui a réveillé Prévot. Il est sensible à toutes les variations des bruits du vol. Je commence une descente lente, pour me glisser sous la masse des nuages.

Je viens de consulter ma carte. De toute façon j'ai abordé les cotes O: [11] je ne risque rien. Je descends toujours et vire plein nord. Ainsi je recevrai, dans mes fenêtres, les feux des villes. Je les ai sans doute dépassées, elles m'apparaîtront donc à gauche. Je vole maintenant sous les cumulus. Mais je longe un autre nuage 5 qui descend plus bas sur ma gauche. Je vire pour ne pas me laisser prendre dans son filet, je fais du [12] nord-nord-est.

Ce nuage descend indubitablement plus bas, et me masque tout l'horizon. Je n'ose plus perdre d'altitude. J'ai atteint la cote 400 de mon altimètre, mais j'ignore ici la pression. Prévot se penche. 10 Je lui crie: «Je vais filer jusqu'à la mer, j'achèverai de descendre en mer, pour ne pas emboutir ...»

Rien ne prouve d'ailleurs que je n'ai point déjà dérivé en mer. L'obscurité sous ce nuage est très exactement impénétrable. Je me serre contre ma fenêtre. J'essaie de lire sous moi. J'essaie de 15 découvrir des feux, des signes. Je suis un homme qui fouille des cendres. Je suis un homme qui s'efforce de retrouver les braises de la vie au fond d'un âtre.

—Un phare marin!

Nous l'avons vu en même temps ce piège à éclipse! Quelle folie! 20 Où était-il ce phare fantôme, cette invention de la nuit? Car c'est à la seconde même où Prévot et moi nous nous penchions pour le retrouver, à trois cents mètres sous nos ailes, que brusquement ...

—Ah! 25

Je crois bien ne rien avoir attendu d'autre, pour le centième de seconde qui suivait, que la grande étoile pourpre de l'explosion où nous allions tous les deux nous confondre. Ni Prévot ni moi n'avons ressenti la moindre émotion. Je n'observais en moi qu'une attente démesurée, l'attente de cette étoile resplendissante où 30 nous devions, dans la seconde même, nous évanouir. Mais il n'y eut point d'étoile pourpre. Il y eut une sorte de tremblement de terre qui ravagea notre cabine, arrachant les fenêtres, expédiant des tôles à cent mètres, remplissant jusqu'à nos entrailles de son grondement. L'avion vibrait comme un couteau planté de loin 35 dans le bois dur. Et nous étions brassés par cette colère. Une

[11] **cotes O,** lines placed on the map to indicate the altitude.
[12] **je fais du,** my direction is.

seconde, deux secondes ... L'avion tremblait toujours et j'attendais
avec une impatience monstrueuse, que ses provisions d'énergie
le fissent éclater comme une grenade. Mais les secousses souter-
raines se prolongeaient sans aboutir à l'éruption définitive. Je
5 ne comprenais ni ce tremblement, ni cette colère, ni ce délai
interminable ... cinq secondes, six secondes. ... Et, brusquement,
nous éprouvâmes une sensation de rotation, un choc qui projeta
encore par la fenêtre nos cigarettes, pulvérisant l'aile droite, puis
rien. Rien qu'une immobilité glacée. Je criais à Prévot:

10   —Sautez vite!
      Il criait en même temps:
      —Le feu!
      Et déjà nous avions basculé par la fenêtre arrachée. Nous étions
debout à vingt mètres. Je disais à Prévot:

15   —Point de mal?
      Il me répondait:
      —Point de mal!
      Mais il se frottait le genou.
      Je lui disais:

20   —Tâtez-vous, remuez, jurez-moi que vous n'avez rien de cassé ...
      Et il me répondait:
      —Ce n'est rien, c'est la pompe de secours ...
      Moi, je pensais qu'il allait s'écrouler brusquement, ouvert de
la tête au nombril, mais il me répétait, les yeux fixes:

25   —C'est la pompe de secours! ...
      Moi, je pensais: le voilà fou, il va danser ...
      Mais, détournant enfin son regard de l'avion qui, désormais,
était sauvé du feu, il me regarda et reprit:
      —Ce n'est rien, c'est la pompe de secours qui m'a accroché
30 au genou.

Jacques Prévert [1900–   ],

*né dans la banlieue ouest de Paris, à Neuilly-sur-Seine,
a d'abord une vie assez vagabonde et compose des chansons, des poésies, parues sous le titre de* Paroles (*1946*).
*Il écrit des scénarios de films et joue quelques rôles.
Sa poésie est simple, claire et humaine. Il chante les
pauvres gens, leurs espoirs, surtout leurs angoisses, les
petits faits de la vie sans importance apparente. Il ne
se contente pas de décrire; les mots se suivent rapidement; une image en appelle une autre, parmi les calem-
bours et les coq-à-l'âne. Ses dernières œuvres poétiques
sont* Histoires (*1948*), *en collaboration avec André
Verdet,* Spectacle (*1951*), La Pluie et le beau temps
(*1955*).

———— •• ————

Barbara

Rappelle-toi Barbara
Il pleuvait sans cesse sur Brest ce jour-là
Et tu marchais souriante
Épanouie ravie ruisselante
Sous la pluie
Rappelle-toi Barbara
Il pleuvait sans cesse sur Brest
Et je t'ai croisée rue de Siam [1]
Tu souriais
Et moi je souriais de même
Rappelle-toi Barbara
Toi que je ne connaissais pas
Toi qui ne me connaissais pas
Rappelle-toi

---

[1] **rue de Siam,** busy street in Brest.

Rappelle-toi quand même ce jour-là
N'oublie pas
Un homme sous un porche s'abritait
Et il a crié ton nom
Barbara
Et tu as couru vers lui sous la pluie
Ruisselante ravie épanouie
Et tu t'es jetée dans ses bras
Rappelle-toi cela Barbara
Et ne m'en veux pas si je te tutoie
Je dis tu à tous ceux que j'aime
Même si je ne les ai vus qu'une seule fois
Je dis tu à tous ceux qui s'aiment
Même si je ne les connais pas
Rappelle-toi Barbara
N'oublie pas
Cette pluie sage et heureuse
Sur ton visage heureux
Sur cette ville heureuse
Cette pluie sur la mer
Sur l'arsenal
Sur le bateau d'Ouessant [2]
Oh Barbara
Quelle connerie [3] la guerre
Qu'es-tu devenue maintenant
Sous cette pluie de fer [4]
De feu d'acier de sang
Et celui qui te serrait dans ses bras
Amoureusement
Est-il mort disparu ou bien encore vivant
Oh Barbara
Il pleut sans cesse sur Brest
Comme il pleuvait avant
Mais ce n'est plus pareil et tout est abîmé
C'est une pluie de deuil terrible et désolée

---

[2] **Ouessant,** island just off the coast of Brittany.
[3] **Quelle connerie,** *vulg.* What stupidity!
[4] **pluie de fer,** bombings by the Allies during the Second World War, when Brest was almost completely destroyed.

Ce n'est même plus l'orage
De fer d'acier de sang
Tout simplement des nuages
Qui crèvent comme des chiens
Des chiens qui disparaissent
Au fil de l'eau sur Brest
Et vont pourrir au loin
Au loin très loin de Brest
Dont il ne reste rien.

Prévert, *Paroles,* NRF, 1946. Avec la gracieuse permission
de la Librairie Gallimard.

André Malraux [1901–   ]

part à vingt-deux ans pour le Cambodge, où il est
chargé d'une mission archéologique. Il s'y lie avec des
révolutionnaires. Il compose La Voie Royale, *qui a*
pour cadre l'Indochine. La vie aventureuse qu'il mène
inspire à Malraux les sujets de son œuvre: Tentation
de l'Occident *(1926),* Les Conquérants *(1928). L'action*
de La Condition humaine *(1933) se déroule dans le*
cadre de la révolution chinoise, Espoir *(1937), dans ce-*
lui de la révolution espagnole. Il joue un rôle de
premier plan auprès du général de Gaulle, puis se re-
tire de la vie publique et se consacre à des études d'art:
Les Voix du silence *(1952),* Le Musée imaginaire de la
sculpture mondiale *(1952–1954). Son originalité est*
qu'il décrit vigoureusement l'homme d'aujourd'hui
aux prises avec son destin.

Premier Attentat Contre Chang-Kaï-Shek

En 1927, à Shanghaï, un jeune communiste chinois, Tchen,
et deux amis, décident de tuer Chang-Kaï-Shek qui, chef de
l'armée du Kuomintang, parti démocratique national chinois,
s'est tourné contre les communistes, ses anciens alliés.

... L'auto de Chang-Kaï-Shek arriverait dans l'avenue par une
étroite rue perpendiculaire. Elle ralentirait pour tourner. Il
fallait la voir venir, et lancer la bombe lorsqu'elle ralentirait.
Elle passait chaque jour entre une heure et une heure et quart: le
5 général déjeunait à l'européenne. Il fallait donc que celui qui
surveillerait la petite rue, dès qu'il verrait l'auto, fît signe aux
deux autres. La présence d'un marchand d'antiquités, dont le
magasin s'ouvrait juste en face de la rue, l'aiderait; à moins que
l'homme n'appartînt à la police. Tchen voulait surveiller lui-
10 même. Il plaça Peï dans l'avenue, tout près de l'endroit où l'auto

222

terminerait sa courbe avant de reprendre de la vitesse; Souen, un
peu plus loin. Lui, Tchen, préviendrait et lancerait la première
bombe. Si l'auto ne s'arrêtait pas, atteinte ou non, les deux autres
lanceraient leurs bombes à leur tour. Si elle s'arrêtait, ils vien-
draient vers elle: la rue était trop étroite pour qu'elle tournât. Là 5
était l'échec possible: manqués, les gardes debout sur le marchepied ouvriraient le feu pour empêcher quiconque d'approcher.

Tchen et ses compagnons devaient maintenant se séparer. Il y
avait sûrement des mouchards dans la foule, sur tout le chemin
suivi par l'auto. D'un petit bar chinois, Peï allait guetter le geste 10
de Tchen; de plus loin, Souen attendait que Peï sortît. Peut-
être l'un au moins des trois serait-il tué, Tchen sans doute. Ils
n'osaient rien se dire. Ils se séparèrent sans même se serrer la main.

Tchen entra chez l'antiquaire et demanda à voir des petits
bronzes de fouilles.[1] Le marchand tira d'un tiroir une trop grosse 15
poignée de petites boîtes de satin violet, posa sur la table sa main
hérissée de cubes, et commença à les y disposer. Ce n'était pas un
Shanghaïen, mais un Chinois du Nord ou du Turkestan: ses
moustaches et sa barbe rares mais floues, ses yeux bridés étaient
d'un Musulman de basse classe, et aussi sa bouche obséquieuse; 20
mais non son visage sans arêtes,[2] de bouc à nez plat. Celui qui
dénoncerait un homme trouvé sur le passage du général avec une
bombe recevrait une grosse somme d'argent et beaucoup de considération parmi les siens. Et ce bourgeois riche était peut-être un
partisan sincère de Chang-Kaï-Shek.   25

—Y a-t-il longtemps que vous êtes à Shanghaï?, demanda-t-il à
Tchen. Que pouvait être ce singulier client? Sa gêne, son absence
de curiosité pour les objets exposés, l'inquiétaient. Ce jeune
homme n'avait peut-être pas l'habitude de porter des habits
européens. Les grosses lèvres de Tchen, malgré son profil aigu, le 30
rendaient sympathique. Le fils de quelque riche paysan de l'intérieur? Mais les gros fermiers ne collectionnaient pas les bronzes
anciens. Achetait-il pour un Européen? Ce n'était pas un boy, ni
un courrier—et, s'il était amateur, il regardait les objets qu'on
lui montrait avec bien peu d'amour: il semblait qu'il songeât à 35
autre chose.

---

[1] des petits bronzes de fouilles, small bronzes found in excavations.
[2] sans arêtes, ridgeless, without prominent bones.

Car déjà Tchen surveillait la rue. De cette boutique il pouvait voir à deux cents mètres. Pendant combien de temps verrait-il l'auto? Mais comment calculer sous la curiosité de cet imbécile? Avant tout, il fallait répondre. Rester silencieux comme il l'avait
5 fait jusque-là était stupide:

—Je vivais dans l'intérieur, dit-il. J'en ai été chassé par la guerre.

L'autre allait questionner à nouveau. Tchen sentait qu'il l'inquiétait. Le marchand se demandait maintenant s'il n'était pas
10 un voleur venu examiner son magasin pour le piller aux prochains désordres;[3] pourtant, ce jeune homme ne souhaitait pas voir les plus belles pièces. Seulement des bronzes ou des fibules de renards,[4] et d'un prix modéré. Les Japonais aiment les renards, mais ce client n'était pas Japonais. Il fallait continuer à l'interroger
15 adroitement.

—Sans doute habitez-vous le Houpé? La vie est devenue bien difficile, dit-on, dans les provinces du centre.

Tchen se demanda s'il ne jouerait pas le demi-sourd. Il n'osa pas, de crainte de sembler plus étrange encore.
20 —Je ne l'habite plus, répondit-il seulement. Son ton, la structure de ses phrases, avaient, même en chinois, quelque chose de bref: il exprimait directement sa pensée, sans employer les tournures d'usage. Mais il pensa au marchandage.

—Combien? demanda-t-il en indiquant du doigt une des fibules
25 à tête de renard qu'on trouve en grand nombre dans les tombeaux.

—Quinze dollars.

—Huit me semblerait un bon prix ...

—Pour une pièce de cette qualité? Comment pouvez-vous croire? ... Songez que je l'ai payée dix ... Fixez mon bénéfice vous-
30 même.

Au lieu de répondre, Tchen regardait Peï assis devant une petite table dans son bar ouvert, un jeu de lumières sur les verres de ses lunettes; celui-ci ne le voyait sans doute pas, à cause de la vitre du magasin d'antiquités. Mais il le verrait sortir.
35 —Je ne saurais payer plus de neuf, dit-il enfin comme s'il eût

---

[3] **aux prochains désordres**, the next time riots broke out.
[4] **fibules f. de renards**, fibulas, clasps or buckles, resembling safety pins.

exprimé la conclusion d'une méditation. Encore [5] me priverais-je beaucoup.

Les formules, en ce domaine, étaient rituelles et il les employait sans peine.

—C'est ma première affaire aujourd'hui, répondit l'antiquaire. [5] Peut-être dois-je accepter cette petite perte d'un dollar, car la conclusion de la première affaire engagée est d'un présage favorable. ...

La rue déserte. Un pousse, au loin, la traversa. Un autre. Deux hommes sortirent. Un chien. Un vélo. Les hommes tournèrent à [10] droite; le pousse avait traversé. La rue déserte de nouveau; seul, le chien ...

—Ne donneriez-vous pas, cependant, 9 dollars $\frac{1}{2}$?
—Pour exprimer la sympathie que vous m'inspirez.

Autre renard, en porcelaine. Nouveau marchandage. Tchen, [15] depuis son achat, inspirait davantage confiance. Il avait acquis le droit de réfléchir: il cherchait le prix qu'il offrirait, celui qui correspondait subtilement à la qualité de l'objet; sa respectable méditation ne devait point être troublée. «L'auto, dans cette rue, avance à 40 à l'heure, plus d'un kilomètre en deux minutes. Je la [20] verrai pendant un peu moins d'une minute. C'est peu. Il faut que Peï ne quitte plus des yeux cette porte ...» Aucune auto ne passait. Quelques vélos ... Il marchanda une boucle de ceinture de jade, n'accepta pas le prix du marchand, dit qu'il lui fallait réfléchir. Un des commis apporta du thé. Tchen acheta une petite [25] tête de renard en cristal, dont le marchand ne demandait que trois dollars. La méfiance du boutiquier n'avait pourtant pas disparu tout à fait.

—J'ai d'autres très belles pièces, très authentiques, avec de très jolis renards. Mais ce sont des pièces de grande valeur, et je ne [30] les conserve pas dans mon magasin. Nous pourrions convenir d'un rendez-vous. ...

Tchen ne disait rien.

«... à la rigueur, j'enverrais un de mes commis les chercher ...
—Je ne m'intéresse pas aux pièces de grande valeur. Je ne suis [35] pas, malheureusement, assez riche.

[5] Encore, Even so.

Ce n'était donc pas un voleur; il ne demandait pas même à les voir. L'antiquaire montrait à nouveau la boucle de ceinture en jade, avec une délicatesse de manieur de momies; mais, malgré les paroles qui passaient une à une entre ses lèvres de velours géla-
5 tineux, malgré ses yeux concupiscents, son client restait indifférent, lointain. ... C'était lui, pourtant, qui avait choisi cette boucle. Le marchandage est une collaboration, comme l'amour; le marchand faisait l'amour avec une planche. Pourquoi donc cet homme achetait-il? Soudain, il devina: c'était un de ces pauvres
10 jeunes gens qui se laissent puérilement séduire par les prostituées japonaises de Tchapeï.[6] Elles ont un culte pour les renards. Ce client achetait ceux-ci pour quelque serveuse ou fausse geisha; s'ils lui étaient si indifférents, c'est qu'il ne les achetait pas pour lui. (Tchen ne cessait d'imaginer l'arrivée de l'auto, la rapidité
15 avec laquelle il devrait ouvrir sa serviette, en tirer la bombe, la jeter.) Mais les geishas n'aiment pas les objets de fouilles. ... Peut-être font-elles exception lorsqu'il s'agit de petits renards? Le jeune homme avait acheté aussi un objet de cristal et un de porcelaine. ...

Ouvertes ou fermées, les boîtes minuscules étaient étalées sur la
20 table. Les deux commis regardaient, accoudés. L'un, très jeune, s'était appuyé sur la serviette de Tchen; comme il se balançait d'une jambe sur l'autre, il l'attirait hors de la table. La bombe était dans la partie droite, à trois centimètres du bord.

Tchen ne pouvait bouger. Enfin il étendit le bras, ramena la
25 serviette à lui, sans la moindre difficulté. Aucun de ces hommes n'avait senti la mort, ni l'attentat manqué; rien, une serviette qu'un commis balance et que son propriétaire rapproche de lui. ... Et soudain, tout sembla extraordinairement facile à Tchen. Les choses, les actes même n'existaient pas; tous étaient des songes qui
30 nous étreignent parce que nous leur en donnons la force, mais que nous pouvons aussi bien nier. ... A cet instant, il entendit la trompe d'une auto: Chang-Kaï-Shek.

Il prit sa serviette comme une arme, paya, jeta les deux petits paquets dans sa poche, sortit.

35 Le marchand le suivait, la boucle de ceinture qu'il avait refusé d'acheter à la main:

---

[6] **Tchapeï**, northern suburb of Shanghai.

—Ce sont là des pièces de jade qu'aiment tout particulièrement les dames japonaises.

Cet imbécile allait-il foutre le camp! [7]

—Je reviendrai.

Quel marchand ne connaît la formule? L'auto approchait beau- [5] coup plus vite qu'à l'ordinaire, sembla-t-il à Tchen, précédé de la Ford de la garde.

—Allez-vous-en!

Plongeant sur eux, l'auto secouait sur les caniveaux les deux détectives accrochés à ses marchepieds. La Ford passa. Tchen, [10] arrêté, ouvrit sa serviette, posa sa main sur la bombe enveloppée dans un journal. Le marchand glissa en souriant la boucle de ceinture dans la poche vide de la serviette ouverte. C'était la plus éloignée de lui. Il barrait ainsi les deux bras de Tchen:

—Vous paierez ce que vous voudrez.   [15]

—Allez-vous-en!

Stupéfait par ce cri, l'antiquaire regarda Tchen, la bouche ouverte lui aussi.

—Ne seriez-vous pas un peu souffrant? Tchen ne voyait plus rien, mou comme s'il allait s'évanouir: l'auto passait.   [20]

Il n'avait pu se dégager à temps du geste de l'antiquaire.

—Ce client va se trouver mal, pensa celui-ci. Il s'efforça de le soutenir. D'un coup, Tchen rabattit les deux bras tendus devant lui et partit en avant. La douleur arrêta le marchand. Tchen courait presque.   [25]

—Ma plaque! cria le marchand. Ma plaque!

Elle était toujours dans la serviette. Tchen ne comprenait pas. Chacun de ses muscles, le plus fin de ses nerfs, attendaient une détonation qui emplirait la rue, se perdrait lourdement sous le ciel bas. Rien. L'auto avait tourné, avait même sans doute mainte- [30] nant dépassé Souen. Et ce marchand abruti restait là. Il n'y avait pas de danger, puisque tout était manqué. Qu'avaient fait les autres? Tchen commença à courir. «Au voleur!» cria l'antiquaire. Des marchands parurent. Tchen comprit. De rage, il eut envie de s'enfuir avec cette plaque, de la lancer n'importe où. Mais de [35] nouveaux badauds s'approchaient. Il la jeta à la figure de l'anti-

[7] ... **foutre le camp!** *vulg.* Would he ever get rid of this fool!

quaire et s'aperçut qu'il n'avait pas refermé sa serviette. Depuis
le passage de l'auto, elle était restée ouverte, sous les yeux de ce
crétin et des passants, la bombe visible, même plus protégée par le
papier qui avait glissé. Il referma enfin la serviette avec prudence
5 (il faillit la rabattre à toute volée); [8] il luttait de toute sa force
contre ses nerfs. Le marchand regagnait au plus vite son magasin.
Tchen reprit sa course.

—Eh bien? dit-il à Peï dès qu'il le rejoignit.

—Et toi?

10 Ils se regardèrent haletants, chacun voulant d'abord entendre
l'autre. Souen, qui s'approchait, les voyait ainsi empêtrés dans
une immobilité pleine d'hésitations et de velléités, de profil sur
des maisons floues; la lumière très forte malgré les nuages dé-
tachait le profil d'épervier bonasse de Tchen et la tête rondouil-
15 larde de Peï, isolait ces deux personnages aux mains tremblantes,
plantés sur leurs ombres courtes de début d'après-midi parmi les
passants affairés et inquiets. Tous trois portaient toujours les
serviettes: il était sage de ne pas rester là trop longtemps. Et ils
ne s'étaient que trop réunis et séparés dans cette rue, déjà. Pour-
20 quoi? Il ne s'était rien passé.

—Chez Hemmelrich,[9] dit pourtant Tchen.

Ils s'engagèrent dans les ruelles.

—Qu'est-il arrivé? demanda Souen.

Tchen le lui expliqua. Peï, lui, avait été troublé lorsqu'il avait
25 vu que Tchen ne quittait pas seul le magasin de l'antiquaire. Il
s'était dirigé vers son poste, à quelques mètres du coin. L'usage, à
Shanghaï, est de conduire à gauche; l'auto tournait d'ordinaire
au plus court,[10] et Peï s'était placé sur le trottoir de gauche, pour
lancer sa bombe de près. Or, l'auto allait vite; il n'y avait pas de
30 voitures à ce moment dans l'avenue des Deux-Républiques. Le
chauffeur avait tourné au plus large,[11] il avait donc longé l'autre
trottoir, et Peï s'était trouvé séparé de lui par un pousse.

—Tant pis pour le pousse! dit Tchen. Il y a des milliers d'autres
coolies qui ne peuvent vivre que de la mort de Chang-Kaï-Shek.

35 —J'aurais manqué mon coup.

8 à toute volée, with a bang.
9 Hemmelrich, Communist music-shop owner.
10 tournait ... court, generally made a sharp turn.
11 avait ... large, had swung way over.

ANDRÉ MALRAUX   **229**

Souen, lui, n'avait pas lancé ses grenades parce que l'abstention de ses camarades lui avait fait supposer que le général n'était pas dans la voiture.

Ils avançaient en silence entre les murs que le ciel jaunâtre et chargé de brume rendait blêmes, dans une solitude misérable 5 criblée de détritus et de fils télégraphiques.

—Les bombes sont intactes, dit Tchen à mi-voix. Nous recommencerons tout à l'heure.

Mais ses deux compagnons étaient écrasés; ceux qui ont manqué leur suicide le tentent rarement à nouveau. La tension de leurs 10 nerfs, qui avait été extrême, devenait trop faible. A mesure qu'ils avançaient, l'ahurissement faisait place en eux au désespoir.

—C'est ma faute, dit Souen.

Peï répéta:

—C'est ma faute.   15

—Assez, dit Tchen, excédé. Il réfléchissait, en poursuivant cette marche misérable. Il ne fallait pas recommencer de la même façon. Ce plan était mauvais, mais il était difficile d'en imaginer un autre. Il avait pensé que ... Ils arrivaient chez Hemmelrich.

André Malraux, *La Condition humaine*, 1933. Copyright by Librairie Gallimard, tous droits réservés.

Marcel Aymé [1902–   ]

*est né en Bourgogne où se passe l'action de beaucoup
de ses romans et nouvelles. Il essaie de nombreux
métiers. Après une longue maladie il se met à écrire.
Ses œuvres les plus connues sont* Le Puits aux images
(1932), La Jument verte *(1933),* Les Contes du chat
perché *(1934),* Le Moulin de la Sourdine *(1936),* Le
Passe-muraille *(1943). Elles sont pleines de réalisme et
de verve rabelaisienne; elles ont de la fantaisie, de
l'humour et de l'ingéniosité. Il écrit aussi des pièces
de théâtre:* Clérambard *(1949); et une violente satire
contre les juges,* La Tête des autres *(1952); et une
amusante comédie du mensonge,* Les Quatre vérités
(1954).

A et B [1]

D'un regard, M. Jourdin s'assura que le poêle était allumé. Puis
il frappa sa table d'un coup de règle et dit en soulevant ses lunettes:

—Je commencerai mon cours lorsque Messieurs du fond auront
5 fait silence.

Il se fit aussitôt un silence total; le professeur remit ses lunettes.
Messieurs du fond étaient six, dont cinq élèves de troisième *A*,
tous cancres, et un élève de troisième *B*. Salignon, l'élève de troisième *B*, ne s'intéressait qu'aux mathématiques. On le réputait
10 mauvais esprit. Le soin qu'avaient pris ces vauriens de choisir les
bancs les plus éloignés de la chaire magistrale témoignait sûrement de leur indignité.

—Nous commençons aujourd'hui, dit M. Jourdin, l'étude
d'*Andromaque*.[2] A l'analyse de cette admirable peinture de
15 l'amour maternel, vous comprendrez, et je vous y aiderai de toute

[1] Students of division *A* specialize in Latin, those of *B* in Sciences.
[2] **Andromaque**, tragedy by Racine (1667).
230

mon expérience, pourquoi l'auteur a mérité d'être appelé le tendre Racine. Cette noble et touchante figure de femme, baignée d'une lumière si pure, préparera vos jeunes intelligences à une compréhension saine d'autres chefs-d'œuvre où le génie racinien s'exalte dans le mystère des passions plus âpres et de leurs funestes 5 cortèges.

Le professeur leva les yeux au plafond, passa la main sur son crâne chauve et murmura pour lui-même:

—A la vérité, je ne crois pas que l'on puisse comprendre Racine avant l'âge de vingt-cinq ans.

10

Soupirant, il repoussa de tendres obsessions et poursuivit avec un sourire d'ironie:

—Certes, j'aurais aimé aborder Racine dans un esprit de véritable humanisme; j'aurais souhaité m'attarder aux rencontres virgiliennes qui surgissent au détour de la pensée, à la cadence du 15 vers; mesurer ce que le rythme, la syntaxe même doivent au commerce des anciens. Cette étude généreuse, la seule qui porte des fruits durables, je pourrais m'y livrer avec mes élèves de *A* que leur connaissance du latin met en mesure de suivre ces fécondes échappées. Hélas! la fusion au cours de français des classes de 20 troisième *A* et de troisième *B,* imposée par le règlement, me réduit à des considérations d'un ordre moins élevé. Mais je ne veux pas, en m'attardant sur les conséquences de ce système, infliger de stériles regrets aux élèves de troisième *B* qu'un mauvais départ condamne, depuis la sixième, à une appréciation étroite de l'uni- 25 vers spirituel. ...

Les élèves de troisième *B* écoutaient avec un peu d'inquiétude. Lenoir, le meilleur élève de la classe, assis au premier rang, considérait ses deux camarades latinisants, Janvier et Rougevin, avec le sentiment obscur de son infirmité. Quant à Janvier, un gros 30 courtaud, il se rengorgeait, les bras croisés haut, tout gonflé de cet univers promis à son âme de raffiné.

*   *   *   *   *

Au fond de la classe, la rangée des cancres ne ressentait ni orgueil ni humiliation. Elle ne ricanait même pas, très intéressée par une expérience de Salignon qui prétendait accoupler un cafard et une 35 araignée dans une boîte en carton grillagée.

Cependant, le professeur interrogeait les élèves qu'il avait priés, l'avant-veille, de lire *Andromaque* afin d'en pouvoir donner un résumé. D'abord, il interrogea Janvier et Rougevin, qu'il tenait pour ses deux meilleurs élèves. Rougevin fut médiocre; il con-
5 fondait Pylade avec Pyrrhus et prêtait à Hermione, sur des apparences acariâtres, la qualité de belle-mère d'Andromaque.[3] Janvier se montra meilleur, mais inégal. Après avoir donné un aperçu de l'intrigue et comme le professeur l'interrogeait sur la parenté d'Astyanax, il répondit que l'enfant était fils d'Hector [4] et petit-
10 fils de Priape,[5] erreur considérable de la part d'un latiniste. Quelques élèves de *A* se mirent à rire et M. Jourdin lui-même eut un sourire indulgent. Ces joyeuses méprises, songeait-il, d'un sel si classique,[6] n'étaient possibles qu'avec des élèves de latin.

—Voyons, dit-il, à Lenoir, parlez-moi de l'ascendance d'Astya-
15 nax. Je suis curieux de savoir quelle idée peut se faire un élève de *B* de la parenté d'Hector.

Lenoir se leva, expliqua tranquillement que Priam [7] avait eu cinquante fils dont il nomma une dizaine, ce que le professeur lui-même n'aurait su faire. Il conta la mort de Patrocle,[8] les adieux
20 d'Hector, la victoire d'Achille.[9] M. Jourdin écoutait d'un air pincé, en hochant la tête, froissé qu'un élève de *B* eût pénétré si avant dans l'intimité d'Hector. Comme Lenoir était à la mort de Priam et parlait du geste impuissant de la victime soulevant son javelot d'un bras débile, le professeur interrompit avec amertume:
25 —Oui, oui ... *Telum imbelle, sine ictu* ...[10]

Lenoir rougit, comme si lui eût été glissée une allusion à des origines roturières. M. Jourdin vit son trouble, et soupçonnant

---

3 **Pylade,** friend of Orestes, son of Agamemnon, loves Hermione; **Pyrrhus,** son of Achilles, king of Epirus, loves Andromache; **Hermione,** daughter of Helen, is betrothed to Pyrrhus; **Andromaque,** widow of Hector, mother of Astyanax, is captive of Pyrrhus.

4 **Hector,** son of Priam, husband of Andromache, father of Astyanax. He was killed by Achilles.

5 **Priape,** Priapus, the male generative power personified as a god.

6 **d'un sel si classique,** of such Attic salt, such piquancy and wit.

7 **Priam,** father of Hector. He was killed by Pyrrhus after the capture of Troy.

8 **Patrocle,** friend of Achilles. When Achilles refused to fight, Patrocles threw himself against the Trojans and was killed by Hector.

9 **Achille,** the most famous of Greek heroes.

10 **Telum imbelle, sine ictu,** Powerless and weak arrow.—Vergil, *Aeneid,* II. Reference is to the arrow thrown at Pyrrhus by the elderly Priam.

qu'un élève de *B* n'avait pu s'élever à ces connaissances que par des moyens honteux:

—Asseyez-vous. C'est très bien, mon ami. Mais où avez-vous pris ce que vous venez de réciter?

—Je l'ai lu dans une histoire des Grecs, dit Lenoir.

Le professeur se caressa le menton et consentit après un silence:

—C'est très bien, en somme. Vous avez une excellente mémoire encyclopédique. Cela peut servir, surtout dans vos études de mathématiques... Je vous mets dix-huit, ajouta-t-il avec mépris.

Ses yeux étincelèrent derrière ses lunettes, il eut un geste violent et scanda, penché sur sa table:

—Quant à vous, Janvier, vous aurez un zéro. Il n'est pas admissible qu'un élève ayant expliqué Virgile ignore jusqu'au nom de Priam. Je vous mets zéro, et je suis indulgent.

Comme le professeur allait poursuivre l'interrogation, les mauvais élèves, et même les élèves moyens, se bouchèrent le nez avec ostentation, en chuchotant:

—Caoutchouc, caoutchouc...

L'odeur du caoutchouc brûlé n'arrivait pas encore à M. Jourdin, mais sa grande expérience lui fit comprendre qu'un élève avait mis du caoutchouc sur le poêle. Il jugea qu'un élève de *B*, seul, avait pu se livrer à une plaisanterie aussi grossière; il tenait pour impossible qu'un élève de *A*, formé aux humanités dans la décence et le bon goût, oubliât le respect de sa dignité et insultât, par de telles polissonneries, à la musique racinienne. D'un regard cursif, M. Jourdin sonda les quatorze élèves de *B* disséminés parmi leurs camarades de *A*. En arrivant à la rangée des cancres, il n'hésita plus et prononça le doigt tendu:

—Salignon, vous avez mis du caoutchouc sur le fourneau!

—Non, monsieur, s'écria Salignon, avec un accent de vérité, ce n'est pas moi!

Il s'était dressé à son banc, pâle d'indignation.

En réalité, Salignon était coupable. La veille au soir, en quittant la classe, il avait disposé sur le poêle éteint de menus morceaux d'une vieille chambre à air de bicyclette; ce matin, un quart d'heure après l'entrée, la fonte s'échauffait, provoquant la puanteur désirée. Mais nul ne pouvait témoigner avoir vu Salignon rôder tout à l'heure autour du poêle. Il s'était bouché le nez, comme les autres, et rien ne le désignait au soupçon de M. Jourdin qu'une injuste prévention. Aussi la révolte du coupable était-elle sincère: innocent du forfait, on l'eût accusé aussi bien.

—Non, monsieur, je vous dis que ce n'est pas moi. Ça ne peut
5 pas être moi ...

—Taisez-vous, cria M. Jourdin. N'aggravez pas votre cas par des protestations mensongères. Vous aurez trois heures de retenue; [11] et, d'abord, vous allez prendre les pincettes et ôter le caoutchouc que vous avez mis sur le poêle. ... Silence! Je sais que
10 vous êtes coupable. Seul un élève de B était capable d'une pareille incongruité.

La partialité de cette accusation, étayée sur des espèces sentimentales, était évidente. Salignon sentit les puissances du droit à sa dévotion. Il riposta d'une voix ferme qui fit passer un frisson
15 de fierté parmi les élèves de B:

—Je n'enlèverai pas le caoutchouc. Je suis un élève de B, mais ce n'est pas une raison de m'accuser.

—Salignon, vous vous mettez en rébellion ouverte contre votre professeur. Vous serez puni en conséquence. Et maintenant, re-
20 venons à *Andromaque.* Toutefois, les élèves incommodés par la triste plaisanterie de leur camarade Salignon peuvent sortir à la condition d'aller motiver leur absence auprès du surveillant général.

Au banc des meilleurs élèves, Lenoir se leva et, regardant l'un
25 après l'autre ses camarades de troisième B, prit la direction de la porte. Et Salignon et tous les élèves de B sortirent derrière lui. M. Jourdin s'était trop engagé pour s'opposer à cette manifestation. L'œil étonné, les joues apoplectiques, il contemplait le défilé muet, en murmurant dans son faux col:
30 —C'est un mot d'ordre, un véritable mot d'ordre. ...

Pourtant, comme les cancres de troisième A se disposaient à imiter leurs camarades de B, M. Jourdin se ressaisit:

—Messieurs du fond, dit-il avec élégance, demeurez à vos places. Puisque nous avons l'avantage de rester entre humanistes, nous
35 allons assainir cette puante atmosphère de caoutchouc brûlé par quelque commentaire renouvelé de la sagesse antique.

M. Jourdin tira son mouchoir, essuya lentement les verres de

---

[11] **de retenue,** detention, staying in (after school).

ses lunettes, et, le buste renversé sur le dossier de sa chaise, humant son propos avec une volupté délicate, poursuivit d'une voix infiniment nuancée:

—La morale de cet incident—dirai-je regrettable?—nous est proposée, Messieurs, par la fable du canard et du buisson qui 5 firent autrefois un pacte d'amitié. Notre fabuliste, qui se connaissait en amitiés, nous conte l'humeur voyageuse du canard amoureux d'horizons variés, humeur qui s'oppose fâcheusement à celle du malheureux ami dont l'immobilité borne les conceptions stagnantes. S'il me fallait, Messieurs, rapporter ce charmant apo- 10 logue, symbole des incomptabilités spirituelles, à la fusion au cours de français des classes de troisième *A* et de troisième *B,* j'y verrais, pour ma part, plus d'un enseignement. ... Dites-moi, Rougevin, sans vous lever, comment vous apparaît, dans cette classe de troisième, l'opposition du canard et du buisson? Parlez et déve- 15 loppez, d'une manière qui les rende sensibles à vos camarades, les incomparables avantages du parti canard—si je puis risquer ce transport audacieux sur un objet pensant. ...

Quoiqu'il eût été attentif, Rougevin n'avait pas pénétré la pensée profonde du professeur. Il répéta la question plusieurs 20 fois, hésitant; pressé d'une réponse, il dit avec inquiétude:

—L'avantage des canards ... c'est qu'ils sont sortis dans la cour. ...

M. Jourdin agita les bras, indigné:

—Mais c'est insensé! Vous n'avez pas compris que nous nous 25 placions en esprit, en esprit. ...

Il eut un soupir de mélancolie et ajouta:

—Après tout, ces subtilités sont au-dessus de votre âge. Reprenons *Andromaque.*

* * * * *

Avant que tous les Grecs vous parlent par ma voix ...[12] 30

Le cancre Burnier, de la rangée du fond, suspendit sa lecture, car M. Cugnon, le principal, pénétrait dans la classe, accompagné du surveillant général et précédant les quatorze élèves de *B* qui regagnèrent leurs places, le front haut. M. Jourdin s'avança à la rencontre du principal et parla le premier: 35

[12] **Andromaque,** Act I, scene 2.

—Vous constatez, Monsieur le principal, qu'il s'agit d'un
complot fomenté par la classe de troisième *B* tout entière.

M. Cugnon jeta un regard courroucé sur les élèves de *B* et M.
Jourdin ajouta en souriant:

5 —Nous assistons aujourd'hui à la cabale d'Andromaque; cela
ne me surprend guère de cette troisième *B* qui s'est toujours
montrée rétive aux enseignements de la pensée classique. Je crois
utile de préciser, car vous l'ignorez sans doute, que l'élève Salignon, en protestant grossièrement contre une mesure discipli-
10 naire, dont il était justement l'objet, a déclenché cette sortie de
corps. ...

M. Cugnon, faisant face à la rangée du fond, ordonna:

—Levez-vous, Salignon. Votre inconvenance à l'égard de M.
Jourdin, intolérable dans un établissement tel que celui-ci, s'avère
15 d'autant plus grave qu'elle est en même temps une occasion de
scandale. Sans vouloir connaître les causes qui vous valurent
d'être puni par votre professeur, j'ajoute à cette punition, pour
le double motif de scandale et d'insolence, deux jours de retenue
qui vont sans préjudice de la punition collective méritée par la
20 classe de troisième *B*.

—Monsieur le principal, ce n'est pas moi qui ai mis le caoutchouc!

—Silence!

M. Jourdin eut une moue attristée, comme s'il déplorait cette
25 victoire obtenue au prix d'une intrusion des pouvoirs administra-
tifs. Il avait fallu, songeait-il, la volonté perverse de cette classe
de troisième *B* pour provoquer ce scandale de basse police.

Cependant le surveillant général, M. Ruban, qui avait reçu
les dépositions des élèves de troisième *B*, manifestait une certaine
30 nervosité. Il assumait, en même temps que les fonctions de
surveillant général, la tâche d'un enseignement subalterne dans
les classes de sixième *B* et cinquième *B*. N'ayant aucun diplôme,
il détestait M. Jourdin qui émaillait ses propos de provoquantes
citations latines. Comme Salignon s'était laissé tomber sur son
35 banc, écrasé par la sentence du principal, M. Ruban prit la parole
avec déférence.

—Monsieur le principal, il me semble qu'en l'occasion la bonne

foi de M. Jourdin s'est laissée surprendre par certaines apparences.
D'abord, je ne crois pas qu'une punition collective des élèves de *B*
soit de bonne justice puisque leur professeur les avait autorisés à
sortir. D'autre part, il semble que M. Jourdin se soit un peu
pressé d'accuser Salignon ...   5

—Permettez, dit M. Jourdin, je suis seul juge ...

—Mais une pareille erreur, s'il faut parler d'erreur lorsque ...

—Monsieur, je ne vous autorise pas à apprécier ma conduite, et
je vous invite à plus de réserve.

Les deux hommes s'étaient rapprochés; sans égard à la présence 10
de M. Cugnon, ils s'interpellaient avec violence.

—Enfin, s'écriait le surveillant général, vous avez accusé un
élève sous prétexte que, seul, un élève de *B* était capable d'une
pareille incongruité. Vous l'avez dit expressément.

—Je l'ai dit, mais ma conviction ...   15

—Et je prétends, moi, qu'un élève de *A* peut bien avoir mis du
caoutchouc sur le poêle ...

Le principal, qui essayait vainement d'intervenir, toucha
l'épaule du surveillant général.

—Monsieur Ruban, dit-il, n'insistez pas. Ce n'est pas le lieu 20
d'un pareil débat. D'ailleurs, vous n'êtes pas du tout dans votre
rôle; pas du tout. Je suis fâché d'avoir à vous le rappeler.

Le surveillant général rougit et se tut. Un murmure courut
parmi les élèves de troisième *A*.

—À bas Ruban, enlevez Ruban. ...   25

M. Jourdin triomphait avec dignité, les lèvres pincées, souriant
à peine. Comme le murmure persistait, il fit un geste d'apaisement
qui rétablit le silence.

Mais Salignon, encouragé par la plaidoirie du surveillant général, se dressait hors de son banc et protestait avec élan.   30

—Monsieur le principal, ce n'est pas moi. Personne n'a pu me
voir près du fourneau. Ça ne peut pas être moi!

Irrité, M. Cugnon se dirigea vers lui, le saisit par le bras.

—Je ne veux plus vous entendre. Vous avez suffisamment troublé ce cours de français.   35

Ébranlé sans doute par les affirmations de M. Ruban, le principal ajouta:

—La punition est maintenue jusqu'à nouvel ordre. Si vous avez une réclamation à faire valoir, vous viendrez la faire dans mon bureau.

Tout à coup, M. Cugnon eut un haut-le-corps; il venait d'aper-
5 cevoir la boîte en carton grillagée que Salignon avait aménagée pour les coupables ébats d'un cafard et d'une araignée. Dissimulée sous la couverture d'*Andromaque*, la boîte venait de glisser sur la pente du pupitre. Le principal se pencha sur la cage avec un frémissement d'horreur et de curiosité.

10 Il se releva lentement, repoussant de sa main ouverte cette abominable vision.

—Comment, une araignée ... et cet insecte noir ... Quelle est cette bête?

Un cafard, monsieur, murmura Salignon avec accablement.

15 Le surveillant général expliqua d'une voix maussade:

—Cafard est le nom donné communément à la blatte.

Il était ennuyé de la tournure des événements et supputait avec dépit les conséquences de cette nouvelle affaire. Les bras croisés et le menton haut, le principal tonnait contre Salignon:

20 —Votre conduite demeurera la honte de ce laborieux établissement. Une araignée! un cafard! une blatte! Ah! c'est ainsi que vous préparez votre esprit à recevoir l'enseignement fécond de nos grands poètes du XVIIe siècle? Au lieu de concentrer votre attention sur les splendeurs de cette immortelle *Andromaque*,
25 vous vous complaisez, enfermant une blatte et une araignée dans une cage ridicule, à des occupations dégradantes qui font songer avec dégoût à ces jeux proposés à la vaine curiosité des populaces du bas-empire romain.[13] Est-ce pour surveiller les ébats de deux insectes répugnants que vos parents s'imposent le sacrifice de vous
30 envoyer sur les bancs du collège? Je comprends à présent pourquoi M. Jourdain a pu fonder sa conviction de votre culpabilité: car il est maintenant hors de doute que vous avez mis du caoutchouc sur le poêle. ...

—Non, monsieur. Ce n'est pas moi. Ça ne peut pas être moi!
35 —Silence. Ne devriez-vous pas rougir de vos turpitudes? La punition prononcée tout à l'heure est désormais sans appel. J'y

---

[13] **bas-empire romain,** late Roman Empire (395–453); a synonym for corruption, weakness, and governmental anarchy.

ajoute une journée de retenue pour vous êtes livré, pendant
l'explication d'*Andromaque*, à des jeux d'une révoltante malpropreté ... Monsieur Ruban, saisissez-vous de la cage aux insectes;
vous la garderez dans votre bureau jusqu'à nouvel ordre, car j'ai
l'intention d'informer les parents de cet élève indigne.   5

D'un geste craintif, le surveillant général s'assura de la cage, et,
la portant à bout de bras, sortit derrière le principal.

*   *   *   *   *

A la récréation, Lenoir gifla Rougevin sous un prétexte futil;
Rougevin riposta par un coup de poing; ils s'empoignèrent. Toute
la classe de troisième entourait les combattants. Janvier, les mains 10
aux cuisses, donnait des avis à Rougevin.

—Cale-toi ... Prends-lui la jambe. ...

Il approcha si près qu'il prit une claque au menton. Furieux,
il passa derrière Lenoir et lui donna un coup de pied aux fesses
que l'effort tendait. Ce geste peu sportif déchaîna une autre 15
bagarre. Il y eut un œil poché. Les injures répondaient aux défis.

—Fumier, on le sait que ton père a eu cinq cents francs
d'amende ...

—Cassez-lui sa gueule de *B*. ...

Lenoir et Rougevin avaient roulé dans la poussière et s'étrei- 20
gnaient encore. Tout faisait prévoir une bataille rangée, lorsque
Salignon, qui avait assisté sans mot dire à ces préliminaires, sépara
les combattants avec décision.

—Je ne veux pas de bataille, dit-il. C'est encore des histoires qui
me retomberaient sur le dos, avec une bande de cafards comme 25
les types de *A*. ...

Les types de *A* protestaient avec violence, Salignon ajouta:

—Oui, je dis bien: des cafards et des vendus. Naturellement,
des gens qui bredouillent du latin, ça prend tout de suite des
manières de jésuites.   30

S'adressant à la classe de *B,* il eut un geste affectueux:

—Vous venez, vous autres?

Le surveillant général faisait les cent pas dans la cour entre
M. Roulard, professeur de mathématiques, et M. Lamain, professeur de sciences naturelles. Avec une perfidie badine, il expli- 35
quait à ses collègues l'injustice subie par Salignon. M. Roulard,

petit homme sanguin, était pourpre d'indignation. Il inter-
rompait à chaque instant, d'une voix rageuse:

—Dites donc, Ruban, mais c'est très grave. Pas votre avis, Lamain?

5 Le professeur de sciences naturelles était un homme triste et
lymphatique; il répondait par des hochements de tête. Lorsque le
surveillant général rapporta l'épisode du cafard et de l'araignée,
il sortit de son mutisme et dit d'une voix molle:

—C'est un élève qui montre des dispositions pour les sciences
10 naturelles. Fallait pas le punir ...

—Mais vous ne comprenez pas, éclata le professeur Roulard,
qu'il s'agit d'une persécution systématique des sciences. On veut
détourner les élèves de l'étude des sciences. Observez que cette
vieille bête de Jourdin a choisi Salignon, mon meilleur élève en
15 mathématiques, pour lui faire endosser les écarts de conduite de
ses voyous de troisième A. ... Mais attendez un peu, je vais aller
parler à Salignon avant la fin de la récréation.

Assuré d'avoir l'appui de son professeur de mathématiques,
Salignon conçut en secret, pour sa justification, un plan redouta-
20 ble. L'après-midi, la classe de troisième assistait en dernier lieu
à un cours d'allemand dans la classe de M. Jourdin. Salignon
occupait sa place habituelle dans la rangée des cancres, mais il
eut soin d'accrocher son pardessus au portemanteau placé près
du poêle. A la fin du cours, il alla décrocher son vêtement et jeta
25 furtivement des morceaux de caoutchouc sur la fonte refroidie,
ainsi qu'il avait fait la veille.

Le lendemain, il ne vint pas au collège. A huit heures, la
troisième A et la troisième B entraient dans la classe où le poêle
venait d'être allumé. Tout le monde avait remarqué l'absence
30 de Salignon, sauf M. Jourdin. Les dix premières minutes se
passèrent en récitations. Lorsque l'odeur du caoutchouc commença à se faire sentir, les regards se fixèrent avec curiosité sur
le professeur. M. Jourdin, qui se repaissait de «la coquetterie
vertueuse d'Andromaque,» par deux fois s'interrompit pour flairer
35 l'odeur suspecte. Incertain, il reprit son commentaire. Tout à
coup, il repoussa son livre ouvert devant lui, le regard de ses
yeux clignés s'arrêta sur la rangée des cancres qui lui apparaissait
confusément, à cause de sa vue faible.

—Cette plaisanterie insipide du caoutchouc se renouvelle ce matin, dit-il. Salignon, je porte à une journée entière de retenue les trois heures infligées hier, et je vous ordonne de sortir.

Il y eut un déchaînement de rires parmi les élèves de troisième B, des applaudissements claquèrent. Lenoir se leva; avec une joie 5 sévère, il fit observer au professeur:

—Monsieur, je vous demande pardon, mais Salignon n'est pas venu ce matin.

M. Jourdin comprit tout de suite quel parti le surveillant général allait tirer de cette erreur contre son accusation de la 10 veille. Pour lui, sa conviction n'était pas entamée, mais, sous le coup de la surprise, il perdit de sa contenance et murmura machinalement:

—Ah! Salignon n'est pas venu ce matin. ...

Lenoir, resté debout à son banc, dit avec une ironie froide: 15
—C'est heureux pour lui, sans quoi il était puni.

—Oui, répliqua M. Jourdin, il aurait été puni, et très justement, car, s'il était venu ce matin, Salignon n'aurait laissé à aucun de vous, messieurs de B, le soin de mettre du caoutchouc sur le poêle.
20
Le faux pas de M. Jourdin fut sévèrement commenté par le surveillant général et par M. Roulard: l'innocence de Salignon éclatait en même temps que le parti pris de ce professeur de latin à l'égard des élèves de B. Le principal, mis au courant, présenta de prudentes observations à M. Jourdin, parla d'erreur probable. 25 M. Jourdin ne céda rien. Pour lui, il était clair que cette nouvelle polissonnerie avait été concertée entre les élèves de B pour tenter de justifier Salignon; elle constituait précisément un témoignage accablant pour le coupable.

—Je maintiens mes trois heures de retenue, dit-il. Libre à vous, 30 Monsieur le principal, d'effacer les deux journées de retenue que vous avez infligées à cet élève pour les motifs de scandale et d'insolence. Je vous laisse également le cafard et l'araignée. ...

La manœuvre de Salignon n'avait pas été inutile. Elle renforçait la conviction de M. Roulard, entraînait celle de plusieurs autres 35 professeurs et cimentait une solidarité agressive entre tous les élèves du collège qui n'étudiaient pas le latin. La punition demeurait néanmoins. Salignon ne désarmait pas. Non qu'il fût

orgueilleux, l'auréole du martyre suffisait à son amour-propre,
mais il était humilié dans un sentiment formaliste de la justice:
rendu *a priori,* le jugement n'était pas conforme aux apparences
qui l'absolvaient formellement. Bon élève de mathématiques,
5 Salignon donnait néanmoins à la vraisemblance le pas sur la
vérité.

Vers la fin de la semaine, il forma un nouveau projet dont
l'exécution devait confondre M. Jourdin dans sa fierté d'humaniste. Le matin du samedi, le principal, accompagné du sur-
10 veillant général, passait dans les classes pour y donner lecture
des notes de la semaine. Dans la classe de M. Jourdin, cette
solennité s'accomplissait au début de la première heure consacrée
à un cours de latin pour les seuls élèves de troisième *A.* Exploitant
sa méthode habituelle, Salignon prit des dispositions la veille
15 au soir.

* * * * *

Le samedi matin, à 8 heures 10, la puanteur de caoutchouc
emplit la classe de latin. M. Jourdin faisait expliquer une lettre
de Pline.[14]

—Observez, disait-il, la vigueur, la concision voulue de ce «*Cur*
20 *non hic?*»[15] Il semble que soient ramassées, dans cette saisissante
interrogation, toutes les ...

Reniflant, il allongea le cou; son visage se crispa. Il voulut
parler, hocha la tête plusieurs fois et ferma les yeux. La classe de
troisième *A,* consternée, osait à peine respirer. M. Jourdin ôta
25 ses lunettes, promena longuement ses regards sur ses élèves de
latin, depuis le banc de Janvier et Rougevin jusqu'à la rangée
des cancres. D'une voix qu'on entendit à peine, il ordonna:

—Rougevin, continuez!

Rougevin, qui avait repris la lecture de Pline, en était tout
30 tremblant. Affaissé sur sa chaire, le professeur ne suivait plus
la leçon et, les yeux mornes, contemplait vaguement la lueur rouge
du fourneau. Lorsque le principal entra, suivi du surveillant
général, il se leva difficilement et fit quelques pas. Pressé, M.
Cugnon ouvrit un cahier et commença la lecture des notes. A

---

14 **Pline,** Pliny (62–113), Roman writer, author of *Letters.*
15 «**Cur non hic?**» *Lat.* "Why not this?"

plusieurs reprises, il marqua un temps d'arrêt, incommodé par la puanteur du caoutchouc. Derrière lui, le surveillant général reniflait avec dégoût. Lorsqu'il eut achevé, le principal ne prit pas le temps d'un commentaire et s'écria d'un voix furieuse:

—Ah çà! on a encore mis du caoutchouc sur le poêle! 5

Le surveillant général ricanait, les yeux cruels; il tenait enfin la preuve de l'indignité des élèves de latin et se réjouissait avec insolence. M. Jourdin avait écouté la lecture des notes, appuyé sur un pupitre, les épaules voûtées, la tête basse. Le cri indigné du principal le tira de son apathie. Il se redressa lentement, de 10 toute sa taille; son visage était très pâle.

—Monsieur le principal, dit-il, je ne sens rien.

M. Cugnon parut abasourdi. Le surveillant général voulut parler, M. Jourdin marcha sur lui et répéta, scandant les mots:

—Je ne sens rien. 15

Et, se tournant à demi vers les élèves, il ajouta:

—Nous ne sentons rien?

Toute la classe répondit, d'une voix tranquille:

—Non, monsieur, nous ne sentons rien. ...

C'était un murmure tendre, d'une affectueuse complicité, qui 20 fit éclore un sourire sur les lèvres du professeur. Le principal eut une seconde d'hésitation, puis il suivit M. Jourdin qui le précédait vers la porte en expliquant avec aisance:

—Nous étions en train d'étudier Pline. Ce matin nous en étions à la lettre sur la création d'une école. Une bien belle chose, Mon- 25 sieur le principal, une bien belle chose.

Albert Camus [1913–   ],

*né en Algérie, fait de solides études, jusqu'à ce que la
maladie l'arrête. Il se met à écrire des romans:* L'Étranger *(1942),* Le Mythe de Sisyphe *(1942), «essai sur l'absurde,»* La Peste *(1947), qui pose le problème éternel
de la condition humaine, celui du mal. Viennent ensuite des pièces de théâtre:* Le Malentendu, Caligula
(1944), Les Justes *(1950), et des recueils d'articles et
essais,* L'Homme révolté *(1952),* Actuelles *(1953),* Eté
*(1954). D'abord disciple de Sartre, il a rompu avec lui
parce que celui-ci s'est rapproché du communisme.*

Effets du soleil

Meursault, jeune employé de bureau d'Alger, et son amie
Marie, dactylo, passent une fin de semaine à la plage en
compagnie de Raymond et Masson, deux camarades peu
recommandables. Des Arabes viennent à la plage pour se
venger de Raymond qui a offensé la sœur de l'un d'eux.

Les Arabes avançaient lentement et ils étaient déjà beaucoup plus
rapprochés. Nous n'avons pas changé notre allure, mais Raymond
a dit: «S'il y a de la bagarre, toi, Masson, tu prendras le deuxième.
Moi, je me charge de mon type. Toi, Meursault, s'il en arrive un
5 autre, il est pour toi.» J'ai dit: «Oui», et Masson a mis ses mains
dans les poches. Le sable surchauffé me semblait rouge maintenant. Nous avancions d'un pas égal vers les Arabes. La distance
entre nous a diminué régulièrement. Quand nous avons été à
quelques pas les uns des autres, les Arabes se sont arrêtés. Masson
10 et moi nous avons ralenti notre pas. Raymond est allé tout droit
vers son type. J'ai mal entendu ce qu'il lui a dit, mais l'autre a
fait mine de lui donner un coup de tête.[1] Raymond a frappé
alors une première fois et il a tout de suite appelé Masson. Masson

---

[1] **lui donner un coup de tête,** butt him in the chest.

est allé à celui qu'on lui avait désigné et il a frappé deux fois
avec tout son poids. L'autre s'est aplati dans l'eau la face contre
le fond et il est resté quelques secondes ainsi, des bulles crevant
à la surface, autour de sa tête. Pendant ce temps, Raymond aussi
a frappé et l'autre avait la figure en sang. Raymond s'est retourné 5
vers moi et a dit: «Tu vas voir ce qu'il va prendre.» Je lui ai
crié: «Attention, il a un couteau!» Mais déjà Raymond avait le
bras ouvert et la bouche tailladée.

Masson a fait un bond en avant. Mais l'autre Arabe s'était
relevé et il s'est placé derrière celui qui était armé. Nous n'avons 10
pas osé bouger. Ils ont reculé lentement, sans cesser de nous
regarder et de nous tenir en respect [2] avec le couteau. Quand ils
ont vu qu'ils avaient assez de champ,[3] ils se sont enfuis très vite,
pendant que nous restions cloués sous le soleil et que Raymond
tenait serré son bras dégouttant de sang.   15

Masson a dit immédiatement qu'il y avait un docteur qui passait
ses dimanches sur le plateau. Raymond a voulu y aller tout de
suite. Mais chaque fois qu'il parlait, le sang de sa blessure faisait
des bulles dans sa bouche. Nous l'avons soutenu et nous sommes
revenus au cabanon aussi vite que possible. Là, Raymond a dit 20
que ses blessures étaient superficielles et qu'il pouvait aller chez
le docteur. Il est parti avec Masson et je suis resté pour expliquer
aux femmes ce qui était arrivé. Mme Masson pleurait et Marie
était très pâle. Moi, cela m'ennuyait de leur expliquer. J'ai fini
par me taire et j'ai fumé en regardant la mer.   25

Vers une heure et demie, Raymond est revenu avec Masson. Il
avait le bras bandé et du sparadrap au coin de la bouche. Le
docteur lui avait dit que ce n'était rien, mais Raymond avait l'air
très sombre. Masson a essayé de le faire rire. Mais il ne parlait
toujours pas. Quand il a dit qu'il descendait sur la plage, je lui 30
ai demandé où il allait. Il m'a répondu qu'il voulait prendre
l'air. Masson et moi avons dit que nous allions l'accompagner.
Alors, il s'est mis en colère et nous a insultés. Masson a déclaré
qu'il ne fallait pas le contrarier. Moi, je l'ai suivi quand même.

Nous avons marché longtemps sur la plage. Le soleil était 35
maintenant écrasant. Il se brisait en morceaux sur le sable et

---

[2] **nous tenir en respect**, to keep us at bay.
[3] **ils avaient assez de champ**, they were at a safe distance.

sur la mer. J'ai eu l'impression que Raymond savait où il allait,
mais c'était sans doute faux. Tout au bout de la plage, nous
sommes arrivés enfin à une petite source qui coulait dans le sable,
vers la mer, derrière un gros rocher. Là, nous avons trouvé nos
5 deux Arabes. Ils étaient couchés, dans leurs bleus de chauffe [4]
graisseux. Ils avaient l'air tout à fait calmes et presque apaisés.
Notre venue n'a rien changé. Celui qui avait frappé Raymond le
regardait sans rien dire. L'autre soufflait dans un petit roseau et
répétait sans cesse, en nous regardant du coin de l'œil, les trois
10 notes qu'il obtenait de son instrument.

Pendant tout ce temps, il n'y a plus eu que le soleil et ce silence,
avec le petit bruit de la source et les trois notes. Puis Raymond
a porté la main à sa poche revolver,[5] mais l'autre n'a pas bougé
et ils se regardaient toujours. J'ai remarqué que celui qui jouait
15 de la flûte avait les orteils des pieds très écartés. Mais sans quitter
des yeux son adversaire, Raymond m'a demandé: «Je le descends?» [6] J'ai pensé que si je disais non il s'exciterait tout seul
et tirerait certainement. Je lui ai seulement dit: «Il ne t'a pas
encore parlé. Ça ferait vilain de tirer comme ça.» On a encore
20 entendu le petit bruit d'eau et de flûte au cœur du silence et de
la chaleur. Puis Raymond a dit: «Alors, je vais l'insulter et quand
il répondra, je le descendrai.» J'ai répondu: «C'est ça. Mais s'il
ne sort pas son couteau, tu ne peux pas tirer.» Raymond a commencé à s'exciter un peu. L'autre jouait toujours et tous deux
25 observaient chaque geste de Raymond. «Non, ai-je dit à Raymond.
Prends-le d'homme à homme et donne-moi ton revolver. Si
l'autre intervient, ou s'il tire son couteau, je le descendrai.»

Quand Raymond m'a donné son revolver, le soleil a glissé
dessus. Pourtant, nous sommes restés encore immobiles comme
30 si tout s'était refermé autour de nous. Nous nous regardions sans
baisser les yeux et tout s'arrêtait ici entre la mer, le sable et le
soleil, le double silence de la flûte et de l'eau. J'ai pensé à ce
moment qu'on pouvait tirer ou ne pas tirer et que tout cela se
valait. Mais brusquement, les Arabes ont glissé à reculons et ont
35 disparu derrière le rocher. Raymond et moi sommes alors revenus

4 **bleus de chauffe,** dungarees, stokers' blue denims.
5 **sa poche revolver,** his revolver pocket.
6 **Je le descends,** Shall I plug him?

sur nos pas. Lui paraissait mieux et il a parlé de l'autobus du retour.

Je l'ai accompagné jusqu'au cabanon et, pendant qu'il gravissait l'escalier de bois, je suis resté devant la première marche, la tête retentissante de soleil, découragé devant l'effort qu'il fallait[5] faire pour monter l'étage de bois et aborder encore les femmes. Mais la chaleur était telle qu'il m'était pénible aussi de rester immobile sous la pluie aveuglante qui tombait du ciel. Rester ici ou partir, cela revenait au même. Au bout d'un moment, je suis retourné vers la plage et je me suis mis à marcher.   [10]

C'était le même éclatement rouge. Sur le sable, la mer haletait de toute la respiration rapide et étouffée de ses petites vagues. Je marchais lentement vers les rochers et je sentais mon front se gonfler sous le soleil. Toute cette chaleur s'appuyait sur moi et s'opposait à mon avance. Et chaque fois que je sentais son grand[15] souffle chaud sur mon visage, je serrais les dents, je fermais les poings dans les poches de mon pantalon, je me tendis tout entier pour triompher du soleil et de cette ivresse opaque qu'il me déversait. A chaque épée de lumière jaillie du sable, d'un coquillage blanchi ou d'un débris de verre, mes mâchoires se crispaient.[7] [20] J'ai marché longtemps.

Je voyais de loin la petite masse sombre du rocher entourée d'un halo aveuglant par la lumière et la poussière de mer.[8] Je pensais à la source fraîche derrière le rocher. J'avais envie de retrouver le murmure de son eau, envie de fuir le soleil, tout effort, [25] les pleurs de femme, envie enfin de retrouver l'ombre et son repos. Mais quand j'ai été plus près, j'ai vu que le type de Raymond était revenu.

Il était seul. Il reposait sur le dos, les mains sous la nuque, le front dans les ombres du rocher, tout le corps au soleil. Son bleu [30] de chauffe fumait dans la chaleur. J'ai été un peu surpris. Pour moi, c'était une histoire finie et j'étais venu là sans y penser.

Dès qu'il m'a vu, il s'est soulevé un peu et a mis la main dans sa poche. Moi, naturellement, j'ai serré le revolver de Raymond dans mon veston. Alors de nouveau, il s'est laissé aller en arrière, [35] mais sans retirer la main de sa poche. J'étais assez loin de lui, à

---

[7] se crispaient, set hard, tightened.
[8] la poussière de mer, the spray.

une dizaine de mètres. Je devinais son regard par instants, entre
ses paupières mi-closes. Mais le plus souvent, son image dansait
devant mes yeux dans l'air enflammé. Le bruit des vagues était
encore plus paresseux, plus étale qu'à midi. C'était le même
5 soleil, la même lumière sur le même sable qui se prolongeait ici.
Il y avait déjà deux heures que la journée n'avançait plus, deux
heures qu'elle avait jeté l'ancre dans un océan de métal bouillant.
A l'horizon, un petit vapeur est passé et j'en ai deviné la tache
noire au bord de mon regard, parce que je n'avais pas cessé de
10 regarder l'Arabe.

    J'ai pensé que je n'avais qu'un demi-tour à faire et ce serait
fini. Mais toute une plage vibrante de soleil se pressait derrière
moi. J'ai fait quelques pas vers la source. L'Arabe n'a pas bougé.
Malgré tout, il était encore assez loin. Peut-être à cause des ombres
15 sur son visage, il avait l'air de rire. J'ai attendu. La brûlure du
soleil gagnait mes joues et j'ai senti des gouttes de sueur s'amasser
dans mes sourcils. C'était le même soleil que le jour où j'avais
enterré maman et, comme alors, le front surtout me faisait mal,
toutes les veines battant ensemble sous la peau. A cause de cette
20 brûlure que je ne pouvais plus supporter, j'ai fait un mouvement
en avant. Je savais que c'était stupide, que je ne me débarrasserais
pas du soleil en me déplaçant d'un pas. Mais j'ai fait un pas,
un seul pas en avant. Et cette fois, sans se soulever, l'Arabe a tiré
son couteau qu'il m'a présenté dans le soleil. La lumière a giclé
25 sur [9] l'acier et c'était comme une longue lame étincelante qui
m'atteignait au front. Au même instant, la sueur amassée dans
mes sourcils a coulé d'un coup sur les paupières et les a recouvertes
d'un voile tiède et épais. Mes yeux étaient aveuglés derrière ce
rideau de larmes et de sel. Je ne sentais plus que les cymbales du
30 soleil sur mon front et, indistinctement, le glaive éclatant [10] jaillit
du couteau toujours en face de moi. Cette épée brûlante rongeait
mes cils et fouillait mes yeux douloureux. C'est alors que tout a
vacillé. La mer a charrié un souffle épais et ardent. Il m'a semblé
que le ciel s'ouvrait sur toute son étendue pour laisser pleuvoir
35 du feu. Tout mon être s'est tendu et j'ai crispé ma main sur le

[9] a giclé sur, reflected from.
[10] le glaive éclatant, the dazzling blade of light.

revolver. La gâchette a cédé,[11] j'ai touché le ventre poli de la crosse et c'est là, dans le bruit à la fois sec et assourdissant, que tout a commencé. J'ai secoué la sueur et le soleil. J'ai compris que j'avais détruit l'équilibre du jour, le silence exceptionnel d'une plage où j'avais été heureux. Alors, j'ai tiré encore quatre [5] fois sur un corps inerte où les balles s'enfonçaient sans qu'il y parût. Et c'était comme quatre coups brefs que je frappais sur la porte du malheur.

> Meursault tue un des Arabes et meurt sur l'échafaud, ne regrettant rien.

> Albert Camus, *L'Étranger,* 1942. Copyright by Librairie Gallimard, Paris, tous droits réservés.

[11] **La gâchette a cédé,** The trigger gave.

Vocabulaire

From this vocabulary there have been omitted all articles, normally formed adverbs, simple numerals, pronouns (unless their use is involved in an idiomatic expression), and words which are identical in form and meaning in French and English.

Abréviations

adj.	adjective	*obs.*	obsolete
arch.	architecture	*o.s.*	oneself
adv.	adverb	*pers.*	person
av.	aviation	*pl.*	plural
bus.	business	*poet.*	poetical
colloq.	colloquial	*pop.*	popular; population
conj.	conjunction	*prep.*	preposition
cul.	culinary	*pron.*	pronoun
f.	feminine	*qch*	quelque chose
fig.	figuratively	*qn*	quelqu'un
Fr.	French	*sing.*	singular
hunt.	hunting	*s.o.*	someone
int.	interjection	*sth.*	something
lit.	literally	*subj.*	subjunctive
m.	masculine	*tech.*	technical
mil.	military	*th.*	theater
mod.	modern	*v.*	verb
n.	noun	*vulg.*	vulgar

A

a has; **il y —** there is, there are; ago; **il y — que** the trouble is that; **qu'est-ce qu'il y —?** what's the matter?

à at, to, on, in, into, with, for, from, by, of; to the point (of)

abaisser to lower, pull down; **s' —** become lower, slope down; subside

abandonner: s'— à give way to

abasourdir to amaze, dumbfound

abattre to knock (throw) down; slaughter

abattu (*v.* **abattre**) killed, felled; conquered; downhearted

abîme *m.* abyss

abîmé: l'âme —e dans the soul plunged in

abîmer to spoil, damage, ruin

abject mean, contemptible

251

abondamment abundantly, pro-
fusely

abord *m.*: **d'**— at first, in the first
place; **tout d'**— at the very first,
in the very first place, at once;
dès l'— from the (very) first

aborder to reach, come in contact
with; **s'**— meet, accost each other

aboutir to end in, come out at, arrive at, lead to

aboyer to bark

abréger to abridge, shorten

abri *m.* shelter; **à l'**— **de** protected
against; free from

abriter to shelter; **s'**— take shelter

abruti stupid, idiotic

abrutir to stupefy, daze

absolu absolute; definitive

absorber: **s'**— to become absorbed,
engrossed

absoudre to absolve, pardon, exon-
erate

abstention *f.* abstaining, refraining
(from, **de**)

abstrait absent-minded, inattentive; vague; abstract

abus *m.* violation, corruption

acariâtre bad-tempered; shrewish

accablement *m.* discouragement,
dejection

accabler to overwhelm, overcome,
oppress; burden

accent *m.* tone (of voice), stress

accès *m.* access, approach, entrance; fit

accomplir to accomplish, perform,
do; fulfill; **s'**— take place

accord *m.* agreement; harmony;
être d'— to agree; **mettre d'**—
avec put in harmony with, harmonize with

accorder to grant, give, concede,
bestow; reconcile; **s'**— **avec** cor-
respond, harmonize, agree with

accouder: **s'**— to lean on (one's
elbows)

accoupler to couple, connect

accourir to come running

accoutrement *m.* dress, getup

accoutumer à to get (s.o.) used to;

s'— **à** get used to; **être accou-
tumé à** be accustomed to

accroché: — **par** within the range
(radius) of

accrocher to hang up; hook; catch;
s'— **à** cling (hang on) to

accroissement *m.* increase

accroître: **s'**— to increase, become
larger

accueil *m.* welcome; reception;
greeting; **faire** — **à** to welcome

accueillir to receive, welcome,
meet; accept

accusation *f.*: **un acte d'**— bill of
indictment

accusé *m.* defendant

acharné strenuous (work); desperate

achat *m.* purchase

acheter to buy; — **à** buy from

acheteur *m.* buyer

achever to finish, end

acier *m.* steel

acquérir to acquire; buy

acquis (*v.* **acquérir**) acquired

acquisition *f.*: **un acte d'**— purchase deed

acquitter to pay (*i.e.* debt); **s'**— **de**
acquit o.s. of, carry out, do (one's
duty)

âcre bitter, tart

acte *m.* act, action; deed. — **d'accusation** bill of indictment

acteur *m.* actor

action *f.* act, deed; — **de grâce**
act of thanks, thanksgiving

actuel present, existing

adieu farewell, good-bye; — **le
détail!** good-bye to retailing!

adjoint *m.*: — **au maire** deputy
mayor

admettre to admit (of)

adoptif adopted (child)

adoré *m.* adored one

adosser to lean (with one's back);
s'— **contre** (**à**) lean against

adoucir to subdue, calm

adresse *f.* address; destination; skill

adresser: **s'**— **à** to address, speak
to; apply to

adroitement skillfully, cleverly
adversaire *m.* opponent
adverse: la partie — the opposing party, the opponents
aérien *adj.* aerial, air
affaiblir to weaken; **s'**— become weak
affaire *f.* business, thing, matter; case, question; bargain; **les —s** business; **avoir** — **à** to have to do (to deal, have business) with; **tirer qn d'**— pull s.o. out of trouble, cure s.o.
affairé busy; preoccupied, fretful
affaissé collapsed, sunk (down); **s'affaisser** to collapse, sink down
affaîter to tame, train (a hawk)
affecté affected; pretended
affectueux affectionate
affermir to strengthen, confirm; establish
affiche *f.* poster; sign
affirmation *f.* assertion, statement
affirmer to affirm, assert; **s'**— assert o.s., assert one's authority
affliger to afflict (with, de); pain, torment; **s'**— **de ne pouvoir** be sorry not to be able
affluer to flock, throng
affoler to upset, drive crazy, throw into a panic; **s'**— become panicky
affreusement dreadfully, terribly
affreux horrible, frightful, awful
afin: — **de** in order to, so as to; — **que** (+ *subj.*) so that, in order that
agacer to tease; irritate
âge *m.* age; old age; **dès l'**— **de huit à neuf ans** at eight or nine years of age
âgé old; aged
agenouiller: s'— to kneel (down)
agent *m.* policeman
aggraver to aggravate, make worse
agir to act; — **en** do (behave, act) like; **s'**— **de** be a question of
agiter to move, agitate, trouble, disturb; shake; **s'**— move

agneau *m.* lamb; **rien de si** — nothing so lamblike
agonie *f.* death agony
agrandi enlarged; **yeux –s** eyes wide open
ah! there! well! oh!
ahurissement *m.* bewilderment, confusion
aide *f.* help, aid; **venir en** — **à** to come to the help of
aider to help
aie: que j'— that I (should, may, will) have
aigrir to embitter, exasperate
aigu, –uë sharp, pointed; acute
aile *f.* wing; — **de moulin** windmill sail (vane)
aille (*v.* aller): **que je m'en** — that I (should, may, will) go away
ailleurs elsewhere; **d'**— besides, furthermore; anyway, incidentally; in other respects
aimable nice, friendly, kind
aimé *m.* loved one
aimer to like, love, be fond of; **aimez-vous?** are you in love? **j'aime mieux le refaire** I'd rather do it over again
aîné *adj.* elder, eldest, older
ainsi thus, so, like, in this way, therefore; — **l'appellent-ils** (*inversion*) thus it is called; — **donc** therefore; — **que** as well as, like
air *m.* air; tune; atmosphere; sky; appearance, manner, way; **avoir l'**— **de** to seem to; **dans les –s** in the upper regions of the atmosphere; **prendre l'**— get some fresh air
aire *f.* area; *av.* airstrip
aisance *f.* ease
aise *f.* ease, comfort; pleasure; **être à son** — to be comfortable, happy; **être bien** — be very glad, perfectly happy
aisé easy; free; well-to-do
aisselle *f.* armpit; arm
ait (*v.* avoir): **où il y** — where

there is; **qu'il** — that he (it) may (should, will) have

Aix-en-Provence capital of Provence, seventeen miles north of Marseilles

ajouter to add

ajuster to fix, fit, straighten

alentours *m. pl.* neighborhood, vicinity

alerte quick, agile, brisk

Alger *m.* Algiers, capital of Algeria, North Africa

Algérie: l'— *f.* Algeria

aligner to line up, draw up, lay out; **s'**— fall into line

allaiter to nurse (a baby)

allécher to tempt, entice

allègre cheerful, lively, gay

allégresse *f.* cheerfulness, joy; nimbleness

Allemagne: l'— *f.* Germany

allemand *adj., n.* German

aller to go; be going; fit, befit; **bien** — suit, fit, become; be in good health; **s'en** — go away, leave; **il en ira comme il pourra** things will take their natural course

allez go; —! come on! — -vous-en lire go ahead and read

allocution *f.* short speech

allonger to stretch out

allons: —! —! come, come! really! — donc! not really! come now!

allumer to light (a fire)

allure *f.* manner, gait, walk; look; speed

allusion *f.* reference; **faire** — à to allude to

alors then, so, well, when; — que whereas, while

alouette *f.* lark

altérer to affect, change (for the worse)

altesse *f.* (royal) highness

altimètre *m.* altimeter (barometer for measuring altitudes)

alvéole *m.* little cavity, alveolus, socket

amant *m.* lover

ambassade *f.* embassy

amasser to pile up; **s'**— gather, accumulate

âme *f.* soul; spirit; **l'accord des** —**s** mental and spiritual affinity; **par mon** —! 'pon my soul!

aménager to fit up, arrange, fit out (a ship)

amende *f.* fine

amener to bring (in, about); lead, conduct; cause, induce

amer, *f.* –**ère** *adj.* bitter

amertume *f.* bitterness

ami *adj.* friendly; *n. m.* friend

amitié *f.* friendship

amollir: **s'**— to soften

amour *m.* love, affection

Amour *m.* Cupid

amoureux *adj.* loving; — **de** in love with; **devenir** — to fall in love; *n.m.* lover, sweetheart

amour-propre *m.* pride, self-respect; vanity

ample spacious, large

amuser to amuse; **s'**— have a good time; **s'**— **à le garder** dare to keep him

an *m.* year

anabaptiste *m.* Anabaptist (member of a sect which rejects infant baptism)

analyse *f.* analysis

ancêtre *m.* ancestor

ancien ancient; former

ancre *f.* anchor

andouiller *m.* antler (of a stag)

âne *m.* donkey

anéantir to annihilate, destroy; exhaust; **s'**— be reduced to nothing

anéantissement *m.* annihilation; deathlike sleep

ange *adj.* angelic; *n.m.* angel

angélus *m.* Angelus (morning, noon, evening prayer)

anglais *adj.* English

Anglais *m.* Englishman

angle *m.* angle; corner; **la maison faisait** — the house was on the corner

Angleterre: l'— *f.* England
angoisse *f.* anguish, anxiety; agony
angoissé anguished; terrified
animer to enliven, inspire, arouse, quicken; **s'—** become aroused, incensed
année *f.* year
annoncer to announce
antichambre *f.* antechamber, waiting room
antiquaire *m.* antique dealer
antique old, ancient, antique
antiquités *f.pl.* antiques
antre *m.* cave, den
anxiété *f.* anxiousness, anxiety
août *m.* August
apaiser to appease, calm, pacify; **s'—** quiet (calm) down
apercevoir to see; perceive, observe; **s'— de** notice
aperçu *n.m.* general outline, sketch, summary
aplatir: s'— par terre to lie flat on the ground; **s'— dans l'eau** fall face down in the water
apogée *f.* height, peak
apologie *f.* : **faire l'— de qn** to vindicate, defend s.o.
apologue *m.* fable
apparaître to appear, seem
apparemment apparently; **— que** apparently
apparence *f.* look, appearance; indication; **en —** on the surface, ostensibly; **selon toute —** to all appearances
apparition *f.* appearance; ghost
appartement *m.* apartment
appartenir à to belong to
appel *m.* call; **sans —** without appeal, final
appeler to call; require the presence of; **j'en appelle à** I appeal to; **faire — qn** call (summon) s.o.; **s'—** be called, be named
applaudir to applaud, praise
applaudissement *m.* applause; **des —s craquèrent** there was a burst of applause

appliquer to apply
apporter to bring
apprécier to appreciate
apprendre to learn; teach
apprenti *m.* apprentice
apprentissage *m.* apprenticeship; **entrer en — chez** to become apprenticed to
apprêt *m.* preparation
apprêter to make (get) ready, prepare; **s'— à** get ready to, come near
appris learned; taught
approche *f.* approach, nearness
approcher to approach, draw (come) near; bring forward; **s'— de** come near
approuver to approve of
appui *m.* support; **— -coude** elbow support; **point d'—** prop
appuyer to lean, press; support, back; **s'— à** lean (press) against
âpre bitter; sharp, keen
après after; later; **d'—** according to
après-midi *m.* afternoon
a priori from cause to effect, a priori
aquilin aquiline, eagle-shaped; **il avait le nez un peu —** he had a slightly Roman nose
araignée *f.* spider
arbalète *f.* crossbow
arbitre *m.* arbitrator, referee
arbre *m.* tree
arbuste *m.* shrub, bush
arc *m.* arch
arche *f.*: **— cintrée** semicircular arch
archevêque *m.* archbishop
arçon *m.* saddlebow
ardent voracious
ardeur *f.* ardor; passion, love; zeal
arête *f.* ridge
argent *m.* silver; money
aride barren, arid
arme *f.* weapon; *pl.* arms; **vous voilà les –s à la main** here you are ready for work
armée *f.* army

armoire *f.* closet; cupboard; wardrobe

armure *f.* armor

arracher to tear (out, up, away); pull out, wrench

arranger to arrange, prepare, settle; **s'—** manage, get along

arrêt *m.* arrest

arrêter: s'— to stop, pause

arrière *adj., n.m.* back, rear; **un vent —** tail wind; *adv.* **cn —** behind; backwards, back

arrière-boutique *f.* back shop

arrivée *f.* arrival

arriver to arrive, come; happen; **— à** reach; **— à faire** succeed in doing

arrondissement *m.* ward, district; division of a **département**

arroser to water, sprinkle

artifice *m.* contrivance, trick

ascendance *f.* ancestry

aspect *m.* look(s), appearance, sight

aspirer à to aspire to, long for

assaillir to assail, assault, attack, beset

assainir to purify

assassinat *m.* assassination

assassinée *f.* murdered woman

assaut *m.* attack, onslaught

asseoir to seat; **s'—** sit down

asservissement *m.* enslavement, slavery

assez enough; rather; **un — grand nombre** quite a number

assidu attentive, constant, diligent, assiduous

assiduité *f.* assiduousness

assied (*v.* **asseoir**): **il s'—** he sits down

assiette *f.* plate

assigner to summon, cite (as witness), subpoena; **faire — qn (en justice)** subpoena s.o. (to appear in court)

assis (*v.* **asseoir**): **je m'—** I sat down; **bon sens —** sound judgment

assister à to be present at, be a witness of; help, aid

associé *m.* associate

assommer to knock down, beat to death, overcome

assommoir *m.* tavern, dive

assorti matched, assorted

assourdissant *adj.* deafening, muffled

assujettir to subject, subjugate; fasten

assuré assured, firm, confident

assurément surely, naturally

assurer to make sure, assure; insist

astre *m.* star, heavenly body; orb, sun

astreindre to compel, oblige; **s'— à** force o.s. to

astuce *f.* cunning; wit

atelier *m.* workshop; studio

athée *m.* atheist

Athènes *f.* Athens

âtre *m.* hearth; fireplace

attacher to attach, tie; **s'— à** cling to

attaque *f.* attack

attaquer to attack; **s'— à** attack

attarder: s'— to linger, loiter; stay late

atteindre to attain, reach, arrive at; hit; **— sa majorité** come of age

atteler to harness

attendant: en — in the meantime, until

attendre to wait (for), expect; **voilà où je vous attendais** I've got you there; **s'— à** expect

attendrir: s'— to be moved (emotionally)

attendrissant *adj.* moving

attendrissement *m.* tender emotion, feeling of pity

attentat *m.* (criminal) attempt, attack

attente *f.* waiting, expectation

attenter to make an attempt at; **— à ses jours** try to commit suicide

attention *f.* **—!** look out! be careful! **faire — à** be careful about, pay attention to

attirer to attract, draw, bring together

attrait *m.* attraction, charm

attraper to catch; fool

au in (at, to, from)

aube *f.* dawn

auberge *f.* inn

aucun *adj.* no, any; *pron.* none, no one

aucunement in no way, not at all, by no means

audace *f.* boldness, audacity; insolence

au-delà (de) beyond

au-dessous *adv.* below, underneath; *prep.* — de below, under

au-dessus *adv.* above, over; *prep.* — de above, over

au-devant de toward; in front of

audience *f.* hearing, court sitting; **il leva l'—** he adjourned the court

augmenter to increase, raise

augure *m.* omen

auguste majestic

aujourd'hui today; nowadays

aumône *f.* alms, charity; **demander l'—** to beg

aune *f.* ell, ell-measure (3 feet, 11 inches); yardstick

auparavant before, previously

auprès near; — de beside, near; in comparison with (to)

auquel at (to, of) which (whom)

auréole *f.* halo

aussi also, too; so, consequently, therefore (+ *inversion*); finally, for sure; — **bien** just as well, for that matter, in any case

aussitôt immediately; — **que** as soon as

austère severe, harsh

autant as much, as many; **d'— plus grave que** all the more serious because

autel *m.* altar

auteur *m.* author; ancestor; **les —s de mes jours** my parents

autobus *m.* bus

automne *m.* autumn

autour *adv.* around, about, near; *prep.* — de around

autre *adj.* other; *pron.* other one; **tout — que** anyone else but

autrefois formerly, in the old days; **d'—** of old

autrement otherwise; particularly

autrui other people, others; another person

avaler to swallow

avance *f.* advance; **d'—, par —** beforehand

avancement *m.* projection (of roof)

avancer to advance; put forth; **s'—** move forward

avant before, in front (of); — **de lire** before reading; **en —** before, forward; in front of; **jusque bien — en mon âge** until I was quite old; *n.m.* front; **vers l'— de** toward the front of

avant-veille *f.:* **l'—** two days before

avare *adj.* stingy, miserly; *n.m.* miser

avec with

avenir *m.* future; **à l'—** in the future; **et qu'à tout l'—** and henceforth

aventure *f.* incident, adventure; experience

avérer: s'— to become, show o.s., prove

averse *f.* shower; downpour

avertir to warn, notify

aveu *m.* confession; **faire un —** to confess, admit

aveugle blind

aveuglément blindly

aveugler: s'— to blind o.s.; fool o.s.

avion *m.* airplane

avis *m.* advice; opinion; warning; **à mon —** in my opinion; **donner des —** to give some advice; **être d'— que** be of the opinion that

aviser to inform; think over; — **à** deal with; see about; **s'— de** take it upon o.s. to, take it into one's head to

avocat *m.* lawyer; counsel; — **sans**

cause lawyer without a brief; — général public prosecutor

avoine *f.* oats

avoir to have, possess; get, obtain; qu'avez-vous? what's the matter with you? — froid be cold

avoir *m.* property; tout mon — all I possess; — liquide ready cash

avouer to confess, admit, acknowledge

ayant having

azur *m.* azure (blue) sky

B

babillard talkative

babiller to chatter, gossip

bachelier *m. obs.* young man

badaud *m. slang* rubberneck; loafer

badin bantering

badinage *m.* bantering, jesting

badiner to trifle

bagarre *f.* brawl, fight

bagatelle *f.* trifle

bagne *m.* convict prison; chain gang

baguette *f.* small stick, rod

bah! really! is that so! indeed!

baigné bathed, wet

bail *m., pl.* baux lease

bâiller to yawn

bailler *obs.* to give; — un coup start sth. moving

bain *m.* bath

baiser *m.* kiss; *v.* to kiss

baisser to lower; let down; decline; se — lean down, bend down; le jour baissait day was dying

bal *m.* dance; — public dance hall

balai *m.* broom

balancer to swing, balance, poise

balayer to sweep

balcon *m.* balcony

baliverne *f.* nonsense, idle talk

ballade *f.* ballad (poem, not song)

balle *f.* bullet; ball

ballotter to toss about

banc *m.* bench

bande *f.* strip; bunch, gang, crowd

bandeau *m.* blindfold

bander to tighten, stretch (bow); bandage, bind up

banlieue *f.* suburb(s), outskirts

bannir to banish

banque *f.* bank

banquette *f.* bench; bank (of earth)

banquier *m.* banker

barbe *f.* beard; corner (of headdress)

barbier *m.* barber

barbouiller de to scribble with

baronne *f.* baroness

barque *f.* boat, (small) craft

barreau *m.* bar

barrer to bar, block

bas *adj., adv.* low; tête basse head down; à voix basse in a whisper; parlons (tout) — let's speak softly

bas *m.* bottom; lower part; à — N.! down with N.! en — downstairs, down below; ici- — here on earth

basculer to swing, tip, rock

bassesse *f.* meanness

basset *m.* basset (hound)

Bastille: la — fortress in Paris, used as a political prison. A symbol of tyranny, it was destroyed in the Revolution of 1789.

bât *m.* packsaddle; un mouton de — pack sheep

bataille *f.* battle

bateau *m.* boat

bâtiment *m.* building

bâtir to build; faire — une maison have a house built

bâton *m.* stick

battant *m.* wing, leaf (of door); door (of cupboard); pluie –e driving rain

battement *m.* beat(ing); clashing; pattering

battre to beat, strike; flutter, throb; sway se — fight

battu beaten

battue *f.* raid

baux see bail

bavard talkative

bavardage *m.* idle talk, gossip
bavarder to talk, chat, gossip
bave *f.* foam (from mouth)
bavette *f.* grating (of sewer)
bê! baa!
béant gaping, staring
béatifique blissful, blessed
beau *adj.* beautiful; **faire —** to be a nice day; **un — soir** one fine evening; *adv.* **vous avez — faire** no matter what (however much, in spite of how much) you do; *n.*: **le —** the beautiful
beaucoup much, many, a great deal
beau-fils *m.* stepson
bécasse *f.* woodcock
bec-de-cane *m.* lever, handle (of door), door knob
bêcher to spade
becqueté pecked (at)
bégayer to stammer, stutter
béjaune *m.* ninny; novice
bel, belle handsome, beautiful; fine; **— esprit** wit (*pers.*)
bêler to bleat
belge Belgian
belle *adj. f.* beautiful; **de plus —** more (worse, harder) than ever
belle-mère *f.* mother-in-law; stepmother
bénéfice *m.* profit
bénéficier de to profit by
Benghazi Bengasi, seaport in northern Libya
bénir to bless
berceau *m.* cradle
bercer to rock, soothe
berger *m.* shepherd
bergerie *f.* sheepfold
Besançon city, 250 miles southeast of Paris
besogne *f.* duty; job, work, task
besoin *m.* need; want, necessity; **au —** if necessary; **avoir — de** to need
bestiole *f.* small animal, creature
bête *adj.* stupid; *n.f.* animal, creature; fool
bêtement stupidly

bêtise *f.* stupidity; **faire des —** to do foolish things
beurre *m.* butter
biais: regarder qn de — to look sideways (give a side glance) at s.o.
bien *adv. conj.* well; very, very much; certainly, indeed, exactly; *adj.* comfortable; **eh —!** well! **— des choses** many things; **ou —** or else, rather; **— que** although (+ *subj.*); **si — que** so that, in such a way that; **— sûr** certainly; **tant — que mal** after a fashion; *n.m.* wealth; property; good
bien-aimé beloved; *n.m.* darling, dear
bienséance *f.* propriety, decency
bientôt soon
bienvenu *adj.* welcome; **soyez le —!** welcome!
bière *f.* beer
bijou *m.* jewel
billet *m.* banknote, note; bill
bisaïeul *m.* great-grandfather
bitume *m.* asphalt
bizarre strange, odd
blafard pale, wan
blaireau *m.* badger
blanc, f. blanche white; pale; blank; *n.m. obs.* small silver coin
blanchâtre whitish
blancheur *f.* whiteness; brightness
blanchir to whiten; whitewash
blatte *f.* cockroach
blé *m.* wheat; grain; *pl.* wheat fields
blême livid, pallid, pale
blessé wounded; injured; **il fut —** his feelings were hurt
blesser to wound, injure; offend
blessure *f.* wound, injury
bleu blue
bloc *m.* lump; **tomber d'un —** to fall in a heap
blond golden, yellow, fair
blottir: se — to crouch, cower, huddle
bluet *m.* cornflower, bluebottle
bohème Bohemian

bohémien *m.* gypsy
boire to drink; *n.* le — drinking
bois *m.* wood; woods
boisson *f.* drink
boîte *f.* box; — de nuit nightclub
bombance *f.* feasting, festivity
bon *adj.* good, nice; correct; rare; genuine; *adv.* all right, well; **cela n'a fait — qu'à moi** *obs.* that was only profitable to me; **tenir — to stand firm;** *n.m.,* voucher, bill
bonasse innocent, simple-minded
bonbon: **-s** *m.* candy
bond *m.* jump, leap
bondir to jump, leap, bound
bonheur *m.* happiness; good fortune, luck
bonhomie *f.* good nature
bonhomme *m.* (good-natured) chap
bonjour *m.* hello, good morning (afternoon)
bonne *f.* maid
bonnement *adv.* plainly; **tout — simply**
bonnet *m.:* — de nuit nightcap
bonsoir *m.* good evening
bonté *f.* goodness, kindness; **avoir la — de** to be kind enough to
bord *m.* edge; side; bank; **au — de** on the edge of
border to line, bound, edge (with *or* by, de); fringe
borne *f.* limit; milestone; curbstone
borner to limit; stop, arrest
bottine *f.* (high) shoe, boot
bouc *m.* he-goat
bouche *f.* mouth; **il avait toujours son nom à la —** he always had her name on his tongue
boucher to cork; plug up; **se — le nez** hold one's nose
boucherie *f.* butchery, slaughter
boucle *f.* buckle, curl; loop
bouclé curled
boudoir *m.* lady's private sitting room
boue *f.* mud
bouffée *f.* puff, whiff

bougeoir *m.* bedroom candlestick
bouger to budge, move
bougre *m.* brute, blackguard, nasty fellow; **ce — de farceur** the darn fraud
bouillir to boil
boule *f.* ball
bouleverser to upset
bouquet *m.* cluster, clump
bourdonner to hum, buzz
bourg *m.* large village, town, community
Bourgogne: la — Burgundy, province in eastern France, capital Dijon
bourrasque *f.* gust of wind
bourré stuffed
bourreau *m.* executioner
bourrelet *m.* roll, bulge
boursouflé swollen, blown (up)
bout *m.* end; (little) piece; **au — de** after, at the end of
bouteille *f.* bottle
boutique *f.* shop, store
boutiquier *m.* shopkeeper
bouton *m.* button
boy *m.* servant
boyau *m.* branch, narrow passageway
brailler to shout, yell
braise *f.* embers
bramer to moan, groan; bray; bell (of a stag)
branche *f.* branch, bough
branchement *m.* branching, junction
brande *f.* clump of heather
branle *m.* movement, agitation; swinging
branler to move, shake, agitate
bras *m.* arm; **à bout de —** on his finger tips, at arm's length; **à tour de —** with all his might
brasser to stir; handle
brave *adj.* brave; good; *n.m.* brave man; good man; **faire le — to** pretend to be brave
brebis *f.* (female) sheep, ewe
brèche *f.* breach, gap

bredouiller to stammer, mumble, jabber

bref, *f.* **brève** *adj.* brief, short; abrupt; *adv.* in short; **pour être — briefly,** in short

Brest *m.* French naval base in western Brittany; almost completely destroyed by Allied bombings during World War II

Bretagne: la — Brittany

breton *adj.* Breton, from Brittany

bridé: avoir les yeux —s to have slant eyes

brider to bridle (a horse)

brièvement briefly

brigand *m.* bandit, robber

brillant shining, gleaming

briller to shine, gleam

brin *m.* blade (of grass); bit, snatch

brique *f.* brick

brise *f.* breeze

briser: se — to break

brocard *m.* gibe; lampoon

brocart *m.* brocade

broche *f.:* **mis en —, mis à la —** put on the roasting spit

brochure *f.* pamphlet

broder to embroider

brouillard *m.* fog, mist, haze

brouillé confused; mixed; **avoir la cervelle —e** to be crazy; **être — avec** be on bad terms with

broussaille *f.* brushwood, bramble

brouter to graze; nibble

bruissait (*v.* **bruire**) stirred, rustled

bruit *m.* noise, sound; rumor; **à grand — noisily; au seul —** at the very sound

brûlé burned; tanned

brûler to burn; inflame; **— de** be anxious to

brûlure *f.* burn, scald

brume *f.* thick fog; haze, mist

brumeux hazy, foggy; gloomy

brun brown, dark-haired

brune *n.f.* brunette

brusque abrupt

bruyant noisy; loud

bruyère *f.* heather; **un coq de — heath cock, black grouse**

bu (*v.* **boire**) drunk

bûcher *m.* pyre

buée *f.* mist; steam

buisson *m.* shrub, bush

bulgare *adj.* Bulgarian

bulle *f.* bubble

bureau *m.* office

busc *m.:* **le — de corset** corset busk

buste *m.* bust; back

but *m.* purpose, aim, goal; target

butor *m.* boor, clod (*pers.*)

buvette *f.* small café

buveur *m.* drinker

buvez! drink!

C

c' *pron.* this, that; he, she, it

ça *pron.* that, it

çà *adv.* here; ah **—!** well, now! for heaven's sake!

cabale *f.* plot; **la — de X** the secret schemes against X

cabaler to intrigue, cabal (against, **contre)**

cabanon *m.* small hut, bungalow

cabaret *m.* nightclub, café, tavern

cabine *f.* cabin

cabinet *m.* office, study; small room

cabrer: se — to rear (horse)

cacher to hide, conceal (from, **à); se — hide**

cachette *f.* hiding place; **en — secretly**

cachot *m.* dungeon, cell

cadavérique: la rigidité — rigor mortis

cadavre *m.* corpse

cadeau *m.* present; **il lui fit — de** he made him a gift of

cadence *f.* rhythm

cadran-moteur *m.* dial connected with the engine

cafard *m.* cockroach; stool pigeon

cage *f.:* **— d'escalier** stairwell, stairway

cahier *m.* notebook

cahoté jolted, shaken

caille *f.* quail

caillou *m.* pebble, small stone

Caire: le — Cairo, capital of Egypt
caisse *f.* cashbox, cash register; **de
l'argent en —** cash on hand
calcul *m.* calculation, figuring
calé propped up
calembour *m.* pun
câliner to caress, cuddle
camarade *m.* comrade, buddy,
chum; classmate
camée *m.* cameo
camérière *f.* lady's maid; chambermaid
camisole *f.* shirt (underwear),
jacket
campagne *f.* country(side)
canaille *f.* rascal, scoundrel
canard *m.* duck; hoax
cancre *m.* dunce, ignoramus
caniveau *m.* gutter(stone)
canne *f.* cane; **— de sucre** (*mod.
Fr.* **— à sucre**) sugar cane
cannelle *f.* cinnamon
canot *m.* rowboat, canoe
cantique *m.* song, hymn
canton *m.* district, region; spot;
division of an **arrondissement**
caoutchouc *m.* rubber
cap *m.*: **mettre le — sur** to head
for
capitaine captain
capitalement very much, terribly
capotage *m.av.* crashing, turning
over; crash landing
capuchon *m.* hood
car because, for, as
carabine *f.* carbine, small rifle
caractère *m.* characteristic; disposition; character
carcasse *f.* carcass
caressant affectionate
caresse *f.* caress; kiss, hug
carminatif cleansing, for the complexion; **eau carminative** lotion
to freshen the complexion
carnage *m.* slaughter
carré *adj., n.m.* square; **— de légumes** vegetable plot
carrefour *m.* crossroads, intersec-
tion
carrière *f.* career; track, arena;

donner libre — à to give free
play to
carrosse *f.* carriage
carte *f.* card; map
Carthage *f.* capital of an ancient
country in North Africa, conquered by Rome
carton *m.* cardboard
cas *m.* case; matter; event; position; **en tout —, dans tous les —**
in any case, anyway
casaque *f.* coat, jacket
casque *m.* helmet; **en —** helmetlike
casquer to cap
casser to break; **se —** break(up)
casse-tête *m.* (policeman's) club,
blackjack, bludgeon
cassure *f.* break, fracture; broken
fragment
castor *m.* beaver
Caucase: le — the Caucasus
(mountain range in Caucasia,
Soviet Union)
cauchemar *m.* nightmare
cause *f.* cause; case; **à — de** on account of; **avait pour —** was
caused by
causer to cause, occasion; bring
about (change); talk, chat
cavalier *m.* rider; gentleman; part-
ner, escort
cave *f.* cellar; cave
ce *adj.* this, that; *pron.* it, this that,
the (a) thing; they; he, she; **sur
—** with these words
ceci *pron.* this
céder to yield, give in (*or* up); turn
over
ceinture *f.* belt, waist
cela *pron.* that; it
célèbre famous, celebrated
célébrer to celebrate; praise
celer to conceal, hide
céleste heavenly, celestial
celui, *f.* **celle** *pron.* this (that) one;
— -ci this one; the latter
cendre *f.* ash(es)
cent *adj., n.m.* (a) hundred; **six
pour —** six per cent
centaine *f.* about a hundred

centième *m.* hundredth (part)

centimètre *m.* centimeter (·3937 in.)

centre *m.* center, middle

cependant however; *obs.* meanwhile

cercle *m.* circle; set

cercueil *m.* coffin, casket

cerf *m.* stag, deer, buck

cerne *m.* circle (under eyes)

certain *adj.* some; certain, sure, positive

certes *adv.* certainly, of course; non —! certainly not!

certitude *f.* certainty; avoir la — to be sure

cerveau *m.* brain; mind

cervelle *f.* brain(s)

cesse *f.* ceasing; sans — without cease

cesser to cease, stop

c'est-à-dire that is to say

ceux *pron. m.pl.* those, these

chacun *pron.* each (one)

chagrin *adj.* sad, grieved; distressed; gloomy; être — de to be annoyed at; *n.m.* sorrow, grief; annoyance

chaîne *f.* chain; fetters; — éternelle eternal bondage

chaînon *m.* link (of chain)

chair *f. sing.* and *pl.* flesh; skin

chaire *f.* desk; rostrum; la — magistrale the professorial chair

chaise *f.* chair

châle *m.* shawl

chaleur *f.* heat, warmth; passion, anger; excitement

chalumeau *m.* flute, pipe

chambranle *m.* frame, casing (of door)

chambre *f.* bedroom; room; — à air inner tube

champ *m.* field

chance *f.* luck

chandelle *f.* candle

changer to change; exchange

chanson *f.* song

chanter to sing; say; qu'est-ce qu'il me chante? what nonsense is this?

chanteur *m.* singer

Chantilly town, twenty-six miles north of Paris

chapeau *m.* hat

chapelle *f.* chapel

chapitre *m.* chapter; question

chaque *adj.* each, every

char *m.* chariot, carriage

chardon *m.* thistle

charge *f.* load; burden; responsibility; avoir des –s to have responsibilities; être dans la — de *obs.* be in charge of

charger to load, burden; fill; accuse; — qn de qch instruct s.o. to do sth.; se — de take upon o.s.

charmant charming, delightful

charme *m.* charm, spell; filter, love potion

charrier to carry, transport; swing

charron *m.* wheelwright

Chartreuse *f.* Charterhouse

chasse *f.* hunting, hunt; chase; être en — to be hunting

châsse *f.* shrine

chasser to hunt; chase, drive away

chasseur *m.* hunter

chat *m.* cat; mon petit — my darling

châtaigne *f.* chestnut

châtaignier *m.* chestnut tree

châtain (chestnut) brown

château *m.* castle

Château-Thierry town, sixty miles east of Paris

châtelain *m.* lord of the manor, chateau owner

châtier to punish; beat up

châtiment *m.* punishment

chaud warm, hot; faire — to be hot; *n.m.* warmth; être bien au — be nice and warm

chauffer to heat, warm; se — warm o.s., get warm

chaume *m.* thatch, stubble

chausse-trape *f.* snare, trap

chauve bald

chef *m.* leader, chief; head

chef-d'œuvre *m.* masterpiece

chemin *m.* way, road, path; **grands –s** highways

cheminée *f.* chimney; fireplace; mantelpiece

cheminer to go one's way

chemise *f.* shirt; **être en —** to be coatless, in one's shirt sleeves

chêne *m.* oak (tree)

chenil *m.* (the *l* is silent) kennel

cher dear; costly; **coûter —** to cost a great deal

chercher to look for, seek; find; **aller —** go, get, fetch; **— à** try to; **envoyer —** send for

chère *f.* food; **faire bonne (mauvaise) —** have a good (bad) meal

chéri dear, dearest; *n.m.* dear one, beloved

chérubin *m.* cherub

cheval *m.* horse

chevalerie *f.* chivalry; gallantry

chevaucher to ride (horse)

chevelure *f.* (head of) hair

chevet *m.* head (of bed)

cheveux *m.pl.* hair; *obs.* foliage

chèvre *f.* goat

chevreuil *m.* deer

chez at (in, to, into) the house (shop, country) of; at; with; **— les morts** among the dead; **de — X.** from X.'s

chicaner qn to wrangle with s.o.

chien *m.* dog

chienne *f.* female dog

chiffon *m.* rag; piece (of cloth)

chiffré numbered

chignon *m.* bun (of hair); **en —** with her hair done up

chimiste *m.* chemist

chiné mottled

chinois *adj., n.* Chinese

Chinon town, 160 mi. southwest of Paris, birthplace of Rabelais

chirurgien *m.* surgeon; **— général** head surgeon

choc *m.* shock

chœur *m.* choir; chorus

choisir to choose

choix *m.* choice

chômer to be idle (unemployed)

choquer to shock, offend; knock

chose *f.* thing; affair, matter; **il n'est —** there is nothing; **peu de —** not much, of little consequence; **plus que toute—** more than anything (else); **quelque — de vieux** something old

chou *m.* cabbage

chrétien *m.* Christian

chrétienté *f.* Christendom

chronique *f.* chronicle

chrysalide *f.* chrysalis, hard-shelled pupa of a moth or butterfly

chuchotement *m.* whisper, whispering

chuchoter to whisper

chute *f.* fall

ci here; this; **celui- —** this one; **comme —, comme ça** so-so

ciel *m., pl.* cieux sky, heaven(s)

cigogne *f.* stork

cil *m.* eyelash

cimenter to cement, consolidate

cinquante fifty

cintré curved, arched

circonspect prudent, cautious, wary

circonstance *f.* circumstance, event

ciron *m.* amoeba, mite (formerly believed to be the smallest of insects)

cirque *m.* circle; circus

ciseaux *m.pl.* scissors

citation *f.* quotation

citer to quote; mention

citoyen *m.* citizen

Civita-Vecchia small Italian seaport, near Rome

clair clear, bright; **faire —** to be light; **voir —** understand

clairement clearly; **tout —** precisely

claque *f.* slap

clarté *f.* clearness, brightness; glow

classe *f.* class; **de basse —** from the lower classes

classique *adj.* classical; *n.m.* classicist

clé, clef *f.* key

clerc *m.* assistant, secretary; learned person

Clermont-Ferrand capital of the province of Auvergne, 260 miles south of Paris

cligné narrowed, squinting

cloaque *m.* sewer; filth

cloche *f.* bell; tirer la — to ring the bell

clochette *f.* small bell

clore to close, end

clos shut, closed; mi- — half-closed

clou *m.* nail

clouer to nail; hold fast, pin down

coche *m.* stagecoach

cocher *m.* coachman

cochère *adj.:* porte — carriage entrance, gateway

cochon *m.* pig

coco *m.* individual, fellow; la noix de — coconut

cocotier *m.* coconut tree

cœur *m.* heart; affection; spirit, mind; de tout leur — with all their might

coffre *m.* chest; bin

coffret *m.* (small) jewel box

cogner to knock, hit; se — dans bump into

coiffé: bien — with a nice hairdo; je dirais comment elle était –e I could describe her hairdo

coin *m.* corner; angle, nook

col *m.* neck; collar; faux — detachable stiff collar

colère *f.* anger; mettre en — to anger; se mettre en — become angry

colibri *m.* hummingbird

colimaçon *m.* snail

collé *adj.* tight; glued

collectionner to collect

collège *m.* (primary and secondary) school; high school

collègue *m.* colleague

coller to paste; se — stick

collier *m.* necklace

colline *f.* hill

colombe *f.* dove; rien de si — nothing so peaceful

colonne *f.* column

colorier to color (manuscript, document)

colosse *m.* colossus, giant

combattant *n.* fighter

combattre to fight

combien (de) how much, how many

combinaison *f.* arrangement, combination

comble *m.* climax, culmination; pour — de malheur as the last straw; mettre le — (à) to crown all

commandant *m.* boss; major

commandement *m.* command; authority; order

commander to order

comme like, as, such as; because, since; just as, as well as, as it were, as if

commencement *m.* beginning

commencer à (de) to begin to

comment how, in what manner; why, wherefore; —! what! — donc! really! and how!

commentaire *m.* commentary, annotating

commenter to comment, remark (upon)

commerçant *m.* merchant; businessman

commerce *m.* business; deal; relationship

commère *f.* (gossipy) woman, busybody

commettre to commit; entrust; compromise

commis *m.* clerk, salesman; — voyageur traveling salesman

commissaire *m.* commissioner; — de police chief of police

commission *f.* errand; faire mes –s to run errands for me

commode convenient; easy

commodément easily; conveniently

commodité *f.* convenience

commun common (to, à); usual; equal (share)

commune *f.* town, township, village; parish

communément commonly

communicatif talkative

communiquer to communicate

compagnie *f.* company, party

compagnon *m.* companion; — **d'armes** comrade in arms

compatissant compassionate; tender-hearted

Compiègne town, forty-five miles northeast of Paris

complaire: se — à qch to take pleasure in sth.

complaisant obliging

complet, *f.* complète complete, full; *n.m.* suit (of clothes)

complexion *f.* temperament; constitution

complicité *f.* aiding and abetting

componction *f.* compunction, contrition, remorse

comprendre to understand; know; comprise

compris (*v.* **comprendre**) understood; **y —** including

comptant: donner moitié — to pay half in cash

compte *m.* account; count, total, amount; number; **au — de** considering, at the rate of; **au bout du —** after all, when all is said and done; **se rendre — de** to realize; **revenir sur le — de qn** change one's opinion about s.o.; **tenir — de qch** take sth. into consideration

compter to count, reckon, expect; be sure; **vingt et un an comptés** twenty-one years of age all told

comptoir *m.* counter; cashier's desk; **demoiselle de —** salesgirl

comte *m.* count, earl

concerté planned, plotted

concevoir to understand, conceive (of), imagine; derive

concierge *m.* doorkeeper, janitor

concision *f.* conciseness, brevity

concitoyen *m.* fellow citizen (countryman)

conclure to conclude; arrange

conclusion *f.* settling; *bus.* deal

concourir to compete; cooperate

concours *m.* help; competition

conçu (*v.* **concevoir**) conceived, understood

concupiscence *f.* envy, lust

concupiscent lecherous, envious

condamnation condemnation; conviction

condamné *n.* condemned man

condamner to condemn, sentence; judge

condition *f.* condition; term; rank; social standing; class; **à — que** (+ *subj.*) provided that

conducteur *m.* driver

conduire to lead, take, drive (s.o.); conduct; **se —** conduct o.s., behave

conduite *f.* conduct, behavior

confiance *f.* confidence, trust

confiant confiding, trustful

confidence: faire une — to tell a secret

confident *m.* confidant, *f.* confidante

confier to trust, entrust

confins *m.pl.* confines, borders

conflit *m.* conflict; skirmish

confondre to upset; confuse, disconcert; **se —** intermingle, come together

confrérie *f.* brotherhood; *colloq.* gang

confusément confusedly, indistinctly

congé *m.* holiday, leave; **demander —** to ask permission to leave; **prendre — de** take leave of

conjuguer to unite, blend, intertwine

conique cone-shaped

connaissance *f.* knowledge; acquaintance; lady friend

connaître to know; **— des causes** investigate the causes; **se — en** be a connoisseur of, know about

connu known

conquérant *m.* conqueror
conquête *f.* conquest
conquis (*v.* **conquérir**) conquered
consacrer to devote, dedicate
conscience *f.* consciousness; awareness; se faire — de qch to be scrupulous about sth., scruple to do sth.
conscient conscious, aware
conseil *m.* counsel, advice
conseiller *m.* counselor; judge of appeal; *v.* to advise, counsel
consentement *m.* consent; du — de with the consent of
consentir to consent
conséquent: par — consequently
conserver to preserve, keep, save; se — be preserved
considérer to consider; observe
consommé consumed
constater to notice, ascertain, verify, find
consterné worried, upset; taken aback
consulter: se — to consult each other
consumer: se — to burn away; il se consumait de douleur he was eating his heart out
conte *m.* short story; faire des –s de to tell tales about; make fun of; — de fées fairy tale
contempler to glance at, contemplate
contemporain contemporary
contenance *f.* countenance; perdre — to lose face
contenir to contain; restrain
content glad, happy
contenter to satisfy; se — de be satisfied with
conter to tell, relate (story)
conteur *m.* story teller
contigu, *f.* –uë adjoining
continu continuous, sustained
continuellement continuously
contour *m.* (*mod. Fr.* condor) condor, vulture
contraint constrained, forced (to, de)

contrainte *f.* constraint, compulsion
contraire contrary; au — on the contrary
contrarier to annoy; oppose, contradict
contrat *m.* contract
contre against; — de l'argent in exchange for some money; par — on the other hand
contredire to contradict
contrister: se — to become sad, be penitent
contrôle *m.* supervision, checking, checkup
convaincre to convince
convenable proper, decent; appropriate
convenance *f.* conformity, decorum; suitability
convenir to suit, fit; — de agree upon; il convient que it is suitable that
convention *f.* agreement, understanding
convenu : c'est —! it's agreed! that's settled!
convié *m.* guest
convier to invite
convive *m. or f.* guest
convoiter to covet, desire
convoitise *f.* covetousness, desire
coq *m.* rooster
coq-à-l'âne *m.* cock-and-bull story
coque *f.* shell
coquetterie *f.* vanity; affectation
coquillage *m.* (sea) shell
coquin *m.* rogue, scamp, scoundrel
corbeau *m.* crow
corde *f.* rope, string
cordon *m.* cord, string
corneille *f.* crow
corps *m.* body; le — municipal the mayor and his council, the selectmen; en — in a body
corriger to correct
corrompre to corrupt
corsage *m.* blouse, bodice
cortège *m.* procession
côte *f.* slope, hill; rib; side; coast;

se tenir les –s de rire to hold one's sides from laughing

côté *m.* side; direction; à — de next to; baiser qn des deux –s to kiss s.o. on both cheeks; de — sideways; de l'autre — on the other side; d'un autre — on the other hand; de ce — in this direction; de quel —? in what direction? du — de alongside; in the direction of; de son — on her part, as for her; de tous les –s in all directions

côtelette *f.* chop

cou *m.* neck

couard *obs.* cowardly, servile

couché lying (down)

coucher to lay down; (aller) se — go to bed; lie down

coude *m.* elbow; angle, turn

coudoyer to brush (up) against, be very near

coudre to sew

coudrier *m.* hazel tree

couler to flow, run; glide on; sink; se — slip, creep, steal (in, through, dans)

couleur *f.* color

couloir *m.* hallway; hall; passageway; channel

coup *m.* blow, stroke; shot; rap; jerk; trick, incident; à –s de with blows (strokes) of; — de bâton blow with a stick; au — de la cloche at the sound of the bell; donner des –s à to hit, knock, beat; — de feu (pistol) shot; — de maître master stroke; du même — at the same time; — sur — in rapid succession; tout à —, tout d'un — all of a sudden

coupable *adj.* guilty; *n.* le — the guilty boy (man)

coupe *f.* cup, goblet; vider quelques –s joyeuses to drain the merry cup

coupe-gorge *m.* deathtrap (*lit.* cutthroat place)

couper to cut; cut off

cour *f.* court, courtyard, yard; barnyard; court (of law); — d'assises Assize Court (trial session); faire la — à qn to court s.o.

courant *m.* course; current; — d'air draft; aller au — to drift with the current; mettre qn au — de inform s.o. of

courbe *f.* curve, bend

courbé bent (over)

courir to run; move (quickly); flow

couronne *f.* crown

courrier *m.* mail; mail plane; messenger

courroucé angry

cours *m.* course; flow; class, lesson, lecture; au — de in the course of, during; — d'eau river, stream

course *f.* race; prendre sa — to start running

court short

courtaud dumpy, squat (person)

courtine *f.* walk (on top of rampart), curtain (of rampart)

courtiser to court, woo

courtois courteous

courtoisie *f.* politeness

cousu (*v.* coudre) sewn

couteau *m.* knife

coutelas *m.* cutlass

coutelier *m.* cutler

coûter to cost; il n'en coûte à personne *obs.* he bothers no one

coutume *f.* custom, habit; avoir — de to be used to, be in the habit of; de — usual; usually

coutumier customary, usual

couture *f.* sewing

couturière *f.* dressmaker; seamstress

couvent *m.* convent

couver to hatch; nurse

couvercle *m.* cover, lid

couvert covered (with, de)

couverture *f.* cover; blanket

couvrir to cover; couvrez-vous put your hat on

cracher to spit

craignant fearing

craindre to fear, be afraid (of)

crainte f. fear

craintif timid, timorous

crâne m. skull; head

craquer to crack; crackle; creak; des applaudissements craquèrent there was a burst of applause

cravate f. tie; porter —s to wear ties, be all dressed up

crédit m.: être en — to be popular, be in favor

crédule credulous; trusting; obedient

créer to create

crépelure f. frizziness, fuzziness

crépu frizzy, fuzzy (hair)

crépuscule m. twilight, dusk

crête f. crest, ridge, top

crétin m. imbecile

creuser to dig; leave (trace)

creux hollow; sunken

crève-cœur m. heartbreak

crever to break; *slang* die

cri m. cry; jeter (pousser) un — to let out (utter) a cry

cribler to riddle (with, de)

crier to cry, yell, shout

crisper to clench, press, tighten; se — to become contorted, pinched (face)

cristal, *pl.* -aux m. crystal; crystal container; — de roche rock crystal

critique n.f. criticism

crochet m. hook; spit curl

crochu crooked; hooked

croire to believe (in, à, en), think; judge; hold true; il faut — que it is probable that

croisée f. casement window

croisement m. crossing

croiser to cross, meet; se — les bras fold one's arms

croisière f. cruise; journey

croissant m. crescent (of moon)

croissant (v. croître) growing, increasing

croître to grow; faire — increase

croix f. cross; avoir la — to receive the (cross of the) Legion of Honor

crosse f. butt (of gun)

crouler to crumble

croyance f. belief

croyant m. believer

cru believed

cruche f. pitcher

cruellement cruelly; painfully

crûmes (v. croire): nous — we believed

cueillir to pick, gather, collect, bring together; catch

cuiller, cuillère f. spoon

cuillerée f. spoonful

cuir m. leather

cuire to cook

cuisant baking, scorching (heat)

cuisine f. kitchen; cooking

cuisiner to cook

cuisinier m. cook

cuisse f. thigh

cuit cooked; avant que l'affaire ne fut —e before the deal was closed

cuivre m. copper

cul m. *vulg.* backside, bottom (of person)

cul-de-sac m. dead end, blind alley

culotte f. pants; *pl.* breeches

culpabilité f. guilt

cultivé educated, cultured

cumulus m. cumulus (cloud rack)

curé m. (parish) priest

curée f. quarry, chase (*hunt.*); spoils (of animals)

curieux curious, peculiar; ce que le pays a de plus — the most interesting souvenirs (products) of the country

cursif running, circular

cygne m. swan

D

dactylo f. m. typist

dague f. dagger

daigner to deign, consent (to)

daim m. deer; buck

dallage m. stone flooring; flagging

dalle f. flagstone

dame *f.* lady
damné damned
damoiseau young man
danois Danish
dans in, into; within; at; during
danseur *m.* dancer
dattier *m.* date palm
davantage more, still more, further
de *prep.* of, from, by, with, in, to, for, than, about, during
dé *m.*: — **à coudre** thimble
débarbouiller to clean the face of, clean up
débarrasser to rid; clear; **se — de** get rid of
débat *m.* debate, discussion; struggle
débattre : **se —** to struggle
débile weak; *n.m.* weakling
débit *m.* shop; tobacco shop
débiter to recite, tell; pour forth; retail, sell
déborder to overflow; stick out
debout standing; **se tenir —** to stand
débris *m.pl.* remains, scraps; pieces
débrouillard resourceful
début *m.* beginning
débuter to begin
décès *m.* death
décevoir to disappoint
déchaînement *m.* outburst (of passion)
déchaîner to unleash, let forth; **se —** be let loose, run riot
décharge *f.* discharge; spark
déchaussure *f.* footprint, track, scratch (of wolf)
déchirant heart-rending
déchirer to tear (up), rend
déchoir to come down
décidément decidedly, resolutely, firmly
décider to decide; **se — à** decide to
décimètre *m.* decimeter (1/10 meter, 3.937 in.)
décision *f.*: **avec —** resolutely
déclarer to announce, declare, proclaim
déclencher to touch off, launch

décliner to sink; decline
déclore to open up (flower)
décoller to unstick, loosen, disengage; *av.* take off
décorer to decorate, adorn (with, de)
découcher to sleep away from home
découper to cut out, outline; **se —** be outlined, stand out, show up
découragé discouraged
découvert uncovered; discovered; open
découverte *f.* discovery
découvrir to discover; uncover, expose; **se —** be seen
décrire to describe
décrocher to unhook, take down
décroître to decrease
dédaigner to spurn, refuse
dédaigneux disdainful
dédain *m.* disdain, scorn
dédale *m.* labyrinth, maze
dedans inside, within; in it, in them; **au —** (on the) inside; within
dédier to dedicate
dédommagement *m.* compensation; consolation
déduit *m.* *obs.* pleasure, pastime; practical skill
déesse *f.* goddess
défaillant faltering, failing, dying out; waning (light)
défaillir to grow weak, faint; lose strength
défaire to undo, untie; **se — de** get rid of
défaite *f.* defeat
défaut *m.* fault, defect; lack; **à — de** for lack of, failing to get; **être en —** be at a loss
défendre to defend; forbid; **pour s'en —** with which to defend himself
défense *f.* defense; interdiction; **prendre la — de qn** to champion the cause of s.o.
défenseur *m.* defender; protector, supporter

défi *m.* challenge
défilé *m.* parade, procession
défiler to file by, march past
défini clearly defined
défriper to smooth out; se —
    freshen up one's appearance
dégager to disengage, free
dégainer to unsheathe (sword)
dégâts *m.pl.* damage; faire du
    dégât, des –s to damage things
déglutir to swallow
dégourdir: se — to stretch out,
    revive, limber up
dégoût *m.* disgust
dégoûtant disgusting
dégoûté disgusted
dégouttant dripping
degré *m.* degree
déguiser to disguise
dehors *adv., n.m.* outside; au —
    outside; en — de outside of, be-
    side, apart from
déjà already; previously
déjeuner *m.* lunch; petit — break-
    fast; *v.* to have lunch (breakfast)
delà: au- — de beyond, through,
    farther; par- — beyond, through
délai *m.* delay
délaissé left behind
délecter: se — to take delight
    (joy)
délibération *f.* reflection; resolu-
    tion
délibéré *adj.* resolute, decided; *n.*
    le — thinking things over, exam-
    ining things
délicat delicate; tiny
délicatement delicately, scrupu-
    lously
délice *m.* pleasure, delight
délicieux delicious; charming, de-
    lightful
délire *m.* delirium
délivrer to free, rid
déluge *m.* downpour (rain), flood
demain tomorrow
demande *f.* request; petition; –s
    et réponses questions and an-
    swers
demander to ask (for), request,

require; — à ask of; faire — à
    send word to, ask; faire —
    par qn have s.o. ask; se — won-
    der, ask o.s.
demandeur *m.* plaintiff
démarche *f.* gait, walk; step (pro-
    cedure); development
démêler to unravel, decipher
déménagement *m.* moving out (of
    house)
dément crazy, mad, demented
démentir to belie, contradict
démesuré huge, unmeasured
demeurant: au — after all, all the
    same
demeure *f.* house, lodging
demeurer to dwell, live; remain
demi half; à — half (way); un —
    -être half a human being; je
    serai — vivant I shall be half
    alive
démissionner to resign
demi-tour *m.* half-turn; *mil.* about
    face; faire — to turn back, turn
    about
demoiselle *f.* young girl (lady),
    miss; old maid; — de comptoir
    salesgirl
démontrer to demonstrate; prove
dénoncer to denounce
dénouer to untie
dense thick, compact
dent *f.* tooth; avoir mal aux –s to
    have a toothache
dénué: — de sens devoid of sense,
    senseless
départ *m.* departure
dépasser to pass; go beyond; stick
    out
dépeint depicted, described
dépendre to unhang; — de depend
    upon (on)
dépense *f.* expense
dépenser to spend
dépit *m.* resentment, disappoint-
    ment, vexation; en — de in
    spite of
déplacer to move (object); se —
    move (about), travel
déplaire (à) to displease

déployer to unfold, spread out; wave

déposer to deposit; put (down)

déposition *f*. testimony

dépôt *m*. store; depository; **la salle de —** storeroom

dépouiller: se — to rob, deprive o.s., get rid of

depuis since; for; from; **— que** now that

déranger to bother, annoy; **se —** go and see, go out of one's way

déréglé: vie –e disordered, wild life

dérive *f*. drift; **aller à la —** to drift (with the current)

dériver to be diverted; go out of the way, drift

dernier last; **jusqu'au —** to the very last one

dérober to steal, make away with; **se — à** slip away from, conceal from

dérouler to unroll; **se —** spread out, unfold (to view)

derrière *prep*. behind, back of; **par —** behind, in the rear; *n.m.* behind, rear end, bottom

des *pl*. some, any; of the, from the; with

dès *prep*. since, at the start, right from; **— l'entrée** right at the entrance; **— lors** from that time on; **— que** as soon as, from that moment

désarmer to disarm

désarroi *m*. confusion, disorder

descendre to go (come, bring, get) down

désennuyer to amuse, divert

déséquilibré *m*. unbalanced (person)

désert adj. empty, lonely; *n.m.* wilderness, emptiness

désespéré hopeless; in despair

désespoir *m*. despair, desperation

déshabiller: se — to undress

désigner to show, point out; choose

désir *m*. wish, desire; eagerness

désolé very sorry; grieved

désoler to distress, grieve, make unhappy; **se — de** grieve for

désordre *m*. disorder

désormais henceforth, from now (then) on

dessécher to dry up

dessein *m*. design; purpose, resolution, plan; **former le — de** to plan, make the resolution to

desserrer to loosen, untie

desservir to clear (table)

dessin *m*. drawing

dessiner to draw; represent; **se —** be outlined, stand out

dessous underneath, below

dessus on; on it, on them; **là- —** up there, on top; thereupon

destin *m*. destiny, fate

destinée *f*. destiny

destiner to design, intend for; **se — à** take up (as a profession)

destrier *m*. steed, charger (horse)

détacher to detach; bring out; **se —** stand out (in relief)

détail *m*. retailing; dividing up; **vendre en (au) —** to retail, sell in pieces

détailler to detail, relate minutely, enumerate

détente *f*. relaxation, easing; trigger (of gun)

détonation *f*. explosion

détourné out-of-the way

détourner to turn away, divert; dissuade

détritus *m*. rubbish

détruire to destroy

deuil *m*. mourning; sorrow; **la girouette en —** the doleful weathervane; **mener le — pour** to mourn for

devancer to precede, go (come) before

devant *adv., prep*. before, in front of; in the presence of; *n.m.* breast (of coat); front part; front

devenir to become

dévergondé shameless, without morals

déverser to pour; spill
dévider to unwind, reel off (thread)
dévier to deviate
deviner to guess, find out
dévisser to unscrew
dévoiler to reveal, disclose; unveil; display
devoir m. duty; faire son — to do one's duty; se mettre en — de get ready to, be prepared to
devoir v. must, ought, have to, be supposed to, owe
dévorer to devour, consume
dévot adj. devout, pious; n.m. devout person
dévotion f. devotion; service; piety
dévoué devoted
dévouement m. devotion
diable m. devil; par le —! hang it! for heaven's sake! que —! heavens! what the devil!
dialoguer to converse, hold a dialogue
diamant m. diamond
diantre! the devil!
Dieppe town on the English Channel, 100 miles northwest of Paris
dieu m. god; le Bon Dieu the Good Lord; mon (bon) —! my goodness! well!
différer to defer, postpone; be different
difficile difficult; se rendre — to make o.s. hard to please
digne worthy
dilater to dilate; distend; se — spread out, widen
diligence f. stagecoach
dimanche m. Sunday
diminuer to diminish, decrease
dîner m. dinner; supper; lunch; v. to dine; — en ville dine out
dînette f. snack, small supper
dire to say, tell; dis donc! say! look here!; il disait en lui-même he said to himself; dirait-on que je pleure? would you believe that I am crying? en — si long say so much; sans mot — without saying a word; vouloir — to

mean; se — say to o.s.; n.m. saying, maxim; statement; pl. rumors, talk
directeur m. director, manager
diriger to direct; — sur point toward, direct on; se — go toward, proceed
disant telling; ce — with these words
discerner to distinguish, find; know
discourir to discourse, talk; il discourt des mœurs he airs his opinions on manners and morals
discours m. speech, discourse; conversation
discrètement discreetly
diseur m. teller of (tall) tales, newsmonger
disloquer to dislocate
disparaître to disappear
disparition f. disappearance
dispense f. dispensation
dispenser to dispense, excuse (from, de)
disponible available
dispos healthy, hale and hearty; athletic
disposé à in a mood to, ready to
disposer to arrange; se — à get ready to
disposition f. inclination; prendre ses —s to make arrangements; trouver la même — find the same qualities
disputer to argue; scold
dissimuler to hide, conceal
dissiper to dispel, disperse
distinct clear; separate
distrait absent-minded; inattentive
distribuer to distribute, hand out
distribution f.: — des prix prizegiving (day), Commencement exercises
dit: on — people say (said), one says
diurne by day, daily, diurnal
divaguer to wander, ramble (in mind)
divan m. sofa

divers various; changing, varying
divertissement *m.* entertainment; game
divin divine
diviser to divide
dizaine: une — about ten, ten or so
docteur *m.* doctor; Ph.D.; **il fut reçu —** he was made a doctor
doigt *m.* finger
dolent doleful; unhappy
domaine *m.* domain, field, scope *(science)*; estate
domestique *m. or f.* servant
dominant dominating, main, foremost
dommage *m.* damage; **c'est —** it's a shame, that's too bad
dompter to tame, conquer
don *m.* gift; talent
donc therefore, then, so; now, indeed; *(emphatic)* do, please; I tell you; very; **attendez —** wait a minute; **buvez —!** go ahead and drink! **que tu es — voleur!** what a thief you are!
donjon *m.* central tower of a castle
donner to give; render, yield; **fenêtre qui donne sur** window which looks out on; **la porte donnait au pied du lit** the door was at the foot of the bed; **se — pour** pose as, claim to be
dont whose; of (from) which (whom); among whom (which), with which
dorénavant henceforth, from now on
dorer to gild, color in gold
dormeur *m.* sleeper
dormir to sleep
dors *(v. dormir):* **je —** I sleep
dos *m.* back
dossier *m.* back (of chair)
dot *m.* dowry
doublement doubly
doucement slowly, softly, gently; cautiously
douceur *f.* sweetness, tenderness; *pl.* sweets; **avec —** softly

douer to endow
douleur *f.* pain; sorrow, grief
douloureux painful, sore; heartbreaking
doute *m.* doubt; **hors de —** beyond doubt; **sans —** probably, of course
douter to doubt; **je n'en doute pas!** I don't doubt it! **se — de** suspect
doux, *f.* douce sweet, soft; *adv.* gently
douzaine: une — about a dozen
dramaturge *m.* dramatist, playwright
drame *m.* drama; play
drap *m.* cloth
drapeau *m.* flag
draperie *f.* drapery, drapes; tapestry
drapier *m.* draper, clothier
dressé standing; erect; brought up, educated
dresser to train (an animal); **se —** stand up; **se — à** train o.s. for
drogue *f.* drug, medicine
droit straight; right; **tout — straight** (ahead); *n.m.* right; **de — by** right; **de quel —?** by what authority?
droite *f.* right; **à —** to the right
drôle funny
drôlerie *f.* fun, humor
dru thick, dense
du *m. sing.* of the, some, any
dû *(p.p. of devoir)* had to; must have, been obliged to
duc *m.* duke
due *f.* of **dû**
dupé fooled
dupeur *m.* hoaxer, trickster
duquel *m.* of (from) which(whom)
dur hard; harsh; difficult
durant during, for (time)
durée *f.* duration
durement severely, bitterly
durent: *(v. devoir)* **ils —** they had to; *(v. durer)* they last
durer to last
dureté *f.* harshness, toughness

dusse: que je — that I should
dût must have
duvet *m.* down (feather, hair)

E

eau *f.* water
ébahir to astound, flabbergast
ébats *m. pl.* frolic
ébaucher to sketch, outline
ébéniste *m.* cabinetmaker
éblouir to dazzle
éblouissant *adj.* dazzling, resplendent
éblouissement *m.* dazzlement, resplendence
ébranlé shaken
ébranlement *m.* shaking; shock
ébrouer: s'— to shake o.s., snort
écaille *f.* scale
écailleux scaly; splintery
écarquiller to open wide (eyes)
écart *m.*: **à l'— de** away from, off; by itself; **—s de conduite** misbehavior
écarté far apart; remote
écarter to push (thrust) aside; spread (out); **s'—** withdraw, draw away, disappear
échange *m.* exchange
échanger to exchange
échappé (de) flowing from (river)
échappée *f.* sudden spurt
échapper to escape; **— à** escape from; **s'—** escape; **je m'échappe** *obs.* I draw away from myself
échauffé: teint — flushed complexion
échauffer: s'— to get warm (excited)
échéance *f.* date (of payment); **arriver à —** fall due
échec *m.* defeat, failure
échelle *f.* ladder
échine *f.* spine, back
échouer to fail
éclaircir : s'— to clear up, brighten, light up
éclairer to light; enlighten

éclat *m.* explosion; luster; peal; small piece
éclatant glaring; brilliant
éclatement *m.* bursting, explosion; dazzle
éclater to burst out; explode; **— de rire** burst out laughing
éclipse *f.* : **feux à —s** blinking lights
éclore to come to life; **faire — un sourire** cause a smile to appear
école *f.* school
écolier *m.* schoolboy
économiser to save (money)
écorce *f.* bark (of tree)
Écosse: l'— *f.* Scotland
écot *m.* bill; share
écouler to flow out; dispose of; **s'—** go by; flow (river); pass (time)
écouter to listen
écran *m.* screen
écrasant: soleil — unbearable (scorching) sun
écrasement *m.* crushing
écraser to crush, smash; overwhelm
écrier: s'— to exclaim, cry out
écrire to write
écrit *m.* writing; written work
écritoire *f.* inkhorn
écriture *f.* handwriting; **l' Écriture Sainte** the Scriptures
écrivain *m.* writer
écrouler: s'— to collapse, crumble
écu *m. obs.* crown (3 francs; about 60 cents before 1918)
écueil *m.* rock (in the sea), reef
écuelle *f.* wooden bowl, dish, platter
écuellée *f.* bowlful
écume *f.* foam; froth
écurie *f.* stable
écuyer *m.* squire; shield-bearer, equerry
édifice *m.* building
éducation *f.* upbringing; manners; breeding
effacé retired, unobtrusive
effacer to erase, cross off, obliterate; **s'—** to disappear, vanish
effaré frightened
effarement *m.* fright, alarm

effaroucher to startle, scare

effet *m.* effect; bill; note; **en — as** a matter of fact, indeed; **faire l' — de** to produce the effect (sensation) of; **tu me fais l' — d'un homme qui** to me you look like a man who; **souscrire des –s à l'ordre de** sign bills payable to

efficace effective, efficient

effleurer to touch lightly, brush against

effondrement *m.* collapse, sinking in

efforcer to endeavor, strive; **s'— de** endeavor (strive, try) to

effrayant terrifying, frightful

effrayer to frighten, scare; **s'—** become frightened, be alarmed

effroi *m.* fright, terror

effronté impudent, shameless, bold

effusion *f.* outpouring (of the soul)

égal equal; even; same; *pl.* **égaux** peers

également equally; likewise, also

égaler to equal; **s'— à** be equal to, be a match for

égard *m.* consideration, respect; **à l'— de** with respect to, toward; **manquer à tous –s** to lack in all respects

égaré lost; bewildered, confused

égarement *m.* distraction, bewilderment; error

égarer to lead astray; **s'—** lose one's way

église *f.* church

égorger to slaughter, butcher

égout *m.* sewer

égoutier *m.* sewerman

égratigner to scratch

eh! well! **— bien!** well!

élan *m.* impulse; animation; **— vital** vital impulse

élancer: s'— to rush (forward), take flight

élargir: s'— to get (grow) bigger, wider; spread out

élégie *f.* elegy (melancholy poem)

élève *m. or f.* pupil, student

élevé high, elevated; **être bien —** to be well brought up

élever to raise, bring up, elevate; **s'—** rise; reach, stand

éloge *f.* praise; **faire l'— de** to praise

éloigné distant, remote

éloigner to move away, remove; drive away; **s'—** go away, walk off, withdraw

élu (*v.* **élire**) elected

émailler (de) to adorn (with)

émaux (*pl.* of **émail**) enamel

embarquer to embark; **s'—** take a ship, sail

embarras *m.* embarrassment; **un air d'—** an awkward (embarrassed) air

embarrassé embarrassed; crowded; obstructed

embaumer to perfume, make fragrant

embêter to bother

emboutir to crash into

embranchement *m.* junction, branching off

embrasé scorching

embrasser to kiss; embrace; encompass, contain, include

embrouiller to confuse, muddle

embuscade *f.* ambush, trap; **se mettre (se tenir) en —** to lie in ambush, in wait

émeraude *f.* emerald (green)

émettre to emit, express

emmêler to tangle, mix, muddle

emmener to take (away), carry (away)

émotion *f.* thrill; excitement

emouvoir to move (emotionally); **s'—** be moved

emparer: s'— de to seize, capture, take possession of

empêcher to prevent; **s'— de** prevent o.s. (keep) from, help

empesté foul, reeking, stinking

empêtrer to flounder; **s'— dans** be hampered by, get tangled up in

Empire *m.*: **Second —** Napoleon III's empire (1852–1870)

emplir to fill
emploi m. occupation, job; use
employé m. employee, clerk
employer to use
emplumé feathered
empoigner to seize, grab
empoisonner to poison
emportement m. anger
emporter to carry away, take away
(along); l'— sur qn prevail over
s.o., get the better of s.o.; s'—
become angry
empourprer to redden, color purple
empreint marked, impressed
empreinte f. imprint, stamp
empressé pressing, solicitous, eager
empressement m. eagerness, readi-
ness, alacrity
empresser: s'— to be eager (to, de),
hurry; flock, press about
emprunt m. loan, borrowing
emprunter à to borrow from
ému (v. émouvoir) moved,
touched
en prep. in, into; like, in the shape
of; within
en pron., adv. of it (him, her, that,
them); from it; on account of it;
of them, some (of it, of them);
one (of them); about it; by, for
it; any; je ne sais plus au point
où j'— étais I don't remember at
what point in my story I was; il
ne sait plus où il — est he
doesn't know which way to turn
encadrer to frame; surround
enceinte f. compass, boundary,
limit
encens m. incense
enchanté delighted
encor, encore adv. again; still; yet;
more; also; indeed; hier — just
yesterday; plus — still more
encre m. ink
endormi asleep
endormir: s'— to go to sleep
endosser to put on; shoulder, assume (responsibility)
endroit m. place, spot

endurci hardened
énergiquement energetically, with
enthusiasm, without complain-
ing
enfance f. childhood
enfant m. or f. child; étant —
as a child
enfanter to give birth to, bring
forth
enfantin childish; of childhood
enfer m. hell
enfermer to shut in, lock up; s'—
dans shut o.s. in
enfin adv. at last, finally; in short;
well!, but just the same, after all;
car — because really
enflammé on fire, lit up, fiery
enfler to swell, swell up, inflate
enflure f. swelling, tumefaction
enfoncer to break open, smash in,
bury; sink; enfoncé dans deep
in; s'— sink, plunge
enfonçure f. hole, gap
enfuir: s'— to escape, flee, run
away
engagement m. appointment
engager to engage; hire; begin,
start; bind, pledge; s'— agree,
bind o.s., be pledged; enlist,
volunteer; s'— dans enter into;
undertake
engin m. snare
englobé included, embodied
englouti engulfed, swallowed up
engloutissement m. swallowing up
engorgement m. blocking, clogging
engouffrer to engulf, swallow up
énigme f. enigma, puzzle
enivrer: s'— to become intoxicated
(exalted)
enjamber to straddle, step over
enjoué lively; jovial
enjouement m. playfulness; gaiety
enlever to take (carry) away; take
off
ennemi m. enemy
ennui m. boredom; irritation, annoyance; grief; bother, worry
ennuyer to bother, upset, bore;
s'— be bored; be annoyed

ennuyeux boring, annoying
énorme huge, enormous, tremendous
énormité *f.* atrocity; blunder
enraciner: s'— to cling to, become deeply rooted
enrager to enrage; **j'enrage de cela** it drives me crazy
enregistrement *m.* registration, recording; incorporation (*bus.*)
enrôlé enlisted, recruited
ensanglanter to cover (stain) with blood
enseigne *f.* signboard, sign
enseignement *m.* teaching; instruction
enseigner to teach
ensemble *adv.* together; simultaneously
enserrer to enclose; lock up
ensevelir to bury; hide, conceal
ensevelissement *m.* burial; shrouding (of corpse)
ensommeillé sleepy, drowsy
ensuite *adv.* then, next, after, afterwards
entamer to cut into; disturb
entasser to heap, pile up
entendement *m.* understanding
entendre to hear; listen to; understand; **n'y rien —** not to understand anything about it; **s'—** agree; **cela s'entend** that's understandable; **pour toi s'entend** I mean for you
entendu heard; agreed; **bien —** naturally, of course
enterrer to bury
entêté stubborn
entêtement *m.* stubbornness
entier *adj.* entire, whole; complete; **tout —** completely; in full, wholeheartedly
entonnoir *m.* funnel
entourer de to surround with
entrailles *f.pl.* insides, bowels, stomach
entr'aimer: s'— to love each other
entraîner to drag (along); pull;

stimulate; encourage; involve; entail
entre *prep.* between; among; in
entr'échanger to exchange
entrecroiser: s'— to intersect
entrelarder to interlard (speech); intersperse
entremêler to intermingle
entremets *m. cul.* side dish
entreprendre to undertake
entreprise *f.* undertaking; endeavor
entrer to enter; come (go) in; **faire — qn** have s.o. come in, show s.o. in
entresol *m.* mezzanine
entretenir to talk with; maintain, keep
énumération *f.* enumerating, recital
énumérer to enumerate, list
envahir to invade, come over
envelopper to wrap up; surround
envers *n.m.* reverse, back, the other side; *prep.* toward, to
envie *f.* desire; envy, jealousy; yearning; **avoir — de** be desirous of, want; **prendre —** take a fancy
envier to envy
envieux *m.* envious person
environ about, nearly, approximately; *m.pl.:* **aux –s de** in the neighborhood of
environner to surround, be around
envoi *m.* envoy (short stanza at end of ballad)
envoler: s'— to fly away
envoyer to send; **— chercher** send for
épais thick; heavy
épaisseur *f.* thickness
épaissir to thicken; deepen
épancher: s'— to pour out; pour out one's heart
épargner to spare
épaule *f.* shoulder; **–s serrées** hunched shoulders
épée *f.* sword
éperdu bewildered, desperate; wild

éperdument madly, to distraction
épervier m. sparrow hawk
épice f. spice
épidémie f. epidemic
épier to watch
épieu m. boar spear; pike
épine f. thorn
épineux thorny, prickly
épique adj. epic, heroic
épistolier m. letter writer
épithalame m. epithalamium (nuptial poem)
épître m. epistle
épopée f. epic
époque f. time; period
épouse f. wife
épouser to marry
épouvantable horrible, terrible, frightful
épouvante f. terror, awe
épouvanté frightened, horrified
époux m. husband
éprendre : s'— de to take a fancy to, become enamored with
épreuve f. test, ordeal; proof; grande — supreme test, death
éprouver to feel, experience; suffer; enjoy
épuiser to use up, wear out; exhaust; go to the end of
équilibre m. balance, equilibrium, stability
équipage m. retinue, train, apparel
équipé equipped
errer to wander
erreur f. error, mistake
érudit m. scholar
érudition f. scholarship
escale f., av. stopover, intermediate landing, port (place) of call; faire — à to put in at
escalier m. stairs, stairway
escapade f.: faire une — de la maison to run away from home
escarcelle f. money pouch, large purse hung from waist by a cord
escarpé steep, rugged
esclave m. or f. slave

escompte m. discount
escouade f. squad
Ésope Æsop, Greek fabulist, 6th century B.C.
espace m. space
Espagne f.: l'— Spain
Espagnol adj. Spanish; n.m. Spaniard
espalier m. framework on which fruit trees are trained
espèce f. species, kind, sort; reason; — humaine mankind
espérance f. hope
espérer to hope (for)
espiègle roguish
espoir m. hope
esprit m. mind; wit; spirit, soul; disposition; avoir de l'— to be witty, a wit; en — figuratively, reprenez vos —s collect your wits; c'est un mauvais — he's a bad egg, a troublemaker
esquisse f. sketch; outline
essai m. attempt, try; essay; premier coup d'— first attempt (try)
essayer (de) to try (to); s'— à try one's hand at
essor m. flight, soaring; prendre son — to take wing, soar
essoufflé out of breath
essuyer to wipe, dry; suffer
est m. east
estime f. esteem
estimer to esteem, consider, value; appraise
estomac m. stomach; chest
et and; —...— both . . . and
étable f. stable
établir to establish, set up; prove; je vous établis dans la charge de obs. I put you in charge of
établissement m. establishment; trade
étage m. floor (story of house); au premier — on the second floor (count one more in U.S.)
étalage m. display
étale steady; slack (tide)
étaler to spread out; display; s'—

stretch o.s.; **s'— dans un fauteuil** settle comfortably in an armchair

étang *m.* pond

état *m.* state; condition; **être en —** **de** to be in a position (condition) to; **une femme de mon —** a woman of my profession; **homme d'État** statesman

étayer to prop, base, found

été *m.* summer

éteignit (*v.* **éteindre**) put out

éteindre to extinguish, put out; **s'—** (fire) go out

éteint extinguished; dull, far away

étendre to stretch, stretch out, spread; lay; enlarge; **s'—** extend, stretch o.s. out

étendu stretched out; *adj.* far-reaching, widespread

étendue *f.* stretch (of land), extent, vastness

éternel eternal, unceasing, everlasting

éternuer to sneeze

éthers *m.pl.* upper strata

étinceler to sparkle, shine

étiquette *f.* label

étoffe *f.* material, cloth, fabric

étoffé strengthened

étoile *f.* star

étoilé starry

étonnant astonishing

étonnement *m.* astonishment, surprise

étonner to astonish, amaze, surprise; **s'— de** be astonished at

étouffer to choke, stifle, suffocate

étourdi stunned

étrange strange; queer

étranger *adj.* foreign; irrelevant; **Affaires Étrangères** State Department; **— à** ignorant of, not interested in; *n.m.* stranger

étrangeté *f.* strangeness, queerness

étrangler to strangle

être *n.m.* being, creature

être to be; exist; belong; **— à** belong to; **en — à** be ready to, able to, at the stage of; **si ce n'est ex-**cept; **je suis à vous** I'll be with you

étreindre to hug, clasp, embrace

étrenne *f. usually pl.* New Year's gift; **le temps des —s** New Year's Day

étroit narrow, tight

étroitement tightly; strictly, closely

étron *m. vulg.* chicken manure

étude *f.* study; office (of lawyer)

étudiant *m.* student

étudier to study

eux *pron. m. pl.* they, them

évanouir: s'— to faint; vanish

évanouissement *m.* fainting spell; disappearance

éveiller to wake up, awaken, arouse; **s'—** wake up

événement *m.* event, happening

éventail *m.* fan

éventer: s'— to fan o.s.

éventrer to disembowel, gore; rip open

évêque *m.* bishop

évidemment evidently, obviously

évidence *f.* obviousness; **être en —** to be conspicuous; **mettre en —** point out, emphasize

éviter to avoid, shun

évoluer to evolve, develop

exactitude *f.* accuracy

exalter to exalt, praise; **s'—** become exalted, enthusiastic

examen *m.* examination; scrutiny

exaspéré exasperated, irritated

excédé impatient, irritated

excès *m.* excess; **à l'—** to excess

exciter to urge on; **s'—** get excited, nervous

exclamer: s'— to exclaim; pronounce

exclusivité *f.* exclusiveness; sole rights

exécuter to perform, carry out

exemple *m.* example; precedent, parallel; **par —** for example

exercer to exercise, practice, carry out; train; apply

exhaler: s'— to breathe out, exhale

exhaussé raised

exigence *f.* exigency, demand(s), requirement

exiger to require, exact, demand

exister to exist; **il existe** there is (are)

exorbitant exaggerated; excessive

expédier to dispatch; expedite, settle

expérience *f.* experiment; experience

expirer to expire, die (out), fade out; run out (a lease)

expliquer to explain

exploiter to operate; cultivate (land); take (unfair) advantage of

exposer to exhibit; show; endanger (life)

exprès on purpose; special

exprimer to express, show

exquis exquisite, delicious

extase *f.* ecstasy

exténué exhausted, wasted (away)

extérieur *adj., n.m.* exterior, outside

extincteur *m.* fire extinguisher

extrait *m.* excerpt (from book)

extraordinaire extraordinary, amazing; **voilà de l'—** this is really amazing

extrémité *f.* end; tip

F

fabliau, *pl.* -x *m.* short tale in verse

fabrique *f.* factory

fabriquer to make, manufacture

face *f.* face; **en — de** opposite; **— à —** opposite; **faire — à** to face, meet

fâché angry; sorry

fâcher to anger, get the goat of; **se — get** (become) angry

fâcheusement regretfully

fâcheux bad, regrettable; unpleasant

facile easy

façon *f.* way, manner; fashion; kind; **de — à** so that, in such a way that; **de toute —** in any case; **en aucune —!** by no means! not at all! **— de parler** an expression

façonner to work, mold, shape

facteur *m.* mailman

faible weak; poor (eyesight)

faiblesse *f.* weakness

faille (*v.* falloir) is necessary; *n.f.* break, flaw

faillir to fail; almost (do sth.), come near (doing sth.)

faire to do, make, perform (feat); be (weather); take (walk, step); say; clean (room); **— attention à** pay attention to; **il fait beau** it's a nice day; **fais que** see that; **bien —** know how to go about (sth.); **il faut le laisser —** let him do what he wants to do; **je te le fais savoir!** I'll show you!; **ça ne fait rien** that doesn't matter; **ça ne te fait rien?** you don't mind? **se — happen; se — à** get used to; **se laisser —** offer no resistance

faisant doing, making

fait *m.* fact; deed

fait made, done; **j'y suis —** I am used to it; **tout —** ready-made

falaise *f.* cliff

falloir to be necessary; have to, must; **il fallait que** it must have been that

fameux famous; first-rate; notorious

familier familiar; chummy

famille *f.* family

fanfare *f.* brass band

fange *f.* mud, filth

fantaisie *f.* fancy; whim; prank

fantasque odd

fantôme *m.* ghost, shadow

faon *m.* fawn

farce *f.* practical joke; **faire une — à qn** to play a joke on s.o.

farceur *m.* joker, fraud

fardeau *m.* burden, plight

farouche fierce, wild; shy

fasse (*v.* faire): **que je —** that I

(may) do (make); **grand bien
vous —!** much good may it do
you! **qu'il ne s'en — pas** don't
let him worry about it
fastidieux tiresome
fatal fateful, ill-fated; unhappy
fatalité *f.* fate; calamity
fatiguer to fatigue, tire
faubourg *m.* suburb
faucher to mow, cut off
faucon *m.* falcon
faune *m.* faun
faussement falsely, untruly
faut (*v.* **falloir**): **il —** it is necessary, one must (should); **être
comme il —** to be proper; **faire
comme il —** act properly, as one
should
faute *f.* fault, mistake; **— de** for
lack of
fauteuil *m.* armchair; seat
faux, *f.* fausse *adj.* false; imitation,
counterfeit; untrue; **— col** detachable stiff collar; **— pas** blunder
favoriser to favor
fécond fruitful, fertile, produc-
tive
fée *f.* fairy; **conte de –s** fairy tale
feignant (*v.* **feindre**) pretending
feindre to pretend, feign; **elle feignait de ne pas entendre** she
pretended not to hear
feintise *f. obs.* pretense, pretending
fêlé cracked, split
félicitations *f.pl.* congratulations
félicité *f.* happiness, felicity
féliciter to congratulate
femme *f.* woman; wife; **— de
chambre** chambermaid
fendre to break, split (open), crack
fenêtre *f.* window
fenil *m.* hayloft
féodal feudal
fer *m.* iron; sword, blade; **les –s de
la rampe** banister (iron) posts
ferme firm, strong, hard; steady;
adv. firmly
fermé: visage — inscrutable coun-

tenance, face; **cette tête –e** this
uncommunicative, wooden head
(mind)
fermer to close, shut; **— à clé** lock;
— à double tour fasten with a
double lock
fermier *m.* farmer
Ferney French town, five miles
from Geneva
Ferté-Milon: la — town fifty miles
northeast of Paris
fesses *f.pl.* buttocks
fesse-mathieu *m.* skinflint
festoyer to feast, treat; carouse
fête *f.* feast, holiday; party; **mettre
la nature en —** to make nature
joyful; **se faire une — de** rejoice in, look forward to
fêter to celebrate
fétidité *f.* offensive odor
feu *m.* fire; light, passion, ardor;
beacon; *pl.* love; **prendre —** con-
tre to fly into a rage against; *adj.*
deceased, late
feuillage *m.* foliage, leaves
feuille *f.* leaf
fi: — donc! for shame!
ficelle *f.* string, twine
fichu *m.* small shawl
fidèle faithful
fieffé arrant (liar); **fou —** crazy
fool
fier: se — à to trust
fier, *f.* fière proud
fierté *f.* pride
fièvre *f.* fever; commotion; **prendre
(quelque) —** to catch a fever
figé: tout — frozen stiff
figer to freeze, solidify, congeal
figuier *m.* fig tree
figure *f.* face; expression; image;
shape; **faire —** to keep up a
good appearance (showing)
figurer to represent; imagine; **se —**
imagine, fancy
fil *m.* thread; wire; **reprendre le
— de** to pick up the threads of,
take up again; **au — de l'eau**
with the current
file *f.* line; rank; row

filer to leave (quickly), head for, go by fast; spin

filet *m.* net; trickle; thin thread; **— de voix** thin little voice

fileuse *f.* spinning woman

fille *f.* daughter; girl; maid; **— d'auberge** waitress (chambermaid) at an inn; **vieille —** old maid

fillette *f.* little girl

fils *m.* son

filtrer to filter

fin *adj.* thin; fine, delicate, polished; subtle, shrewd; **or —** pure (fine) gold

fin *n.f.* end; **à la —** finally; **sans —** endlessly; **— de semaine** weekend

finance *f.*: **homme de —** banker

finesse *f.* delicacy; shrewdness

finir to finish, end; complete; **c'était fini** it was all over; **il aurait toujours mal fini** he would naturally have come to a bad end

fiole *f.* flask; small bottle

firmament *m.*: **criait au —** was crying to the skies

fit (*v.* **faire**) did, made; said; **— -il** said he; **il se —** there happened, there was

fixe fixed, set, steady; (eyes) staring

fixer to fix; set (day); stare

fixité *f.* stare

flacon *m.* flask

flageller to whip (wind)

flairer to sniff, smell

flambeau *m.* torch

flamboiement *m.* flash, blazing up

flamboyer to flash, flame, blaze

flamme *f.* flame; passion, love

flanc *m.* side; thigh; flank, womb

flanelle *f.* flannel

flaque *f.* pool, puddle

flatteur *m.* flatterer

flèche *f.* arrow

fléchir to bend; waver; give way; falter

fléchissement *m.* giving way

flétri withered

fleur *f.* flower

fleurir to bloom, blossom, flower; decorate (with flowers)

fleuve *m.* river

flocon *m.* flake; tuft (of wool)

florissant flourishing

flot *m.* wave; current, water, flood

flotter to float; hesitate

flou fluffy, soft (hair); blurred

foi *f.* faith; **bonne —** sincerity, honesty; **ma —!** I should say! well! **par ma —!** upon my word! **— d'honnête femme** on the word of a lady

foire *f.* fair

fois *f.* time; occasion; **à la —** at the same time; **d'autres —** at other times; **encore une —** once more; **une —** once, one time

foisonner to abound

folie *f.* madness, insanity

folle *adj., n. f.* crazy (woman)

fomenter to engineer; stir up

fonction *f.* duty; function; **–s publiques** public offices

fonctionnaire *m.* government official, civil servant

fond *m.* bottom; end, rear; background; depth; back (of room); **au —** after all, really; **de — en comble** from top to bottom

fondateur *m.* founder

fonder to found, establish, base; **se —** have one's foundation

fondre to melt; pounce; bear down; rush; **— sur** buck

fondrière *f.* bog, quagmire

fonds *m.* business; fund; **— publics** government stocks

fondu melted

fontaine *f.* fountain, spring

fonte *f.* cast iron

forçat *m.* convict

force *f.* force, strength; **à — de** by dint of, by means of; **de —** forcibly

forcer to force, urge, compel

forêt *f.* forest

forfait *m.* offense, crime

forger to forge (metal); make

formaliste *adj.* precise, formal

forme *f.* shape, form; shadow; **en — de** in the form of

formellement formally

former to compose, make; **— à** educate in; **se —** conceive; be formed; get trained

formule *f.* formula; turn (of phrase)

fors *obs.* except

fort strong; fortified; hard; loud; *adv.* very, very much, highly; extremely; *n.m.* **c'est pas mon —** it's not my strong point; **–e somme** large sum; **si —** so much

forteresse *f.* fortress

fossé *m.* ditch

fou, *f.* **folle** crazy; fantastic; *m.*, *or f.* crazy man (woman)

foudre *f.* lightning, thunderbolt

foudroyer to strike like lightning

fouet *m.* whip; **donner des coups de —** to whip

fouetter to whip; beat

fouille *f.* excavation

fouiller to search

foulard *m.* scarf

foule *f.* crowd

fouler to tread on, trample down

fourberie *f.* deceit; double-crossing

fourneau *m.* stove

fournir to furnish, provide (with, **de**)

fourré *m.* thicket

foutre: *vulg.* **se — de** to make fun of

fracas *m.* noise; bang; clattering (dishes)

fracasser: se — to be broken to pieces

fragile frail

fraîcheur *f.* freshness, coolness

frais, *f.* **fraîche** cool, fresh; **au —** in the fresh air

franc *m.* franc (in 1918 the dollar was worth five francs; in 1956, 350 francs)

français *adj.* French; *n.* **le —** the French language; **Français** Frenchman

franchement frankly

franchir to pass through, step over, cross

franchise *f.* frankness, outspokenness

frange *f.* fringe

frappant striking, outstanding

frappé impressed; **— du** struck by the

frapper to strike, knock, hit; clap, tap; resound against; **se —** be impressed, become alarmed

frayeur *f.* fear, fright, terror

fredaine *f.* escapade, prank

fredonner to hum

frêle frail, delicate, fragile

frémir to shudder, tremble, quiver

frémissement *m.* trembling, quiver, shiver; thrill

frénétique frantic, frenzied

fréquenter to associate with, patronize; visit; haunt

frère *m.* brother

fringant frisky, lively

friponnerie *f.* trickery, cheating

frire to fry

friser to curl

frisson *m.* shiver, shudder, rustling; thrill; **— d'eau** rippling of the water

frissonner to shudder, shiver

froid *adj.*, *n.m.* cold; **il avait l'air —** he looked indifferent; **faire —** to be cold

froidement coldly; with indifference

froissé offended, vexed

froissement *m.* rustle (cloth)

frôler to brush against; graze

fromage *m.* cheese

froncer to wrinkle; **— les sourcils** scowl, frown

front *m.* forehead, brow

frontière *f.* border, frontier

frotter to rub, scrub; **se —** rub

fruit *m.* result; advantage; **il voyagea sans —** he travelled in vain

fuir to flee (from), escape, avoid

fuite *f.* running away, flight

fulgurant vivid, sharp, flaming

fumée *f.* smoke; *pl.* dung (of deer)
fumer to smoke, smolder; reek; steam
fumier *m.* manure; —! you skunk!
funèbre funeral; funereal; dismal, gloomy
funeste fatal, deadly, disastrous; funereal
fureter to nose out, search
fureur *f.* anger, fury; eagerness; passion; madness; **entrer en —** to become terribly angry
furie *f.* fury, rage, madness
furieux furious, angry
furtivement in a stealthy manner
fuseau *m.* spindle
fût (*v.* être): **qu'il —** that he might (should, would) be; **comme s'il se —** as though he had
fusil *m.* gun, rifle
fusiller to shoot; execute
fusilleur *m.* shooter
fusion *f.* melting; merging, merger
fûtes (*v.* être): **vous —** you were
fuyant fleeing, running away; racing

G

gâche *f.* catch, staple, socket
gage *m.* pledge; *m.pl.* wages, salary; **être aux —s de** to be in the pay of; **prendre à —s** hire
gagner to win, earn; reach; spread over; gain possession of; overcome
gaiement, gaîment gaily, cheerfully
gaieté *f.* joy, mirth
gaillard *adj.m.* strong, vigorous; *n.m.* strong (husky, merry) man
gaillardise *f.* gaiety, fun
gaîment, *see* **gaiement**
gain *m.* profit, earnings
galant gay, elegant; **fêtes —es** elegant, gay parties
galerie *f.* gallery, corridor
galoper to gallop; run very fast
gamin *m.* youngster, kid
gant *m.* glove; **il nous va comme un —** he just fits our purpose

gantelet *m.* gauntlet
garce *f.* prostitute
garçon *m.* boy; **— de magasin** store clerk
garde *f.* care; guard; watch; hilt (of sword, knife); bodyguard; **— nationale** National Guard; **prendre — de** to be careful not to
gardien *m.* guardian, keeper, watchman; shepherd
gare *f.* station
garni furnished, garnished; provided (with, **de**)
gâté 'spoiled
gâteau *m.* cake
gâter to spoil; ruin
gauche *f.* left
gaulois Gallic; **esprit —** broad, Gallic humor
gazon *m.* grass, turf; lawn
gazonné with grass; **espace —** lawn
gazouiller to chirp, warble
geai *m.* jay
géant *m.* giant
geisha *f.* geisha girl (Japanese singing and dancing girl)
gélatineux gelatinous
gelé frozen
gémir to groan, moan; wail; **— de** bewail
gendarme *m.* state trooper, constable
gendre *m.* son-in-law
gêne *f.* embarrassment, discomfort, uneasiness
gêné embarrassed, awkward; **je suis — pour virer** I have difficulty in turning
gêner to bother, annoy; embarrass, hinder
généreux generous
genet *m.* jennet (small, swift horse)
Genève Geneva
génie *m.* genius
genou *m.* knee; **à —x** kneeling
genre *m.* kind, sort; type, style, fashion; airs, affectations; **mauvais —** bad taste, style; **un tableau de —** painting of everyday

scenes; **je n'ai pas le — tour-
menté** I'm not the worrying type
gens *m.pl.* people, persons, servants, attendants; **braves —** good,
simple people; **une foule de —**
a crowd of people; **— du pays**
natives
gentil pleasing, amiable, nice
gentilhomme, *m.pl.* **gentilshommes**
gentleman; nobleman
gentiment nicely, kindly
gercé cracked, chapped; grooved
germain: cousin — first cousin
germe *m.* seed
geste *m.* gesture; movement; *f.* heroic deed; **faire un —** to go
through the motion
gibet *m.* gallows
gifler to slap
gigot *m.* leg of lamb
girofle *m.* clove
girouette *f.* weathervane
givre *m.* hoarfrost
glacé icy, cold
glacer to freeze, chill, ice
glaïeul *m.* gladiolus
glissement *m.* slipping, sliding,
gliding
glisser to slip, slide, glide; thrust
gloire *f.* glory; fame, honor
glorieux glorious
gloutonnerie *f.* gluttony
glu *f.* birdlime, glue; (heavy) fog
gober to gulp down; *colloq.* swallow the bait, swallow hook, line,
and sinker
godailler to gallivant; stuff o.s.;
guzzle
goguenarder to jeer, scoff
gond *m.* hinge
gonfler to blow up
gorge *f.* throat; bosom
gorgée *f.* mouthful (liquid), swallow, gulp
gosier *m.* throat
gouffre *m.* gulf, abyss
goule *f.* ghoul, grave robber
goulot *m.* neck (of bottle)
goulûment gluttonously
gourd benumbed

gourdiner to cudgel
gourmand greedy
goût *m.* taste; fancy, liking; **vous
êtes mauvais —** you are vulgar
goûter to taste; enjoy, delight in
goutte *f.* drop; **je n'y vois —** I can't
see a thing; I don't understand
a thing about it
gouvernante *f.* governess
gouvernement *m.* government
gouverner to govern
gouverneur *m.* governor; tutor
grabuge *m.* squabble, brawl; **il y
aurait du —** there would be the
devil to pay
grâce *f.* charm; gracefulness; delicacy; **–s à** thanks to; **actions de
–s** thanks, thanksgiving; **à la —
de Dieu** God willing; **faire — à**
to pardon
gracieux graceful, gracious; pleasant, obliging
grade *m. mil.* rank
graine *f.* seed
graisseux greasy
grammaire *f.* grammar
gramme *f.* gram (.036 ounce)
grand tall; large, big; important;
au — air in the open air; **par —
froid** in very cold weather; *n.m.*
la Grande the tall woman
Grande: la — Chartreuse monas-
tery founded in 1084, twelve
miles north of Grenoble, in the
Alps
grandeur *f.* majesty; greatness;
aller vers les –s to aim for high
honors
grandir to grow; grow tall
grand'mère *f.* grandmother
grand-père *m.* grandfather
grand'route *f.* main road, highway
grand'tante *f.* great-aunt
grange *f.* barn
gras, f. grasse fat; greasy
gratter to scratch
grave serious; solemn
graver to engrave
gravir to climb
gravité *f.* seriousness

gré *m.* liking; taste; au — de at the will of

grec, *f.* grecque *adj.* Greek; *n.* le — Greek (language)

Grèce: la — Greece

grelot *m.* small bell

grelotter to shiver

grenier *m.* attic

Grenoble capital of the province of Dauphiné, in the Alps, eighty miles southeast of Lyon

grièvement seriously (injured)

griffe *f.* claw

grillagé wired, screened

grille *f.* grating, iron bars; iron fence

griller to toast

grimper to climb

grincer to creak, grate

gris gray

grisonnant becoming gray

grognant scolding, growling; grunting, moaning

grognement *m.* grunt, groan

groin *m.* snout (of pig)

grondement *m.* roaring, throbbing (of motor); rumbling

gronder to scold, reprimand

gros big, large, fat; important; être –se to be pregnant; valoir — be worth a great deal

grossier crude, rude; boorish, stupid

grossièrement rudely, roughly

grossir to make (become) bigger (louder); enlarge, magnify

grouiller to swarm, crawl

grue *f.* crane (bird)

guenon *f.* (female) monkey

guère: ne — hardly, not much, not many

guérir to cure; get well

Guernesey Guernsey, the westernmost of the Channel Islands, thirteen miles west of the Normandy coast

guerre *f.* war

guet *m.* night watch

guetter to watch for, be in wait for

gueule *f.* jaw; mouth (of animal); face, *slang* mug

gueuse *f.* mean, unpleasant woman

gueux *m.* beggar; scoundrel, scamp

guichet *m.* small (grated) window, grating (in door)

guinder to hoist (up)

guise *f.* manner, way; fancy

H

habile clever; expert

habiller to dress, clothe; s'— dress (o.s.)

habit *m.* dress, coat, suit; *pl.* clothes; –s du dimanche Sunday best

habitant *m.* inhabitant; resident

habitation *f.* house, living quarters

habiter to live in, dwell

habitude *f.* habit, custom; d'— usually

habituel habitual, usual, customary

habituer to accustom; inure

hache *f.* ax, hatchet

haie *f.* hedge

haillon *m.* rag

haine *f.* hate, hatred; prendre qn en — to take an aversion to s.o.

haïr to hate, despise

haleine *f.* breath; reprendre — to catch one's breath

haletant panting, out of breath, puffing

haleter to pant, be out of breath, gasp, puff

halo *m.* halo, circle of light

hameau *m.* hamlet

hangar *m.* shed

hanter to haunt

hantise *f.* obsession

hardi bold, daring; strong, brave

hardiesse *f.* boldness; daring, courage

haricot *m.* (kidney) bean

harmonieux harmonious, melodious

harnais *m.* harness

hasard *m.* chance; accident; à tout

— on the chance that; **au** — at random

hasarder to risk; **se** — take a risk; venture

hâte *f.* speed, haste

hâter: se — to hurry, hasten; **qu'on se hâte!** hurry up!

hausse *f.* rise

hausser to raise, life up; — **les épaules** shrug one's shoulders; **sa voix se haussa** his voice became louder

haut *adj., adv.* high, tall; loud, shrill, high-pitched (voice); steep; **tout** — out loud; **tout en** — high up; *n.m.* height, top; upper part; **au** — **de** at the top of; **de** — in height; **du** — **en bas** from top to bottom; **en** — upstairs

hautain proud, haughty

haut-de-chausse(s) *m.* breeches

hautement loudly; proudly

hauteur *f.* height, elevation; **de** — in height

haut-le-corps *m.* sudden start, jump

haut-parleur *m.* loud-speaker

hé! hey! I say! — **bien!** well! good heavens!

hébété dazed; bewildered

hein! what! isn't it! well! don't you think?

hélas! alas!

herbe *f.* grass; **en** — (wheat) in the blade; growing

hérédité *f.* heredity; inheritance

hérissé bristling

hérisson *m.* hedgehog

héritage *m.* inheritance

hériter (de) to inherit (from)

héritier *m.* heir

héros *m.* hero

hésiter to hesitate, waver; be reluctant

heu! pooh! ah! well, perhaps!

heure *f.* hour, time, o'clock; **à l'**— straightway; **à toute** — hourly, continuously; **de bonne** — early; **tout à l'**— in a little while, very soon; a while ago

heureusement fortunately, luckily

heureux happy; fortunate; pleasing; favorable; lucky; *n.m.* successful (lucky) man

heurter to knock against; **se** — run up against, hit o.s.

hibou *m.* owl

hideux hideous, ugly; frightful

hier yesterday

hirondelle *f.* swallow (bird)

hisser to hoist, lift, raise

histoire *f.* history; story; incident; business

historiette *f.* anecdote, short tale, gossip

hiver *m.* winter

ho! oh! hi! hey!

hochement *m.* shaking, nodding, tossing (of head)

hocher to shake

holà! hey there! stop! enough!

hommage *m.* homage; **rendre** — **à** to pay tribute to, do homage to

homme *m.* man; *colloq.* husband; **d'**— **à** — man to man

Hongrie: la — Hungary

honnête honest

honnêteté *f.* honesty; fairness

honneur *f.* honor; **en l'**— **de** in honor of; **être dans les –s** to be in an important position

honte *f.* shame; **avoir** — to be ashamed

honteux shameful; ashamed

horloge *f.* clock

horloger *m.* clockmaker

horreur *f.* horror; loathing; **prendre qn en** — to take an aversion to s.o., despise s.o.

hors outside of, out of; except; but, save; — **de** outside of, away from, beyond; **être** — **de soi** to be beside o.s.

hospice *m.* asylum; hospital; hospitable place

hôte *m.* guest; host

hôtel *m.* hotel, mansion; private house

hôtellerie *f.* inn, hostelry

hôtesse *f.* hostess

Houpé: le — Hu-peh (province in central China)
houppelande *f.* long coat, cloak
huile *f.* oil
huis *m.* door; **entretien à — clos** conversation (trial) behind closed doors
huissier *m.* bailiff
huitième *m.* eighth (part)
hum! hem! hm!
humain *m.* human; humane, benevolent
humanité *f.* mankind; human nature
humer to inhale
humeur *f.* humor; disposition; temperament, mood
humide damp
hurler to howl, yell; scream, shout
hymen, hyménée *m.* marriage
hypothéquer to mortgage

I

ici here, in this place; **— -bas** here on earth; **d'—** from here, within; **par —** this way
idée *f.* idea
idiot stupid, foolish
idolâtrer to idolize, worship
ignorer to be ignorant of; **j'ignore** I don't know
île *f.* island
illimité unlimited
illusoire illusive
îlot *m.* islet, small island
image *f.* picture
imaginer to picture, have an idea, think
imiter to imitate
immédiatement immediately
immensément immensely; terribly
immobile motionless
immobilité *f.* immobility; fixity
impassible impassive; undisturbed
impérieux haughty, domineering
impertinent *adj.* insolent; lazy; *n.m.* impertinent fellow
impitoyable unmerciful, ruthless
implorer to implore, entreat

importer to matter, be essential; signify; **il importe que** it is essential that; **n'importe!** it doesn't matter; **n'importe quoi** anything; **qu'importe!** what do I care!
importun *adj.* importunate, troublesome
importuner to annoy
imposer to inflict; prescribe; **en —** inspire respect; **imposez-lui silence!** make him keep quiet! **s'— impose** (upon, à), thrust o.s.
impôt *m.* tax
impressionnant impressive
imprévu unforeseen, unexpected
imprimer to print
imprimerie *f.* (art of) printing
imprudemment imprudently; recklessly
impudent *m.* insolent fellow
impuissant powerless, helpless
inabordable inaccessible
inachevé unfinished, incomplete
inattaquable unassailable; irreproachable
inattendu unexpected
incalculable countless, numberless
incarné incarnate, embodied
incendie *m.* fire
incertain uncertain, undecided
incertitude *f.* uncertainty
incliné inclined; tipped; sloped; bent over; disposed
incommensurable immeasurable, huge
incommodé made uncomfortable
incommodité *f.* inconvenience; disorder
incompris misunderstood
inconcevable inconceivable; extraordinary
incongruité *f.* strangeness, absurdity
inconnu unknown
inconscient unconscious, instinctive
inconstance *f.* fickleness, unfaithfulness
inconstant unfaithful

incontesté uncontested, unquestioned

inconvenance breach of good manners

incrédule incredulous, unbelieving

incroyable unbelievable

incruster to encrust, inlay

inculpé m. accused, defendant

indéfinissable undefinable; unaccountable

indicible unspeakable, inexpressible

indienne f. printed calico; chintz

indifférent so-so, mild; unconcerned

indigène m. native

indigne unworthy

indigner: s'— to be indignant, be shocked

indignité f. unworthiness

indiquer to indicate, show, point out

indistinct hazy, blurred

individu individual

Indochine f. Indo-China

indomptable indomitable, untamable

indubitablement unquestionably

inégal unequal, rough

inepte unsuitable, unfit

inerte inert, lifeless; inactive

inestimable invaluable

inévitable unavoidable

inexplicable unaccountable; singular

inexprimable inexpressible, unspeakable

infect filthy, foul

inférieur inferior, lower

infidèle unfaithful

infidélité f. faithlessness; faire une — to be unfaithful

infime lowly, lowest

infini infinite, numberless; n.m. infinite, infinity

infirme infirm; weak

inflexible unyielding, unrelenting

inflexion f. modulation

infliger to inflict; impose

informer: s'— to inquire

infortuné unfortunate, unhappy

ingénieur m. engineer

ingénieux ingenious, clever

ingéniosité f. ingenuity, cleverness

ingrat m. ungrateful person

inhumain unhuman

initier to initiate, admit

injure f. insult, offense; pl. abuse

injurier to insult

injuste unfair, wrong

innombrable innumerable, countless

inouï unheard of, astonishing, amazing

inquiet worried, uneasy

inquiétant disturbing, alarming

inquiéter: s'— to worry, alarm o.s.

inquiétude f. anxiety, worry

inquisiteur m. inquisitor

insensé insane, mad; foolish

insipide tasteless; dull, flat

insomnie f. insomnia

inspecteur m. inspector; detective

inspirer: s'— de to draw (take) inspiration from

installer to establish; s'— settle down

instant m. moment; à l'— right away; par —s off and on

instruction f. education, learning; inquiry (law); le juge d'— examining magistrate

instruire to instruct, teach, educate; s'— to become educated

insu: à l'— de unknown to, without the knowledge of

insulter to insult; — à be disrespectful to

insurgé m. insurgent, rebel

insurrection f. uprising, rebellion

intelligence f. understanding; comprehension; ability

intendant m. steward; manager

interdire to forbid, prevent

interdit nonplussed, dumbfounded

intéresser to interest; s'— à take an interest in, be concerned with

intérêt m. interest

intérieur interior, internal; inner; n.m. inland

intermittent irregular

interpeller to summon, question
interprète m. interpreter
interrogation f. questioning, inquiry
interroger to question, examine
interrompre to interrupt; s'— break off, stop
intervalle m. interval, space
intervenir to intervene, interfere
intestin m. intestine, bowel
intime intimate
intimité f. intimacy
intrigant m. plotter, schemer
introduire to bring, usher in
inusable which never wears out, everlasting
inutile useless, unnecessary
invaincu unconquered
invétéré inveterate, deeply rooted (desire)
invité m. guest
involontairement involuntarily, unintentionally
invoquer to call upon, appeal to
invraisemblable unlikely, improbable
ironiquement ironically
isolé lonely
isolément separately, individually
isoler to isolate; separate
issue f. exit; end
Italie f. : l'— Italy
ivre drunk, intoxicated
ivresse f. intoxication; enthusiasm; rapture

J

Jacques James
jadis formerly, in the old days
jaillir to spring up, shoot forth, spurt out
jalouser to be jealous of, envy
jaloux jealous; anxious
jamais never; ever; à — forever
jambe f. leg
jambon m. ham
janséniste m. Jansenist, follower of Jansenius, XVIIth century Flemish bishop

janvier m. January
japonais adj., n.m. Japanese
jardin m. garden
jarret m. (bend of the) knee
jarretière f. garter
jaunâtre yellowish
jaune yellow
jauni yellowed; wan (complexion)
jaunir to make yellow
javelot m. javelin, spear
jérémiade f. complaint, lamentation
Jersey largest of the Channel Islands, belonging to Britain
jeter to throw, fling; cast; — un cri cry out, yell; se — throw o.s., jump
jeu m. game; le — ne vaut pas la chandelle it's not worth the trouble; en — at stake; — de lumières lighting effects
jeudi m. Thursday
jeune young
jeûne m. fast, fasting
jeunesse f. youth
joie f. joy
joindre to join
joint joined, added; n.m. gasket
jointure f. joint
joli pretty; fine, nice
joliment awfully, extremely; être — attrapé to be completely taken in
jonc m. reed
joncher to strew, scatter
joue f. cheek
jouer to play
joueur adj. playful; n.m. player
joug m. yoke
jouir (de) to enjoy
jouissance f. enjoyment; pleasure
jour m. day, daylight; light; apparaître sous son meilleur — to show o.s. in a favorable light; de — by day; d'un — à l'autre from day to day; au petit — at daybreak; au point du — at the peep of dawn; prendre — receive the light (of day)
journal m. newspaper; diary

journalisme *m.*: faire du — to be
a newspaperman
journée *f.* day
joyau *m.* jewel
joyeux joyful; happy
juge *m.* judge; magistrate; —
d'instruction examining magistrate; Monsieur le — Your
Honor
jugement *m.* judgment, sentence
juger to judge; try; determine
juif *adj.* Jewish; *n.m.* Jew
juillet *m.* July
juin *m.* June
jument *f.* mare
jupe *f.* skirt
jupon *m.* petticoat
jurer to swear; se — de promise to
jusqu', jusque, *obs.* jusques even,
to, as far as; down to; until;
even; jusqu'au nom de even the
name of; jusqu'ici up 'til now
juste just, fair; exact; tight; well-
fitting; accurate; — ciel! good
heavens! *adv.* exactly
justement just then, at that moment; et très — and very rightly
so
justesse *f.* exactness, accuracy
justice *f.* law; se plaindre en — to
complain in a court of law
justicier *m.* judge
justifier justify; indicate, prove;
se — to vindicate o.s.

K

kilo *m.* kilogram (1000 grams,
about 2.2 pounds)
kilomètre *m.* kilometer (about ⅝
of a mile)

L

là there; here; yonder; par — in
that direction; j'en suis — que
I am at the point where
là-bas over there; yonder
laborieux laborious; painful
labyrinthe *m.* labyrinth, maze

lac *m.* lake; trap; — figé frozen,
congealed lake
lacérer to lacerate; tear (up)
lacet *m.* shoe lace; noose, snare
lâche *adj.* cowardly; *n.m.* coward
lâcher to let go, release
lâcheté *f.* cowardice
là-dedans therein
là-dessous underneath, under there
(that)
là-dessus on that; up there, on top;
thereupon; on that subject
ladre *adj.* stingy; *m.* tightwad
là-haut up there; in heaven
lai *m.* lay, short narrative in verse
laid ugly
laideur *f.* ugliness; homeliness
laine *f.* wool
laisser to leave, let, allow; quit;
laisse donc! forget it! je ne
laissais pas de l'aimer I loved
him just the same; se — faire
offer no resistance
lait *m.* milk
lambris *m.* paneling, wainscoting
lame *f.* blade; knife
lamé: — d'or spangled with gold
lamentable pitiful, distressing;
hopeless
lampe *f.* lamp; travailler à la —
to work by lamplight
lance *f.* spear
lancer to throw, hurl, fling; bait;
hunt. start (animal); promote
(s.o.)
langage *m.* language; speech
Langres town, 150 miles southeast
of Paris
langue *f.* tongue; language
languir to languish, pine away
languissant listless, pining
lanterne *f.* lantern, lamp
lapin *m.* rabbit
laps *m.* lapse, interval (of time)
laquais *m.* lackey, flunkey, servant
larcin *m.* larceny; theft
large wide, broad, big; *m.* breath,
width
largeur *f.* breadth, width
larme *f.* tear (drop)

larve *f.* larva
las, *f.* lasse tired
las! alack! alas, ah me!
lasser: se — to tire, grow tired
lassitude *f.* weariness, fatigue
latinisant dabbling in Latin, latinizing
laver to wash
Lazare Lazarus
lécher to lick
leçon *f.* lesson
lecteur *m.* reader
lecture *f.* reading
ledit the said, aforesaid
légataire *m.* legatee; — **universel** residuary legatee
léger light; flighty, frivolous; unimportant; irresponsible
légèrement lightly, gently
Légion d'honneur *f.* Legion of Honor (highest French decoration, instituted by Napoleon I)
léguer to bequeath
légume *m.* vegetable
lendemain *m.*: le — the next day
lent slow; slow moving
lentement slowly
lenteur *f.* slowness
lequel *pron. m.* which (one); who
lésine *f.* stinginess
leste light; brisk, nimble
lettre *f.* letter
leur *adj. m. or f.* their; *pron.* to (for) them
lever to lift, raise; — **la séance** adjourn court; se — get up; rise
levier *m.* lever
lèvre *f.* lip
lévrier *m.* greyhound
liaison *f.* love affair; intimate relationship
libertin *m.* roué, dissolute (person)
libertinage *m.* debauchery
libraire *m.* bookseller
librairie *f.* bookstore
libre free
Libye *f.* Libya
lie-de-vin: la couleur — wine color
lien *m.* bond, tie
lier to tie; bind, link; se — avec

form a friendship with, become intimate with
lieu *m.* place, site; au — de in the place of, instead of; au — que while; avoir — take place, occur; en dernier — the last thing; il n'occupe point de — he has no permanent home
lieue *f.* league (2½ miles); à ... –s . . . leagues away
lièvre *f.* hare
ligne *f.* line
lilas *m.* lilac
limonade *f.* lemonade, soda pop
Limousin : le — province in central France, capital Limoges
limpide limpid, clear
linge *m.* linen; underwear; laundry
liqueur *f.* cordial
liquide: un avoir — ready cash
lire to read
lis: je — I read
Lisbonne *f.* Lisbon (capital of Portugal)
liste *f.* list, roll
lit *m.* bed
litanie *f.* litany, prayer
litre *m.* liter (1.05 U.S. liquid quart); bottle
littéraire literary
livre *m.* book; *f.* pound (weight, money); franc (before XIXth cent.)
livrer to hand over, deliver, surrender; se — à indulge in; surrender to
locataire *m.* tenant
loge *f.* lodgings; (janitor's) apartment
logé lodged, sheltered
logement *m.* lodging(s), accommodation; small apartment
loger to lodge; have one's living quarters
logique logical
logis *m.* lodgings, house
loi *f.* law, rule; command
loin far, at a distance; remote; au — in the distance, far away; de plus — from a distance, further

away; **du plus — que** from as far back as

lointain distant, far away, remote; vague

loisir *m.* leisure; **avoir du —** to have some spare time

long *n.m.* length; **aller le — de go** alongside of, the length of

longer to go along

longtemps a long while; **depuis —** long since

longuement a long time, for a great while

longueur *f.* length

loquacité *f.* talkativeness

Lorraine: la — province and former kingdom in eastern France, capital Nancy

lors then; **— de** at the time of; **pour —** therefore, in that case

lorsque when; at the time of

louable praiseworthy, commendable

louer to rent; praise

Louis-Philippe King of France, 1830–1848

loup *m.* wolf

lourd heavy; painful; dull

louve *f.* she-wolf

louveteau *m.* wolf-cub

loyalement loyally

lubie *f.* whim; **quelle — tu as?** what's got into you?

lueur *f.* gleam; glimmer; reflection, (soft) light

lugubre lugubrious, gloomy, dismal

lui him, her; he; to (for, from) him (her)

lui-même himself, itself

luisant shining, glistening

luire to shine; glitter, gleam

lumière *f.* light; *pl.* knowledge, experience, intelligence

lumineux luminous; enlightening

lundi *m.* Monday

lune *f.* moon

lunettes *f.pl.* (eye)glasses

lustre *m.* chandelier; glory

lustré made shiny, glazed

lutte *f.* fight, struggle; wrestling

lutter to fight, struggle

lycée *m.* state-supported secondary school

M

M. (= Monsieur) Mr.

mâcher to chew

machinalement mechanically; instinctively

machiner to scheme, plot

mâchoire *f.* jaw

madame *f.* lady, Mrs.

mademoiselle *f.* Miss

magasin *m.* store

mage *m.* magus, astrologer; **les trois rois –s** the Three Wise Men

magie *f.* magic

magister *m.* village schoolmaster

magistral magisterial; authoritative

magistralement masterly

magnanime magnanimous

magnifier to magnify; glorify

magnifique magnificent, splendid, gorgeous

maigre thin, meager, lean

main *f.* hand; **à la —** in (his, her) hand; **vous voilà les armes à la —** here you are ready for work (with your implements, weapons)

maint *adj.* many (a); **–es fois** many times

maintenant now

maintenir to uphold, keep steady; **se —** maintain, keep up

maire *m.* mayor

mairie *f.* city hall

mais but; why

maison *f.* house; **— de santé** nursing home

maître *m.* master; teacher; lawyer; **coup de —** stroke of genius; **— ès arts** master of arts

maîtresse *f.* mistress, fiancée

maîtrie *f. obs.* mastery

maîtrise *f.* mastery, control

majesté *f.* majesty; stateliness
majestueux majestic
majeur major, greater; **la raison de force —e** reason of absolute necessity
majorité *f.* majority, legal age; **atteindre sa —** to come of age
mal *n.m.* ache, pain, hurt; evil, harm; disease; **dire du — de** speak ill of; **faire — à qn** to hurt s.o.; **cela vous ferait —** that would upset you
mal *adj.* bad; sick; *adv.* badly, bad, poorly; uncomfortable; **tant bien que —** so-so; **s'en tirer —** to bungle it; **se trouver — de joie** be overcome with joy
malade sick, ill
maladie *f.* sickness, illness, disease; **— de la persécution** persecution complex
maladif sickly
maladroit *adj.* unskilful, awkward, clumsy; blunderer, clumsy person
malaise *m.* discomfort, uneasiness
malaisé difficult
mal appris *obs.,* **malappris** *m.* boor, ill-bred person
malchance *f.* bad (ill) luck
mâle: air — masculine look, manliness
malédiction *f.* curse
malentendu *m.* misunderstanding
malfaisant evil-minded, spiteful, malevolent
malfaiteur *m.* evil person
malgré in spite of; **— cela** nevertheless, for all that
malheur *m.* misfortune
malheureuse *f.* wretched, unhappy woman
malheureusement unfortunately, unluckily
malheureux unfortunate, wretched, unhappy; *n.m.* wretched, unhappy man
malhonnête dishonest
malice *f.* spite, maliciousness; trick, prank

malingre sickly, puny
malpropreté *f.* indecency, unsavoriness; uncleanliness
maltraiter to mistreat, abuse
mamelle *f.* breast
manant *m.* peasant; boor
manche *f.* sleeve; **en — de rasoir** like the handle of a razor; **la Manche** the English Channel
mander to send word; send for
mangeaille *f.* food; *colloq.* grub
manger to eat; **la salle à —** dining room; *n.m.* **le —** eating
maniement *m.* handling; throwing; **— des armes** exercise (drill) with arms
manière *f.* manner; way; **de — à** so as to, in such a way as to; **de toute —** in any case, at any rate
manieur *m.* manipulator, handler
manifeste *m.* manifesto
manigance *f.* intrigue, underhand trick
manœuvre *f.* scheme, move, intrigue
manque *m.* lack, want, need; deficiency
manquer to miss, fail, be wanting; **— à** fail to; be absent from; **— de faire qch** to almost do sth., narrowly miss doing sth.; **je ne manquerai pas de** I won't fail to; **qch y manque** sth. is lacking; **je vous manque** you miss me
manteau *m.* coat; cloak
maraîcher *m.* market gardener
marâtre *f.* stepmother; shrew
maraud *m.* rascal
marbre *m.* marble
marchand *m.* merchant, dealer; shopkeeper; *f.* **—e** saleswoman
marchandage *m.* bargaining
marche *f.* walk; marching; step (of stairs); course (of events); **se mettre en —** to start walking
marché *m.* market
marchepied *m.* step (of carriage); running board (of car)
marcher to walk, march; proceed, move on; **ça marche?** everything

O.K.? faire — move, work; *n.m.*
le — walking
mardi *m.* Tuesday
mare *f.* pool, puddle; pond
maréchalerie *f.* blacksmith's shop, smithy
mari *m.* husband
mariage *m.* marriage; wedding; faire des —s to marry couples
marié *m.* bridegroom
marier to marry (off); se — get married
marin *adj.* marine, sea; *n.m.* sailor
marivaudage *m.* witty and affected conversation; mild flirting
marmotter to mumble, mutter
marque *f.* mark, sign; trace
marquer to mark; make a note of; show; il marqua un temps d'arrêt he paused a moment
marron *m.* chestnut
mars *m.* March
marteau *m.* hammer
masque *m.* mask
masquer to hide, conceal; screen; disguise
masse *f.* mass; bulk; crowd, mob; en — in a body
massif massive, solid; bulky; *n.m.* clump (of bushes)
mât *m.* mast
matelassé stuffed
matelot *m.* sailor
matière *f.* matter; material; substance; cause, reason
matin *m.* morning
mâtin *m.* mastiff, cur
matinal early morning, early rising
mâture *f.* masts
maudire to curse; hate
maudit *n.m.* accursed man
maussade sullen, sulky, glum
mauvais bad, mean, evil; unpleasant
maux *m.* (*pl. of* mal) ills, aches; evils
mécanique *adj.* mechanical; *n.m.* mechanics
méchanceté *f.* meanness, wickedness; spite; malice

méchant mean, bad, wicked
mécontent discontented, dissatisfied (with, de)
mécontenter to displease, dissatisfy
médaille *f.* medal
médecin *m.* doctor
médiocre: j'étais des —s I was average, just fair
médiocrement moderately, passably; indifferently
méditer to mull over, ponder; contemplate
méfait *m.* misdeed
méfiance *f.* distrust, suspicion
méfiant suspicious
meilleur better; best
mélancolique melancholy; dismal
mélange *m.* mixture; blending
mêler to mingle, mix; blend; se — take part, be mixed; se — de be concerned with, take upon o.s., interfere with
mélodieux melodious, musical
membre *m.* limb; member
même *adj.* same; it (him, her) self; *adv.* even, also; *pron.* self; de — likewise, in the same way; quand — just the same, notwithstanding, nevertheless; tout de — anyway, just the same
mémoire *f.* memory; remettre en — to bring back to; lui venait en — came (back) to his mind
menacer to threaten
ménage *m.* household; family; housekeeping; faire le — to keep house, do the housework
ménagement *m.* (pre)caution; *pl.* consideration
ménager to spare; make, build; provide
mendiant *m.* beggar
mener to lead, conduct; manage; take, carry
mensonge *m.* lie, lying
mensonger lying, untrue, deceitful
menteur *adj.* lying, false; *n.m.* liar
mentir to lie
menton *m.* chin
menu small, minute

menuisier *m.* carpenter, cabinet-maker

mépris *m.* scorn, disdain, contempt

méprisable despicable, contemptible

méprise *f.* mistake, misunderstanding

mépriser to scorn, despise

mer *f.* sea, ocean

merci thank you

mercredi *m.* Wednesday

mère *f.* mother

méridional southern

mériter to deserve; earn

merle *m.* blackbird

merluche *m.* codfish

merveille *f.* wonder; marvelous creature; c'est — d'ouïr it's wonderful to hear

merveilleux wonderful, marvelous

messe *f.* mass, divine service

messieurs *m.pl.* of monsieur gentlemen, sirs

mesure *f.* measure; moderation; à — que as, in proportion, accordingly; mettre en — to allow, put in a position

mesuré temperate, restrained; circumspect, guarded

mesurer to measure; calculate; se — à try one's strength at (against)

métairie *f.* small farm

métamorphosé changed

météo *f.* meteorological station; weather bureau (forecast)

métier *m.* trade; job, profession

mètre *m.* meter (approx. 39.37 U.S. inches)

metteur *m.*: — en scène producer

mettre to put (on), set, place; — pied à terre dismount; se — place o.s.; se — à (lire) start (reading); se — à table sit down at the table; se — avec go in with (partnership)

Metz city in Lorraine, 90 miles northeast of Strasbourg

meuble *m.* piece of furniture; *pl.* furniture

meugler to moo, low (cattle)

meule *f.* haystack

meurs (*v.* mourir): je — I am dying

meurtre *m.* murder

meurtrier *m.* murderer

meus (*v.* mouvoir): tu te — you move

mi half; — -clos half-opened (closed)

miasme *m.* miasma, noxious exhalation

midi *m.* noon

mie *f.* darling; *obs.* nurse

mien: le — mine

miette *f.* crumb, bit

mieux better; j'aime — le refaire I prefer to do it over again; au — avec on the best of terms with; ce qu'il y avait de — the best there was; faute de — for lack of anything better; le — du monde as well as possible; tant — good, fine, all the better

mignon cute, pretty; *f.* -ne darling

mi-jambe: à — *m.* halfway up the legs

mil *m.* thousand (in dates)

milan *m.* kite, hawk

milieu *m.* middle, midst; environment, surroundings; au — de in the middle (center) of

militaire *adj.* military; *n.m.* soldier

mille *adj.* thousand; *n.m.* mile

millième *m.* thousandth

millier *m.* (about a) thousand

mimi *m.* darling, dear

mince thin, slender; slight

mine *f.* look; bearing, appearance; faire — de to give the impression of, pretend to

miner to undermine

ministère *m.* ministry; cabinet; administration; department; saint — ministry (*ecclesiastical*)

ministre *m.* minister

minuit *m.* midnight

minuscule small, minute

minutie *f.* minute detail

mirent (*v.* mettre): ils se — à they began to

misanthrope *m.* misanthrope, hater of mankind

misérable wretched, unhappy, unfortunate; *n.m.* wretch, unhappy person

misère *f.* misery, poverty; distress, trouble

mi-voix: à — in an undertone, under one's breath

mobilier *adj:* impôt — tax on personal property; *n.m.* furniture

mode *f.* fashion; à la — de in the style of, after the manner of; se conduire à sa — to behave as one wants to

modeler to model; se — sur pattern o.s. on

modéré moderate, reasonable

modestement modestly; simply, quietly

mœurs *f.pl.* customs, manners, ways; morals, morality

moi me; to me; I; *n.m.* self, ego; — -même myself, me

moindre less, smaller, shorter; la — the least, the smallest, the slightest

moine *m.* monk

moins *adv.* less; fewer; à — de unless; à — que unless; au —, du —, tout au — at any rate, at least; non — nonetheless; plus ou — more or less; pour le — at (the very) least; elle n'en est pas — she is nonetheless; il n'est que — dix it is only ten of

mois *m.* month

moisson *f.* harvest

moite moist, damp

moiteur *f.* dampness, sweating

moitié *adj., n.f.* half

molle, *f.* of mou soft

mollesse *f.* softness; indolence

moment *m.* moment; time; à tout — at any moment, every instant; du — que since, inasmuch as, as long as

momie *f.* mummy

mondain social; fashionable

monde *m.* world; people; society; company; aller par tout le — to travel all over the world; tout le — everyone, everybody

mondial world-wide

monnaie *f.* change; coin, money

monseigneur *m.* his Lordship, Your Grace

monsieur *m.* sir; Mr.; gentleman

monstre *m.* monster

monstrueux monstrous, immense, dreadful

mont *m.* hill, mount, mountain

montagne *f.* mountain

montée *f.* ascent, climb

monter to go (walk) up, climb; attain; le champagne vous monte à la tête champagne goes to your head

Montfaucon hill in the northeastern section of Paris, where the gallows stood from the XIIIth to the XVIIIth cent.

monticule *m.* hillock, mound; heap

Montparnasse one of the artist sections of Paris, one mile south of the Seine River

montre *f.* watch

montrer to show; point out; display; se — show o.s.; appear

monture *f.* mount (for riding)

moquer to ridicule, make fun of; se — de laugh at, not to care about

moquerie *f.* mockery, ridicule; trifling, jest

moqueur mocking, jeering

morale *f.* lesson; rebuke

moralité *f.* morality (play)

morceau *m.* piece, bit

morceler: se — to break, divide up

mordant biting; caustic

mordre to bite

morne dejected, gloomy; mournful, somber; dull

morsure *f.* bite

mort *adj.* dead; *n.f.* death; *n.m.* dead man; corpse; faire le — to play possum, keep quiet

morte *f.* dead woman

mortel mortal, fatal, deadly

mot *m.* word; remark; — à — word by word; bons –s witty remarks; qui ne souffle — who does not breathe a word

moteur *f.* motor, engine

motif *m.* motive, incentive; cause, reason

motiver to be the motive of (the reason for); explain; bring about

motte *f.* clod (of earth)

mou, *f.* molle soft, flabby, limp; weak

mouchard *m.* stool pigeon, informer

mouche *f.* fly

moucher: se — to blow one's nose

mouchoir *m.* handkerchief

moue *f.* pout; il eut une — attristée he pursed his lips sadly

mouillé wet

moule *m.* mould

moulin *m.* windmill

mourant (*v.* mourir) dying; *n.m.* dying man

mourir to die; se — be dying

mousse *f.* moss

mousser to sparkle; froth, foam

moustache *f.* mustache

moutarde *f.* mustard

mouton *m.* sheep, lamb, mutton; revenons à nos –s let's get back to the subject

moutonner to frizzle (hair); show whitecaps (sea)

mouvant moving, shifting

mouvement *m.* movement, motion; impulse; mettre en — to start moving

mouvoir to move, stir; faire — set in motion; se — move, stir, be moved

moyen *adj.* average; *n.m.* means, way; au — de by means of, with the help of; le Moyen Age the Middle Ages; prendre les –s to find a way, take measures

moyenne *f.* average

moyennement *adv.* moderately

mû (*v.* mouvoir) moved

muet, *f.* muette silent; speechless

mugir to bellow

multiplier: se — to multiply

munir to furnish (supply, provide) with

mur *m.* wall

mûr ripe

muraille *f.* high wall

muré walled up

murmurer to murmur, mumble, grumble; whisper

museau *m.* snout, muzzle; *colloq.* face, mug

musée *m.* museum

musique *f.* music, harmony

musulman Moslem

mystère *m.* mystery

mystérieux mysterious; uncanny

mystique mystic(al)

N

nageoire *f.* fin (of fish)

nager to swim

nageur *m.* swimmer

naguère formerly, not long ago, lately

naissance *f.* birth; root; source; beginning; elle avait de la — she was highborn, she came from an aristocratic family; fou de — crazy since birth

naissant (*v.* naître) being born; budding

naître to be born; il fait bon — it is good to be born

naïveté *f.* simplicity, ingenuousness

nappe *f.* cloth, cover; sheet (of water)

naquit (*v.* naître) was born

narcisse *f.* narcissus

narine *f.* nostril

narration *f.* narrative; account

naseau *m.* nostril (of animal)

natal native

nature *f.* temperament, character, disposition; il est sujet de — he is by nature

naturel natural; au — becoming to the; être d'un bon — to have a good disposition

naufrage *m.* shipwreck
naviguer to navigate; sail
navire *m.* ship, vessel
navré brokenhearted, dreadfully
   sorry
ne no, not; — ... pas not; — ... que
   only
né born; bien — wellborn
néanmoins nevertheless, however,
   for all that
néant *m.* nothing, nothingness;
   sortir du — to rise from obscurity
nécessaire necessary; obligatory;
   unavoidable
nécessairement necessarily; inevita-
   bly
nécessité *f.* necessity; les –s the
   necessaries (of life)
négligemment carelessly
négliger to neglect
négociant *m.* merchant
nègre *m.* Negro
neige *f.* snow
nerf *m.* nerve
nerveux nervous
nervosité *f.* nervousness
n'est-ce pas? is it not? is it? won't
   you? right?
net, *f.* nette clear, plain; clean;
   sharp; empêcher tout — to
   prevent outright, completely
nettoyer to clean
nez *m.* nose
neuf, *f.* neuve new; vêtu de —
   dressed in new clothes
neveu *m.* nephew
ni ... ni neither ... nor
niche *f.* kennel
nid *m.* nest
nier to deny; disown
Nil: le — the Nile, longest river
   in the world, 4,000 miles, flowing through Egypt into the Mediterranean
noblesse *f.* nobility
Noël *m.* Christmas
nœud *m.* knot; bow; — d'obscurité
   core of darkness
noir black; dark, gloomy; wicked

noirceur *f.* blackness
noircir to blacken
noisette *f.* hazelnut
nom *m.* name
nombre *m.* number; quantity; être
   du — de to be among the;
nombreux numerous, many
nommer to name, call, designate;
   appoint
non no, not; et —! and certainly
   not!
nord *m.* north
normand Norman, of Normandy
notaire *m.* notaire, attorney
note *f.* grade; bill, account
noter to jot down; notice
nôtre: le — ours, our own
nouer to tie, knot; tighten; j'avais
   la gorge nouée I had a lump in
   my throat
nourrice *f.* (infant's) nurse; mettre
   un enfant en — to put a child
   out to nurse
nourrir to nourish, feed; se — de
   live on; be filled with
nourriture *f.* food
nouveau new, recent; *adv.* à —,
   de — again, once more
nouveau-né *m.* newborn child
nouveauté *f.* novelty, newness; in-
   novation
nouvel *adj.* new
nouvelle *f.* news; *pl.* tidings, account; gossip
noyer to drown
nu naked, bare
nuage *m.* cloud
nuance *f.* shade; suggestion, degree
nuancé with shades of expression
nue *f.* cloud; *pl.* skies
nuire to hinder, bother; — à be
   harmful (detrimental) to
nuit *f.* night; darkness; la — s'était
   faite night had fallen; de — by
   night
nul, *f.* nulle no, not any; *pron.*
   no one, nobody, not one; nulle
   part no place; — temps at no
   time; par vent — with no wind
   stirring

nullement not at all, by no means
numération *f.* system of numbers;
— des Arabes Arabic numbers
numéro *m.* number
nuque *f.* nape (of neck)

O

ô! oh! O (*invocation*)
obéir to obey; comply with
objet *m.* object
obliger to make, force, compel
obliquer to slant (swerve) toward
obscur dark, gloomy; vague
obscurcir to darken, dim
obscurité *f.* darkness; dans l'— in
the dark
obséder to torment
obsèques *f.pl.* funeral
obséquieux obsequious, servile
observateur *m.* observer
observer to observe, watch; faire
— qch à qn to draw s.o.'s attention to sth.
obstiné stubborn
obstiner: s'— to insist, persist
obtenir to get, obtain; win
occasion *f.* opportunity, occasion;
chance; à l'— when the occasion
presents itself
occasionner to cause
occidental west(ern)
occire to kill
occupé occupied, busy; — à in the
act of, busy with
occuper to occupy, take up (time);
s'— de busy o.s. with, take care
of
octroyer to grant, allow; concede
odeur *f.* odor, smell
odieux hateful, loathsome
odorant fragrant, sweet smelling
œil (*pl.* yeux) *m.* eye; look; avoir
l'— sur to keep an eye on; un
coup d'— glance, look
œuf *m.* egg
œuvre *f.* work
offenser to offend; insult
office *m.* (divine) service; employ-
ment

officier *m.* officer
offrir to offer; là s'offraient deux
voies there two paths presented
themselves
oie *f.* goose
oiseau *m.* bird
oiseau-mouche *m.* hummingbird
oiselet *m.* small bird
oisif, *f.* oisive idle, unoccupied
oisillon young bird, fledgling
ombre *f.* shadow; shade; darkness;
à l'— in the shade
on people; one, they, we, someone
oncle *m.* uncle
onction *f.* unction, persuasive ear-
nestness
onde *f.* wave, water
ondulation *f.* heaving; curve
onduler to undulate, wave
ongle *m.* nail; claw mark (of animal); se ronger les —s to bite
one's nails; be restless, impatient
opacité *f.* opaqueness; obscurity
opaque dark; dull
opérer: s'— to take place, come
about
opposé opposite, contrary
opposer à to set (place) against
opprimer to oppress, persecute
or but, now; well
or *n.m.* gold; — fin pure gold
orage *m.* storm
orageux stormy
oraison *f.*: — funèbre funeral
oration
ordinaire ordinary; usual; plus
qu'à l'— more than usual
ordonnance *f.* order, decree; (doctor's) prescription
ordonner to order; arrange; prescribe; command
ordre *m.* order, command; method;
kind; des effets à l'— de bills
payable to; un mot d'— pass-
word; jusqu'à nouvel — until
further notice
oreille *f.* ear
oreiller *m.* pillow
orgueil *m.* pride

orgueilleux proud, haughty
orienter: s'— to take one's bearings
originaire de originating from
(in); native of
original: savoir qch d'— to know
sth. (at) first hand
ormeau *m.* elm
orner to adorn, decorate; embellish
(with, de)
Orphée *f.* Orpheus
orphelin *m.* orphan
orteil *m.* toe
orthographe *f.* spelling
os *m.* bone
oser to dare
osseux bony
ôter to take away, remove (from,
de)
ou or; — bien or; —...— either
... or
où where; when; d'—? from where?
oublier to forget
oubliette *f.* dungeon
oublieux forgetful
ouest *m.* west
ouïr to hear
ours *m.* bear
outil *m.* tool
outrageux outrageous, insulting
outre beyond; besides; en —
furthermore; passer — to go
on, proceed further
ouvert open; opened
ouverture *f.* opening
ouvrage *m.* work
ouvrier *m.* workman
ouvrière *f.* working girl
ouvrir to open; — le feu start
firing; s'— *pers.* become expan-
sive
oxyde *m.*: — de carbone carbon
monoxide
oxydé oxidized

P

pacte *m.* pact, agreement
païen *adj., n.m.* pagan
paillard ribald, lewd
paille *f.* straw

pain *m.* bread
pair *m.* equal; peer
paire *f.* pair
paisible peaceful
paissant grazing
paître to graze
paix *f.* peace
palais *m.* palace
palet *m.* quoit; jouer au — to play
quoits
pâleur *f.* pallor
palier *m.* landing (on stairway)
pâlir to grow (turn) pale
palissade *f.* picket fence
palpiter to palpitate, beat; flutter
pâmer: se — swoon; thrill
panache *m.* plume
panier *m.* basket
panneau *m.* panel
panoplie *f.* panoply, display (of
arms)
pantalon *m.* trousers
pantelant panting; quivering
pantoufle *f.* slipper
paon *m.* peacock
papier *m.* paper
papillon *m.* butterfly
Pâques *m.pl.* Easter
paquet *m.* package, bundle
par by, through; out of; on; by
way of; with; for; — an each
year; — exemple! indeed!, you
don't say! — là by doing that;
— où? which way? — tous les
temps in all kinds of weather;
at all times; — trois fois three
times
parade *f.* parade, display; faire —
de to show off
paradis *m.* paradise
parage *m.* social standing; lineage
paraître to appear, seem, look like
parapet *m.* stone wall (of bridge)
parbleu! to be sure! why, of
course!
parce que because
parchemin *m.* parchment
parcourir to travel over (through);
go (run) over; examine; visit
pardessus *m.* overcoat

par-dessus above, on top of
pardieu! why, of course! to be sure!
pardonner to pardon; excuse
paré adorned; **bien —** well dressed
pareil same, like, similar; such; **sans —** unequaled, without comparison; *n.m.* **mes –s** my equals, peers
parent *m.* relative; *pl.* parents; relatives
parenté *f.* family relationship
parer to adorn, deck out, embellish (with, **de**)
paresse *f.* laziness
paresseux lazy
parfait perfect, faultless
parfois sometimes, occasionally
parfum *m.* perfume
parfumerie *f.* cosmetics; perfume shop
parfumeur perfumer
parier to bet
parlement *m.* National Assembly (and Senate); Parliament; high court of justice (before 1789)
parler to speak, talk
parmi among, amid
paroi *f.* wall, side; partition
paroisse *f.* parish; community
parole *f.* word; speech; remark; **avoir la —** to be talking; have the floor; **prendre la —** speak
parquet *m.* floor; dance floor
parrain *m.* godfather
part *f.* part; share; **à —** aside; **de — et d'autre** on both sides; **de la —** de from, on behalf of; **nulle —** nowhere; **pour sa —** as for her; **quelque —** some place; **de toutes –s** from all sides, from everywhere
partager to divide; share
parti *m.* party; decision; choice; **en prendre son —** to make the best of it; make up one's mind about it; **— pris** prejudice
particulier peculiar; special, characteristic; intimate; **en — in** particular, privately; **nous est —** is characteristic of us

partie *f.* part, portion; party; game; **faire — de** to be a part of; **la — adverse** the opposing side, opponents; **en — partly**
partir to go, leave, start up, go off (shoot)
partout everywhere; **de — from** all sides
parût (*v.* **paraître**): **sans qu'il y —** without it appearing so
parvenir à to attain, reach, arrive
pas *adv.* **ne (non) ... — not; — mal** quite a few; **— moins** nonetheless; **pourquoi —?** why not?; **— du tout** not at all
pas *n.m.* step; **— à — step by step;** **faire les cent — to walk up and** down; **le — de la porte** threshold; **revenir sur ses — retrace** one's steps
passablement tolerably; fairly; **être — to be fairly comfortable; be** well off
passage *m.* passage; passing; **être de —** to be passing by; **sur le — de** in the path of; **la voiture lui laissa le —** the car stopped to let her go by
passager passing; migratory
passant *m.* passerby
passe *f.* pass; passage; narrow passage (of harbor)
passé *m.* past
passe-muraille *m.* walker through walls
passer to pass; spend; stick out; cross, go by; disappear; pass out; **ça passe** it's all right; **en passant** passing by; **faire — dans in-** corporate in(to); **se — take** place
passe-temps *m.* pastime
Passion: la — the Passion (sufferings) of Christ upon the cross
passionné passionate; thrilled
passionnel pertaining to (the) passions
pâte *f.* paste; cream
pâté *m.* meat loaf
pâtée *f.* food

Pater noster *m.* paternoster, the Lord's Prayer
paterne fatherly, soft-spoken
pathétique pathetic; moving
patienter to have patience
pâtir to suffer
pâtisserie *f.* pastry
patrie *f.* native land; home
patron *m.* boss
patrouille *f.* patrol
patte *f.* paw, leg (of animal)
paume *f.* palm (of hand); *obs.* tennis
paupière *f.* eyelid
pause *f.* pause, stop; **faire une —** to pause, stop, rest
pauvre *adj.* poor; *n.m.* poor man
pauvreté *f.* poverty
pavé *adj.* paved; *n.m.* pavement; paving stone
pavillon *m.* small house; flag
payer to pay (for)
pays *m.* country, land; region, district; home; **gens du —** natives
paysage *m.* landscape, scenery
paysan *m.* peasant; farmer
peau *f.* skin
pêche *f.* peach
pêche *f.* fishing
péché *m.* sin
pécheur *m.* sinner
pêcheur *m.* fisherman
pécorer to peck, pick
peignit (*v.* **peindre**) painted
peindre to paint; depict, represent
peine *f.* trouble; difficulty; worry; misfortune; work; **à —** hardly; **avoir de la —** to be unhappy; **être en —** be suffering; **garçon de —** handy man; **se mettre en — to** trouble o.s., go to a lot of trouble
peintre *m.* painter
peinture *f.* painting, picture; description
pèlerin *m.* pilgrim
pèlerinage *m.* pilgrimage; **aller en —** to go on a pilgrimage
peloton *m.* platoon; **— de fusileurs** firing squad

penchant *m.* leaning, bent, inclination
pencher to bend, lean; **se —** bend (lean) over
pendant *prep.* during; **— que** *conj.* while
pendant hanging, drooping, sagging; flabby
pendre to hang
pendu *n.m.* hanged man
pêne *m.* bolt (of lock)
pénétrer to penetrate; fathom, see through
pénible painful, laborious; distressing
péniblement with difficulty, painfully; laboriously
pensée *f.* thought
penser to think, reflect; intend
penseur *m.* thinker
pensif pensive
pension *f.* boarding school
pente *f.* slope; incline
percepteur *m.* tax collector
percer to pierce
percevoir to perceive, notice
perchoir *m.* perch, roost
perdre to lose; **se —** get lost
père *m.* father
perfidie *f.* perfidy, treachery
Périgord northern part of the province of Guyenne, southwestern France
Périgueux town, 300 miles southwest of Paris
périlleux perilous, dangerous
périr to perish; die
perle *f.* pearl
permettre to permit, allow; **se — de** take the liberty of
permissionnaire soldier on furlough
pérorer to hold forth; talk one's head off
Pérou: le — Peru; *figurative* fabulous wealth
perroquet *m.* parrot
perruque *f.* wig
Persan *m.* Persian
persécuter to persecute; pursue

persistance *f.* persistence
personnage *m.* person, individual; character; *th.* part; **jouer le second** — to play second fiddle
personne *f.* person; *pl.* people; *pron.* no one, anyone, anybody
perspicace shrewd
persuader to persuade, convince; **il veut le** — **ainsi** he wants people to think he has
perte *f.* loss; downfall, ruin
péruvien *n.m.* Peruvian language
pesant heavy, weighty
pesée *f.* weighing; prying
peser to weigh; — **à** weigh on, be heavy on; — **sur** hang over; **voilà ce qui me pèse** that's what bothers me, what weighs on my mind
peste *f.* plague
petit small, little; **short**
petitesse *f.* smallness
petit-fils *m.* grandson
peton *m.* small foot; **mon petit** — darling, my little one
Pétrarque Petrarch, Italian poet and humanist (1304–1374)
pétrifier to petrify; **se** — become petrified
peu *adv.* little; few; short time; **à** — **près** almost, nearly; — **à** — gradually, little by little; **un** — **de** a bit of; **quelque** — to a slight extent; **tant soit** — the least bit, ever so little
peuple *m.* people, nation
peur *f.* fear, terror; **avoir** — to be afraid; **de** — **de** for fear of, lest; **faire** — **à** to frighten
peureusement timorously, nervously
peut-être perhaps, maybe, possibly
phare *m.* beacon, lighthouse
pharmacien *m.* druggist; apothecary
philosophe *m.* philosopher
phoque *m.* seal (sea lion)
phrase *f.* sentence
physicien *m.* physicist
physique *adj.* physical; *n.f.* physics

pie *f.* magpie
piéça *obs.* for some time
pièce *f.* piece; item; play — **de vin** barrel of wine
pied *m.* foot; **mettre** — **à terre** to dismount
pied-à-terre *m.* small temporary lodging
piège *m.* trap, snare; **prendre au** — to trap; **tendre les** –**s** set the traps
pierre *f.* stone
Pierre Peter
pierreries *f.pl.* precious stones, jewels
pierreux stony
piéton *m.* pedestrian
pilier *m.* pillar, column
piller to plunder
pin *m.* pine; **papillon du** — pine moth
pincé: d'un air — with a sour look
pinceau *m.* paintbrush
pincettes *f.pl.* tweezers; fire tongs
Pindare Pindar, Greek lyric poet (V[th] century B.C.)
pintade *f.* guinea hen
piper to fool, trick; **se** — be mistaken, be deluded
pipeur *adj.* cheating, deceitful
piqué vexed
piquer to prick; sting; jab
pire *adj.* worse
pis *adv.* worse; **tant** —! too bad! it can't be helped!
piteux piteous, woeful
pitié *f.* pity; **avoir** — **de** to pity
pitoyable pitiful
pittoresque picturesque
place *f.* place, seat; position, job; public square
placement *m.* investment
plage *f.* beach
plaider to plead
plaidoirie *f.* (counsel's) speech; pleading
plaindre to pity; **être à** — be pitied; **se** — complain
plaine *f.* plain; **être en** — to be in the open country

plain-pied: de — avec on a level with

plainte *f.* complaint

plaintif plaintive, mournful

plaire to please; **je lui plais** I appeal to him, he likes me; **se — à** to take pleasure in

plaisant amusing, funny; joking; *obs.* pleasing, nice

plaisanter to joke; tease

plaisanterie *f.* joke

plaisir *m.* pleasure; **faire qch à —** to do sth maliciously; **faire — à** please; **une maison de —** house of prostitution; **à son —** as he wishes

plan *m.* plan; plane; **un rôle de premier —** an important role

planche *f.* board; **la — de bord** instrument panel

plancher *m.* floor

planer to hover

planter to plant; **cet œil planté sur elle** that look fixed on her

plaque *f.* plate

plat flat; **à — ventre** flat on one's stomach; *n.m.* dish, course (of food)

plein full; complete; **sentir le vin à –e bouche** to reek of wine; **tout — full; virer — nord** head straight North

pleurer to weep, cry

pleurs *m.pl. poet.* tears

pleuvoir to rain; pour down

pli *m.* fold, crease; pleat

plier to bend

plissé wrinkled, creased

plomb *m.* lead

plongé sunk, absorbed

plonger to plunge, dive; thrust; dig; **se — plunge, immerse o.s.**

plongeur *m.* diver

plu (*v.* plaire) pleased; (*v.* pleuvoir) rained

pluie *f.* rain

plume *f.* feather; quill (for writing)

plupart *f.*: **la — the greater part; pour la — mostly**

plus *adv.* more; besides; plus; de

— moreover; **de — en — more and more; en — moreover, in addition; en — de in addition to; une fois de — once more; le — the most; ne ... — no longer, no more; non — (not) either, neither; — ... — the more ... the more; — ou moins more or less; pas — de not more than; — que toute chose more than anything else**

plusieurs several

plût (*v.* plaire): **— aux dieux ... !** may the gods . . . !

plutôt rather, sooner; **— que** rather than

pochard *m.* drunkard

poche *f.* pocket

poché: œil — black eye

poêle *f.* frying pan; *m.* stove

poésie *f.* poem; poetry

poids *m.* weight

poignant gripping

poignard *m.* dagger

poignée *f.* handful, fistful

poil *m.* hair

poing *m.* fist

point *adv.* not; **pour ne — so as not to;** *n.m.* place, spot, dot; **— d'appui resting place; au — du jour at daybreak**

pointe *f.* point, dot; peak

pointer to point; aim

pois *m.* pea; **à — couleur** chocolate with brown polka dots

poisson *m.* fish; **savoir comment frira le — to know which way the wind will blow**

poitrail *m.* breast (of animal); **en plein — full in the chest**

poitrine *f.* breast, chest

poli, polite; polished, shiny

polisson *m.* bad boy

polissonnerie *f.* mischievous (crude) joke, dirty trick

politesse *f.* politeness

politique *adj.* political, prudent; *n.f.* politics; **faire de la — to go in for politics**

polonais *adj.* Polish

pomme *f.* apple

pompe *f.* pump; — de secours fire extinguisher

ponctuellement punctually

pont *m.* bridge

populace *f.* rabble, riffraff

populaire popular

porc *m.* pig

porcelaine *f.* china; china container

porche *f.* doorway; portal

poreux porous

port *m.* harbor; shelter, safe place

portail *m.* portal

porte *f.* door, doorway

porte-cochère *f.* carriage entrance, main entrance

porte-fenêtre *f.* French window

portefeuille *m.* billfold, wallet; avoir 2.000 francs en — to have 2,000 francs' worth of holdings

portemanteau *m.* coat hanger

porter to carry, bear; wear; take; — à take to; — les armes bear arms; — un coup deal a blow; se — à go, carry o.s. to; se — aux événements *obs.* face difficulties; se bien — be in good health

porteur *m.* bearer, messenger

portion *f.* share, part

Port-Royal Jansenist abbey, now in ruins, twenty-five miles southwest of Paris

poser to put, place, set (down); sit (for painter); se — sur alight upon

posséder to possess

possesseur *m.* owner

possible *adj.* possible; fairly good; *adv.* possibly; perhaps; — ! maybe so!

poste *m.* position; station; outpost

poster: se — to station o.s.

posthume posthumous

potage *m.* soup

poteau *m.* post, stake

potence *f.* gallows

poudre *f.* powder; dust; — à canon gunpowder

poudreux dusty

pouffer to burst out laughing; guffaw

poupon *m.* small child

pour for; in order to, to; as; — que so that; — ce qui est de as concerns, with regard to

pourpoint *m.* doublet

pourpre purple, crimson

pourquoi why

pourrir to rot

poursuite *f.* pursuit; courtship, wooing

poursuivre to pursue, follow; persecute

pourtant however, yet, nevertheless

pourvu provided; — que provided that, let's hope that, if only

pousse *m.* rickshaw

pousser to push; thrust; impel, urge; utter; se — elbow one's way

poussière *f.* dust

poutre *f.* beam, timber

pouvoir to be able (can); n'en — plus be exhausted, not to be able to stand it any longer; il se peut que it may be that; *n.m.* power

pratique *adj.* practical; *n.f.* practice

pratiquer to practice; use; perform

pré *m.* meadow, field

précéder to precede

précepte *m.* precept, rule

précepteur *m.* tutor, teacher

précieux precious, rare; affected

précipiter to precipitate; throw (hurl) down; se — rush, throw o.s.

précis precise, exact

précisément exactly, precisely; quite

préciser to state precisely, specify; se — become clearer, more explicit

précoce precocious

préféré *adj.* favorite

préjudice *m*.: sans — de without prejudice to

préjudiciable detrimental

premier first; *n.m.* au — on the second floor

premièrement firstly

prendre to take; — au piège trap; s'en — à blame; s'y — go about it; bien lui en prit it was lucky for him; qu'est-ce qui vous prend? what ails you? what's gotten into you?

préparatifs *m.pl.* preparations; faire ses — de to prepare for

préparer to prepare; se — à get ready to

près *adv.* near; à peu — nearly, almost, approximately; tout — quite near; *prep.* — de near, nearby; almost

présage *m.* portent. omen

présence *f.* bearing; en — de in front of

présent present; à — now; jusqu'à — until now

présenter to present, offer; se — show up; introduce o.s.

préserver to preserve; protect

présomption *f.* presumption; unwarranted boldness

présomptueux presumptuous; jeune —! you presumptuous young man!

presque almost

pressant urgent, pressing

pressé hurried; urgent

pressentir to have a premonition of

presser to press, clasp; urge; se — hurry; crowd

pression *f.* pressure

prestement quickly, nimbly

prêt ready

prétendre to pretend, claim; maintain; insist

prétendu so-called; fake

prétention *f.* pretense

prêter to lend

prétexte *m.* pretext, pretense

prêtre *m.* priest

preuve *f.* proof; faire — de to show, display

prévenance *f.* attention, kindness

prévenant obliging, kind

prévenir to warn; caution; notify

prévention *f.* prejudice, bias

prévenu *m.* the accused, prisoner

prévision *f.* expectation; forecast

prévoir to foresee

prie-dieu *m.* praying chair

prier to pray; beg; invite; il les pria à dîner he asked them to dinner; je vous en prie! please! elle ne se fit pas — she didn't have to be asked twice

prière *f.* prayer

principe *m.* principle; *obs.* beginning

printemps *m.* spring

prise *f.* hold; être aux –s to be in the clutches; be at grips

priser to take snuff; appraise; nous ne nous prisons pas we don't value ourselves

prisonnier *adj.* captive; *n.m.* prisoner

prisse (*v.* prendre): que je ne me — de goût pour that I did not develop a taste for

priver to deprive

prix *m.* price, cost; prize; au — de in comparison with; être mis à — to have a price set on one's head; be ransomed

probe honest, upright

probité *f.* integrity

procéder to proceed, go about

procès *m.* trial; lawsuit

prochain *adj.* next; next one; *n.m.* neighbor

proche near

proclamer to proclaim

procurer: se — to obtain, find

prodige *m.* wonder, prodigy, marvel

prodigieux prodigious, stupendous; shocking

prodiguer to be prodigal; — à lavish upon

produire to produce; form

produit *m.* product; result
proférer to utter
professeur *m.* professor; teacher
profil *m.* profile
profiter de to take advantage of
profond deep; dense
profondément deeply; soundly
profondeur *f.* depth; density
proie *f.* prey, prize, booty; en — à
prey to, subjected to; under the
strain of
projet *m.* project, scheme
projeter to project; throw out;
plan
prolonger to prolong, extend; se
— extend, prolong
promenade *f.* walk; promenade
(public walk)
promener to take around; — ses
regards let one's eyes wander
promeneur *m.* walker, rambler;
hiker
promesse *f.* promise
promettre to promise
prompt quick, ready
propager to spread about
propension *f.* propensity, tendency
propice propitious, favorable
propos *m.* word, words; speech,
talk; gossip; à — de speaking
of, concerning
proposer to propose, suggest
propre own, very same; clean,
neat; proper; — à appropriate,
capable of
proprement appropriately; — dit
properly speaking; plus — more
exactly
propriétaire *m.* proprietor; land-
lord
propriété *f.* property; estate
prospectus *m.* handbill
prostituée *f.* prostitute
protectrice *f.* patroness
protéger to protect
prouesse *f.* feat; bravery
prouver to prove
provenir de to come (proceed,
spring) from

provisions *f.pl.* provisions, supplies, food
provisoire temporary
provoquant irritating
provoquer to provoke, bring
about; cause; — qn en duel
challenge s.o. to a duel
prudence *f.* caution; avec — carefully
prunelle *f.* eyeball; apple (of the
eye)
Prusse: la — Prussia
Prussien Prussian
puant stinking
puanteur *f.* stench
pudeur *f.* modesty; decency; fear
of public opinion
puérilement childishly
puis then, afterward; also; besides
puisard *m.* cesspool, pit
puiser to draw forth (from); derive
puisque since, because
puissance *f.* power
puissant powerful, strong
puits *m.* well
punir to punish
punition *f.* punishment
pupille *f.* eyeball; apple (of the
eye)
pupitre *m.* desk
pur pure; ma –e libre volonté my
honest free will
pureté *f.* purity; pureness; clearness
pût (*v.* pouvoir) afin qu'il — so
that he could
putois *m.* polecat

Q

qu' whom; which, what; that; —
est-ce?, — est-ce que c'est? what's
that?
quand when; — même even
though, just the same
quant à as for, with regard to
quarante forty
quart *m.* quarter, fourth (part)
quartier *m.* ward, district, section
(of city)

quatorze fourteen
que *pron.* whom, that; which; what? — je vous parle! let me speak to you! — de rather than; *conj.* when; only; as; how; to such a point that; — pour only; — ne suis-je assise I wish I were seated; — de how much, how many; c'est — it's because; — le ciel may the heavens! ne savoir — répondre not to know what to answer; aussi bien — as well as
quel, *f.* quelle *adj.* what; what sort of
quelconque *adj.* whatsoever, any; so-so; commonplace
quelque *adj.* some, any; a few; whatever; — chose something; il est — chose he is an influential man, he has influence; — grand que soit ... however great is . . . ; — peu somewhat; — ... qui whatever
quelquefois sometimes
quelques-uns *pron.* some
quelqu'un someone; anyone, anybody
querelle *f.* quarrel
quereller: — qn to get after (scold) s.o.
querir, quérir to fetch
question *f.* question; faire (poser) une — to ask a question; il n'était — que de m'exercer the purpose was only to train me
quête *f.* quest, search; se mettre en — to (begin to) scout about
quêteur: frère — alms-collecting friar
queue *f.* tail
qui who; he, whom; whosoever; which, that
quiconque anyone who, whoever
quitter to leave; — des yeux stop looking at; se — leave one another, separate
quoi what, which; —! well! really! à — bon? what good is that? après — after which, where-

upon; il n'y a pas de — don't mention it; it isn't worth it; en — in which, in what way; — que vous fassiez whatever you do; on ne sait — something or other
quotidien daily

R

rabâcher to repeat (the same thing) over and over
rabattre to bring (push) down; retract, subtract
raccommoder to mend; — des bas darn stockings
racine *f.* root
racinien of, pertaining to Racine
racler to scrape
raconter to tell; relate, narrate
radier *m.* roadway; bottom, floor
radieux radiant
radoteur driveler, dotard
raffiné refined; delicate; *n.m.* esthete
rafraîchir to refresh, cool; se — to refresh o.s.
rage *f.* anger, fury
rageur fuming, angry
rageusement in a rage
ragoût *m.* stew
rai *m.* ray (of light)
raid *m.:* — aérien long-distance flight
raide stiff
raidir: se — to stiffen; grow tense
railler to mock, make fun of
raison *f.* reason; sense, argument, proof; parler — à talk sense to
raisonnable reasonable, rational
raisonnement *m.* reasoning; argument
raisonner to reason; argue
ralentir to slow down, slacken
rallumer to light again; se — light (up) again
ramage *m.* floral pattern
ramassé doubled up, squat
ramasser to gather, collect; pick up; tu veux que je te ramasse? you want me to save you (*lit.*

pick up the pieces)? **à la taille ramassée** stocky

ramener to bring (lead) back; draw toward

rampe *f.* banister

ramure *f.* branches; antlers (of stag)

ranci rancid

rang *m.* rank; row, order

rangée *f.* row, line

ranger to arrange, put back in place; **bataille rangée** pitched battle; **se** — stand (move) aside, make room

ranimer to revive, bring to, restore

rapacité *f.* greed

rappeler to call again, call back; remind; summon up; **se** — remember, recall to mind

rapport *m.* relation; connection

rapporter to bring back, bring in; pay; report; comment on; interpret

rapproché close together

rapprocher to bring together; **se** — come nearer; approximate

rare sparse; scarce

rasoir *m.* razor

rassasié satisfied; *pers.* full

rassembler to reassemble, collect

rasseoir: se — to sit down again; become composed again

rassurer to reassure; cheer

ratine *f.* petersham (heavy woolen cloth)

rattacher to fasten, tie (up) again; **se** — **à** be connected with

rattraper to get hold of again, catch up with

rauque hoarse

ravager to wreck, ruin

ravi delighted

ravir to delight, charm; take away (by force); ravish

ravisseur *m.* ravisher; kidnapper

ravoir to recover

rayer to streak

rayon *m.* ray, beam (of light)

réaliser to realize; convert (into money)

rébarbatif stern, grim

rebattre to beat, hammer (again)

rebelle *adj.* rebellious

rebondi chubby

rebord *m.* edge, brim; slope

recette *f.* formule, recipe

receveur *m.* collector (of taxes)

recevoir to receive; welcome

réchauffer to warm up (again)

recherche *f.* search; research

recherché choice, select; in great demand

rechercher to seek (look) for again; investigate

réciproquement mutually

récit *m.* story, tale, narrative; report

réciter to recite; relate

réclamer to demand; claim; **se** — **de** claim kinship with, associate o.s. with

recommencer to begin again

récompense *f.* reward

reconduire to take (lead) back; see home

reconnaissance *f.* gratitude; reconnoitring

reconnaître to recognize; admit

recoucher to lay down again; **se** — go to bed again

recouvrer to recover; collect

recouvrir to cover again; hide

recruter to recruit

recueil *m.* collection (of stories, poems etc.)

recueillement *m.* meditation; seclusion

recueillir to collect, gather; receive, shelter

reculé remote, distant

reculer to step (move, draw) back; postpone; **à reculons** backwards

redescendre to go (come) down again

redevenir to become again

rédiger to write; draw up

redingote *f.* frock coat

redire to say again

redonner to give again; give back again

redoutable formidable, dangerous
redouter to dread, fear
redresser to straighten up; **se** — **sit** (stand) erect again
réduire to reduce
réel real, actual
refaire to do again; remake; restore to health
refermer to close up, shut up again
réfléchir to think (over); consider
refléter to reflect
réflexion *f.* reflection, thought
Réforme: la — the Reformation
refroidir to cool off
refuge *m.* shelter; lair
réfugier: se — take refuge
refus *m.* refusal
refuser to refuse
regagner to return to
regain *m.* renewal
régaler to regale, entertain, treat
regard *m.* look; glance
regarder to look at, watch; consider; **se** — look at each other; consider o.s.
Régence: la — carefree government of Philippe d'Orléans during the minority of Louis XV (1715–1723)
registre *m.* register; account book
règle *f.* rule; order
règlement *m.* regulations
régler to regulate; settle (account); **se** — **sur** model o.s. on, time o.s. on
règne *m.* reign
régner to rule
reine *f.* queen
rejeter to throw back, discard; reject; transfer (finance)
rejoindre to join, rejoin; overtake
réjouir to cheer up; **se** — rejoice, enjoy, delight (in, **de**)
relâche *f.* respite; relaxation; **sans** — without interruption
relever to raise again; tip (hat); draw up; bring out; **se** — get up again, pick o.s. up

relié bound
religieux religious; *n.f.* **religieuse** nun
relique *f.* relic
relire to reread
reluire to gleam
remarier: se — to remarry
remarque *f.* remark
remarquer to notice, observe; **faire** — observe
remède *m.* remedy
remerciement *m.* thanks
remercier to thank
remettre to put back, hand over; **se** — recover; **se** — **en route** start walking again; **s'en** — **à** rely upon
remise *f.* shed, coach house
rémission *f.:* **sans** — relentlessly
remmener to lead (take) back
remonter to go up again; rise (mount, climb) again; restore
remords *m.* remorse
remous *m.* backwater
remplacer to replace; substitute
remplir to fill; **se** — **de** fill (be filled) with
remuer to move; wiggle; move to pity
renard *m.* fox
rencogner: se — to retreat into a corner, ensconce o.s.
rencontre *f.* encounter, meeting
rendez-vous *m.* appointment
rendormir: se — to go back to sleep
rendre to render, give back; give over (forth); restore; make; **se** — **à** go, make one's way to; **se** — **compte que** realize that
renfermer: se — **dans** to withdraw into
renfoncer to pull (a hat) further on; **se** — plunge into
renforcer to reinforce, strengthen
rengaine *f.* the same old story
rengorger: se — to strut; put on airs
renier to disown; renounce
reniflement *m.* sniff, snort

renifler to sniff, snort

renom *m.* renown, fame; de —
famed, renowned

renommée *f.* reputation, fame

renoncement *m.* renouncement

renoncer to renounce; give up

renoué tied up

renouveau *m.* renewal

renouvelé de in imitation of,
adapted from

renouveler to renew; remodel; se
— be renewed; happen again

renseignement *m.* information

renseigner to inform

rente *f.* yearly income; *pl.* government bonds

rentrer to re-enter; return; begin
again

renversé upside down, thrown
back

renverser to upset, tip (back),
knock (throw) down (over); se —
lean back, throw o.s. back

renvoyer to send back; dismiss

repaissait (*v.* repaître): qui se —
de who was delighting (feasting)
in

répandre to pour (give) out;
spread about; diffuse (light); se
— dans la société go, mingle
with society

reparaître to reappear

reparcourir to examine again

réparer to repair

reparler to speak again

repartir to set out again, go away
again; retort

repas *m.* meal

repentir *n.m.* repentance; *v.* se —
de to repent; regret

repère *m.* reference, adjusting
mark (on instrument)

repérer: se — to take one's bearings

répéter to repeat

repli *m.* recess; innermost recess
(of soul)

replier to fold again; se — fall
back; retire (within o.s.)

répliquer to answer

répondre to answer, reply

réponse *f.* answer

repos *m.* rest; peace

reposer to put down again; rest; se
— rest; reposez-vous sur moi
count on me

repousser to push back (aside,
away)

reprendre to retake, take back;
continue; do again; get hold of
again; reprove; — le fil pick up
the thread(s) again; — haleine
catch one's breath; — sa marche
start walking again

représentant *m.* representative

réprimander to scold

réprimer to repress; curb, quell

reprise *f.* resumption; renewal

reproche *m.* reproach

réprouvé reprobate, outcast

repu gorged with food

répugnance *f.* dislike

répugnant disgusting

réputer to repute, deem; on le réputait he was considered

requête *f.* request, demand

réquisitoire *m.* indictment; speech
for the prosecution

réserve *m.* reservation, caution

résigner: se — to resign o.s.

résineux resinous

résolu (*v.* résoudre) determined;
elle était bien –e her mind was
made up

résolument resolutely, boldly

résolution *f.* resolve; determina-
tion; prendre une — to make up
one's mind

résolvait (*v.* résoudre): tout se —
everything was decided

résonner to resound, reverberate

résoudre to resolve; solve, make up
one's mind; se — à resolve to;
se — à un parti come to a decision

respect *m.*: sauf votre — with all
due respect (to you)

respecter to respect; spare

respirer to breathe; live

resplendir to shine; blossom forth

resplendissant resplendent, glowing; wonderful

ressaisir to seize again; **se —** take hold of o.s.

ressentir to feel

resserré compressed, narrow

resserrer: se — to become narrow, retrench

ressortir to go (come) out again; take out again; stand out

ressusciter to revive

reste *m.* remainder; *pl.* left-over, remnant; **de —** plenty, too much; **du —** besides

rester to remain; **restez!** don't bother!

restreindre : la voûte qui se restreignait the arch which became smaller

résultat *m.* result

résumé *m.* summary

résumer to sum up

rétabli recovered; re-established

retard *m.* delay; **être en —** to be late

retarder to delay, be slow; be behind the times

retenir to hold back; retain, keep from; remember

retentir to resound, reverberate

retenue *f.* discretion, circumspection; **être en —** to be kept after school (for punishment)

Rethel town, 120 miles northeast of Paris

rétif restive; stubborn

retiré: vivre — to live alone, live in retirement

retirer to withdraw, take (pull) back (away), take off; take out; **se —** leave, withdraw, go away; retire

retomber to fall again, sink back (down)

retour *m.* return

retourner to return, turn around, go back; **se —** turn around; **s'en —** return, go (come) back

retracer: se — to recur; come back

retraite *f.* retreat; **— aux flambeaux** torchlight parade

rétrécissement *m.* narrowing; contracting

retrousser to turn up, roll up

retrouver to find (see, meet) again; **se —** find each other again

rets *m.* net; snare

Réunion: l'isle de la — French island, 420 miles off the eastern coast of Madagascar in the Indian Ocean

réunir to gather, join together; assemble; **se —** to get together

réussir to succeed; **tout lui réussit** he is successful in everything, he's a great success

rêve *m.* dream

réveil *m.* waking, awaking; alarm clock

réveiller to awake, wake; **se —** wake up

révéler to reveal

revenir to come back, return; recover; **— au même** come to the same thing; **— de** recover from; **— sur le compte de** change one's opinion of

revenu *n.m.* income

rêver to dream; think

réverbère *m.* lamp-post

reverdir to grow green again

révérend: m. mon — reverend father

révérer to worship

rêverie *f.* dreaming, musing

revers *m.* back, reverse; **d'un — de main** with a backward stroke of the hand

rêveur *adj.* dreaming, dreamy; *n.m.* dreamer

revirement *m.* turn-about; sudden change

revivre: faire — to make live again

revoir to see again; *n.m.* **au —** good-by, see you soon

révolter: se — to revolt, rebel

revue *f.* review

rhumb *m.* point of the mariner's compass

ribleur *m. obs.* night prowler; rounder

ricanement *m.* sneer, giggle
ricaner to sneer, giggle
ridé wrinkled
rideau *m.* curtain
ridicule *m.* absurdity, mannerism
rien nothing; anything; none; homme de — unimportant man; qch de — du tout sth. of no importance; vous ne comprenez — à — you don't understand a thing
rieur *adj.* laughing; *n.m.* laugher
rigidité: la — cadavérique rigor mortis
rigoureux rigorous, severe
rigueur: à la — if really necessary; de — compulsory
rime *f.* rhyme
ripaille *f.* carousing, feasting; binge
riposter to retort, counter
rire *m.* laughter
rire *v.* to laugh; — de make fun of; que personne ne s'en rie let no one make fun of it; il en rit le premier he was the first one to be amused
risque *m.* risk; à tout — risking all, at all hazards
risquer to risk; se — à être venture to be
rituel *m.* ritual
rivage *m.* shore; bank
rive *f.* bank (of river)
rivière *f.* river, stream
robe *f.* dress, gown; robe; — de chambre bathrobe
robuste strong
roc *m.* rock
rocher *m.* (big) rock
rôder to prowl, roam; wander
roi *m.* king
roide *obs.* stiff
roidissement *m.* (= raidissement) stiffening
rôle *m.* role, part; à tour de — in turn
romain *adj.* Roman
roman *m.* novel
romancier *m.* novelist

romanesque *adj.* romantic
rompre to break, break off
rond round
ronde *f.* round; patrol
rondouillard roundish, roly-poly
ronfler to snore; hum; twang (of an arrow)
ronger to gnaw; eat; wear (weather); — ses ongles bite one's nails; se — be restless, impatient; rongé de soucis consumed with worries
roseau *m.* reed
rosée *f.* dew
rossignol *m.* nightingale
rôt *m.* roast
rôti *adj.* roasted; *n.m.* roast
roturier *adj.* of low birth
roue *f.* wheel
Rouen city on the Seine River, 125 miles northwest of Paris
Rouennais *m.* man from Rouen
rouet *m.* spinning wheel
rouge red
rougeur *f.* redness; blush; red of shame
rougir to redden; blush
rouille *f.* rust
roulement *m.* rolling; rumbling
rouler to roll; revolve, rotate; wander; knock about; *av.* taxi; la conversation roula sur the conversation touched upon; — qch dans sa tête turn sth. over in one's mind
route *f.* road; way; trip; en — on our way; par les –s on the highways
rouvrir to reopen
roux reddish brown, red-haired, sandy
royaume *m.* kingdom
ruban *m.* ribbon
rubis *m.* ruby
rude hard; rough; severe (rain); persistent
rudement *adv.* roughly, harshly; violently
rue *f.* street
ruelle *f.* lane, alley

ruer to kick; *obs.* fling, hurl
rugir to roar; bellow
rugueux wrinkled; rough
ruisseau *m.* brook, stream
ruisselant streaming, dripping
ruisseler to stream, run (pour) down; drip (perspiration)
rumeur *f.* noise, uproar; rumor
rupture *f.* breaking off
ruse *f.* cunning; wile
rustre *m.* boor, bum
rythme *m.* rhythm

S

sable *m.* sand
sablonneux sandy
sac *m.* bag
sachant (*v.* savoir) knowing
sacré sacred; first-rate; darn, confounded
sacrifier to sacrifice
sacrilège *adj.* sacrilegious
safrané saffron-colored, yellow
sage wise; sensible; good, well-behaved
sagement wisely; **faire —** to act wisely
sagesse *f.* goodness, wisdom, intelligence
saigner to bleed
sain healthy, sound; wholesome; **— d'esprit** sound in mind
saint saintly; holy; *n.m.* saint
Saint-Denis: la rue — busy street in northeastern Paris
Saint-Honoré: la rue — street in Paris, parallel to, and north of the Seine River
Saint-Jean: la — Saint John's festival (Sunday following June 24)
Saint-Malo Breton seaport on the English Channel
saisir to seize, grasp, take hold of; attach (law); understand
saisissant striking
saison *f.* season
salaire *m.* salary, wages, pay
salamalec *m.* exaggerated politeness; **faire des —s** to bow and scrape
sale dirty
salir to dirty
salle *f.* room, hall; **— à manger** dining room
salon *m.* living room
saluer to salute, greet; welcome
salut *m.* salute, bow; safety, salvation; **faire un —** to bow; **—! hi!** greetings!
samedi Saturday
samit *m.* samite (heavy silk fabric)
sang *m.* blood
sang-froid *m.* composure
sanglant bloody; bleeding
sanglier *m.* wild boar
sangloter to sob
sanguin, sanguine red-faced, red
sans without; **— doute** of course
santé *f.* health
sapin *m.* fir (pine) tree
sarassin *m.* Saracen, Arab
sarrau *m.* smock
satinette *f.* sateen (fabric)
satisfaire to satisfy
saturnien *adj.* saturnine, gloomy
sauf *prep.* save, but, except (for); *adj.* safe
saule *m.* willow tree
sauter to jump; **— au cou de qn** to throw one's arms around s.o.'s neck
sautiller to jump, skip, hop (about)
sauvage *adj.* wild; *n.m.* wild man
sauver to save, rescue; **se —** run away
sauveur *m.* saver, deliverer; **le Saint Sauveur** the Saviour, Redeemer
savant *adj.* learned, wise; *n.m.* scholar
savetier *m.* cobbler
Savoie *f.* Savoy
savoir to know; know how to; can; learn; find out; *n.m.* knowledge; **si je le sais!** I certainly do know! **je te le fais —** I'll show you; **— de qn** find out from s.o.; **ils ne sauraient être mieux soignés**

they couldn't be better taken care of

scandale: faire — to create a scandal

scander to punctuate, speak in detached syllables

sceller to seal

scène *f.* scene; encounter; event; **entrer en** — to appear

science *f.* knowledge; **les** –**s naturelles** zoology, botany, etc.

scier to saw

scrupule *m.* scruple

scrupuleux scrupulous; punctilious

Scythie *f.* Scythia, ancient country north and east of the Caspian Sea

séance *f.* sitting; meeting; **lever la** — to adjourn court

séant *m.* seat

sec, *f.* sèche dry; curt, sharp, short; wiry

seconder to help

secouer to shake

secourir to help

secours *m.* help; **crier au** — to yell for help; **la pompe de** — fire extinguisher

secousse *f.* shaking, jolt; commotion

secrètement secretly, covertly

séculaire secular, temporal, material; occurring once in a hundred years

séculier secular

séduire to seduce; captivate, charm

seigneur *m.* lord, master; **Seigneur Dieu** Lord God

seigneurie *f.*: **ait de nous** — *obs.* have power over us

sein *m.* breast, bosom

séjour *m.* sojourn, stay; abode; **sans faire long** — without remaining a long time

séjourner to sojourn, stay

sel *m.* salt

selle *f.* saddle

sellé saddled

selon according to; — **toute apparence** from all appearances

semaine *f.* week

semblable like, comparable, similar; equal; same; *n.m.* equal, kind; fellow creature

semblant *m.* pretense; **faire** — **de** to pretend to

sembler to seem, appear

semer to sow, strew

sens *m.* sense; senses; judgment; way, direction; meaning; **bon** — common sense

sensible sensitive; noticeable; intelligible

sentence *f.* maxim; verdict, sentence

sentier *m.* path

sentiment *m.* feeling(s), emotion, impression

sentir to feel; know, perceive; smell; **se** — feel; **se** — **de** be affected by, suffer from

séparer to separate; **se** — **part**

sépulcral sepulchral

sépulcre *m.* grave

sérail *m.* seraglio, harem

serein happy, serene

sergent *m.* sergeant; policeman

sérieux serious; in earnest

serment *m.* oath, vow; promise

serpent *m.* snake

serre *f.* greenhouse

serré tight, close together; **les épaules** –**es** with hunched shoulders

serrer to clasp, clutch, hold tight; hug; — **les dents** clench (set) one's teeth; — **la main à** shake hands with; **se** — **contre qn** snuggle (cling) close to s.o.

serrure *f.* lock

servante *f.* servant girl, maid

serveuse *f.* waitress

service *m.* service; duty; **rendre des** –**s à** to do good turns to, run errands for

serviette *f.* briefcase; napkin

servile submissive, abject; domesticated

servir to serve; — **de** serve as; **se** — **de** use

serviteur *m.* servant
Sète French seaport on the western Mediterranean
seuil *m.* threshold
seul alone, single; only
seulement only, even, indeed
sève *f.* sap, blood; juice
sévère stern
Shanghaïen *m.* man from Shanghai
si yes; if, if only; so; though; suppose; also, of course; so many
siècle *m.* century, times
sied (*v.* seoir) suits, becomes
siège *m.* seat, center; siege
sien, *f.* sienne his (hers); chez les –s among his own people; toute –ne all his own; un — cousin one of her cousins, a cousin of hers
sifflement *m.* whistling; hissing; whizzing
siffler to whistle
signaler to point out; mention; report
signataire *m.* signer
signe *m.* sign; faire — à to beckon (signal); to; — de tête nod
signer to sign; se — cross o.s.
silencieux silent
sillage *m.* wake, track
sillon *m.* furrow, trace, trail
simplement: tout — merely, just
singe *m.* monkey
singulier singular, strange, odd
sinistre sinister, gloomy
sinon except, but; if not; otherwise
sire *m.* lord, master; Sire Your Majesty
sitôt que as soon as
situation *f.* position; job
situer to situate, locate
sobre sober
société *f.* company, firm; society
sœur *f.* sister
soi *pron.* oneself, himself, itself, self; chez — at home; — -même oneself, himself, etc.
soi-disant so-called
soie *f.* silk

soif *f.* thirst; avoir — to be thirsty
soigner to take care of, nurse; look after
soigneusement carefully
soin *m.* care, attention; duty, task; effort; avoir — to take care; prendre — de take care of, take pains to
soir *m.* evening; night; le — in the evening; sur le — at night; du — jusqu'au matin all night long
soirée *f.* evening
soit (*v.* être): qui que ce — whoever it might be; —! so be it! — ... — either . . . or
soixante sixty
sol *m.* earth, soil; ground, floor
soldat *m.* soldier
solder to pay (bill, debt)
soleil *m.* sunshine
solennel solemn
solennité *f.* solemn ceremony
solide strong, firm, solid
solitaire solitary, lonely
sollicitude *f.* worry, anxiety, care
sombre dark, gloomy, somber
sombrer to sink; fall, collapse
somme *f.* sum; la bête de — beast of burden; en — as a matter of fact, in short; — toute (up)on the whole
somme *m.* nap, sleep; faire un — to take a nap
sommeil *m.* sleep
sommeiller to doze
sommet *m.* top, summit
somnolence *f.* dozing, drowsiness
son *n.m.* sound
sonder to sound, prove, scrutinize
songe *m.* dream
songer to think
sonner to ring; strike (clock); sound, blow (instrument)
sonnette *f.* (small) bell
sonore sonorous, resonant, ringing
Sorbonne *f.* University of Paris
sorcière *f.* witch
sort *m.* fate, lot; fortune
sorte *f.* sort, kind; de la — that way, in such a manner; en (de)

— que so that; en quelque — in some way, in a way

sortie *f.* exit, way out; jusqu'à ma — de la maison until I left the house

sortir to go out, come out; leave; take out; au — de at the end of; d'où sortez-vous? where have you been?

sot *adj.* stupid; *n.m.* fool, blockhead

sotie *f.* satirical farce (XIVth, XVth century)

sottise *f.* foolish thing, folly, foolishness; nonsense

sou *m.* sou (French coin worth one cent until 1918; almost valueless today); *pl.* money

souci *m.* worry, care

soucier: se — de to worry about, take care of

soucieux anxious

soudain *adj.* sudden; *adv.* suddenly; tout — all of a sudden

souffle *m.* breath, breathing; gasp; breath of air; word; — de vent puff of wind

souffler to blow (out); whisper; pant; puff; qui ne souffle mot who doesn't breathe a word

souffleter to slap

souffrance *f.* suffering; pain; suspense

souffrant ill

souffrir to suffer; stand, endure

souhait *m.* wish

souhaiter to wish, desire

soulagement *m.* relief; éprouver un — to feel relieved

soulager to relieve, soothe

soûl [su] drunk

soûlerie *f.* drinking party; drunken bout

soulever to lift, raise; se — raise o.s., get up

soulier *m.* shoe

soumettre to submit, refer; soumettez votre cas present your request; se — à submit (give, yield) to

soumis submissive, humble; subject (to, à)

soupçon *m.* suspicion

soupçonner to suspect

soupçonneux suspicious

souper *m.* supper; *v.* to eat supper

soupir *m.* sigh; pousser un — to let out (utter) a sigh

soupirail *m.* air hole, cellar window

soupirer to sigh

souple supple, flexible

source *f.* spring

sourcil *m.* eyebrow; froncer les —s to scowl, frown, knit one's brows

sourdine *f.* mute

sourire *m.* smile; *v.* to smile; appeal

souris *f.* mouse

sournois sly, shifty (look), underhanded

sous under

souscrire to subscribe; — des effets à l'ordre de sign bills payable to

sous-jacent underlying, subjacent

sous-préfet *m.* sub-prefect, head of an arrondissement, (equivalent to a lieutenant governor)

soutenir to hold up; maintain; endure, support; encourage

souterrain underground

souterrainement beneath the surface

souvenir *m.* remembrance, memory; avoir — de to remember; *v.* se — de to remember; me fit — reminded me

souvent often

souverain *m.* sovereign

sparadrap *m.* adhesive tape

spectacle *m.* show, play, performance; entertainment

spectral ghostlike

sperry *m.* gyrocompass (invented by Elmer Sperry in 1911)

spirituel spiritual; witty

splendeur *f.* splendor; glory; brilliance

spontanément spontaneously

sportif sporting

stature *f.* height

stentor: d'une voix de — in a stentorian (powerful) voice
studieux studious
stupéfait stupefied, amazed
stupeur *f.* amazement, stupor
stupide *m.* nit-wit, fool; *adj.* stupid
stupidité *f.* stupidity; stupor
su (*v.* savoir) known; been able (to)
suaire *m.* shroud
subalterne secondary; inferior
subconscient *m.* subconscience
subir to undergo, suffer, submit to
subit sudden
subjuguer to conquer, subjugate
subsister to live (on, de)
subtil subtle, clever
succéder to succeed, follow (after)
succès *m.* success
succession *f.* inheritance
succulent delicious, tasty
sucre *m.* sugar
sud *m.* south
suer to perspire
sueur *f.* sweat, perspiration; en — in a sweat, perspiring
suffire to suffice, be enough
suffisant sufficient, enough
suffoquer to suffocate, choke; il était suffoqué de honte he was overwhelmed with shame
suggérer to suggest
suicider; se — to commit suicide
suif *m.* tallow
suinter to ooze, trickle
Suisse: la — Switzerland
suite *f.* sequel; à la — de quoi after which (what); et ainsi de — and so forth; de — in succession; des —s de as a result of; par la — later on, afterwards
suivant *adj.* following; *prep.* according to
suivre to follow, walk along
sujet *m.* subject; — à liable to; au — de about, concerning; avoir — à (de) to have a reason; être un bon — be a good man (boy); à votre — concerning you
sujétion *f.* subjection; slavery, bondage; discipline

sultane *f.* sultana (wife of sultan)
superbe proud, haughty, arrogant
supérieur superior; upper
suppliant imploring, pleading
supplication *f.* entreaty, beseeching
supplier to implore, plead; beseech
supporter to endure, stand up to
supposer to assume, imply, imagine
supposition *f.* assumption
supprimer to suppress
supputer to calculate, figure
suprême crowning, last
sur on, upon, above; toward; by; concerning; about; against; il marcha — lui he walked up to him
sûr sure, certain
surcharge *f.* extra load
surchauffé overheated
sûrement surely; — que surely, certainly
sûreté *f.* safety; mettre en — to put in a safe place
surgir to rise, arise, emerge; faire — bring forth, raise
sur-le-champ *m.* right away, immediately
surmonter to top; overcome; be superior to
surnaturel *adj.*, *n.m.* supernatural
surplomber to overlook, overhang
surplus: au — moreover, besides
surprenant surprising
surprendre to surprise, take by surprise; overhear; sa bonne foi s'est laissée — his good faith was abused
surpris surprised, amazed
sursaut *m.* start (*emotion*); en — with a start
surtout especially
surveillant *m.* supervisor; le — général assistant principal; dean
surveiller to supervise, watch
survivre to survive
survoler to fly over
suspect suspicious
suspendu hung, hanging; le pas —

with a motionless step, in suspense

sympathie *f.* sympathy, attraction

sympathique sympathetic; likable; congenial

synthèse *f.* synthesis

T

tabac *m.* tobacco

tabatière *f.* snuffbox

table *f.*: faire — rase to make a clean sweep

tableau *m.* board, blackboard; sign; painting

tablier *m.* apron

tabouret *m.* stool; footstool

tache *f.* spot, stain

tâche *f.* task, duty; prendre à — de to undertake to, make a point of

tâcher (de) to try, endeavor (to)

tacheté spotted, speckled

taillardé slashed

taille *f.* waist; size, height; de toute sa — to his full height

tailler to cut; sharpen (pencil)

taire to keep (sth.) quiet, say nothing about (sth.); faire — qn silence s.o.; se — be silent, stop talking

talon *m.* heel

tamisé subdued, softened (light)

tandis que while

tant so much, so many; as much, as many; as long; so; de — de from so much; — et — so much, to such an extent; — pour ... que as much for . . . as; — que as long as (time); as much as; si — est que if indeed; — soit peu the least bit, ever so little

tante *f.* aunt

tantôt presently, soon; a while ago; just now; sometimes; *n.m.* afternoon; — ... — ... now . . . now . . . , sometimes . . . sometimes . . .

tapage *m.* (loud) noise, din

tapageur noisy, raucous

tapant: à huit heures — on the dot of eight o'clock

tapis *m.* rug

tapisserie *f.* tapestry; embroidery

tard late

tarder to be late; delay, put off

tarir to dry up; exhaust; stop

tas *m.* heap, pile; lot

tassé crowded together; hunched over

tâter to feel; poke

tâtonner to grope, feel one's way

tâtons: à — gropingly

taureau *m.* bull

teint dyed; *n.m.* complexion

teinté colored

tel, *f.* telle such; thus; like; un — such a one; pour — as such; — que such as

tellement so much, so many; so

téméraire rash, reckless; en — recklessly

témoignage *m.* testimony; appeler qn en — to call s.o. as a witness; rendre — de give evidence of, bear testimony to

témoigner to testify, bear witness; express (feeling); prove

témoin *m.* witness

tempe *f.* temple (of head)

tempérer to temper, moderate

tempête *f.* tempest, storm

Temple: le faubourg du — the Temple suburb (in the northeastern section of Paris). Louis XVI and his family were imprisoned in a castle there.

temps *m.* time; weather; à — in time; de — à autre once in awhile, now and then; de — en — from time to time; de son — of his days, in his time; en ce — -là in those days; en même — at the same time; en son — et lieu in due time; entre- — *adv.* meanwhile

tenaille *f.* often *pl.* tongs; pincers

tendance *f.* tendency

tendre to extend; hand over; stretch (out); aim at; — les

pièges set snares; **je me tendis tout entier vers le soleil** I stretched to the utmost in the sunshine; **l'oreille tendue** listening intently
tendre *adj.* tender, affectionate
tendresse *f.* affection, love
tendrette *f.* dear little one
ténèbres *f.pl.* darkness; shadows; gloom
tenez! here! now listen! well!
tenir to hold; keep; get; consider; resist; be caused by; belong; — **à** depend upon; insist upon; be anxious to; like, value; **je suis tenu à** I am beholden to, obliged to; **il tenait pour impossible (que)** he considered it impossible (that); **se —** stand; stay, sit; **se — bien** behave o.s.; **je n'y tiens plus de peur** I'm so frightened I can't stand it any longer
tentation *f.* temptation
tenter to tempt
ténu tenuous, slender
terme *m.* term; end; expression; **en d'autres –s** in other words
terminer to finish, end, conclude
terrain *m.* ground, plot
terrasse *f.* terrace
terrasser to knock down, strike down; crush
terre *f.* earth; ground; land; world; **mettre à (par) —** to knock down, lay low; **par (à) —** down, on the floor; **porter qn en —** bury s.o.
terrestre earthly; worldly
terreur *f.* terror; **pris de —** terrified
terrier *m.* burrow, hole
territoire *m.* territory, area under jurisdiction
tête *f.* head
tête-à-tête *m.* private interview, conversation
téter to suck
têtu *adj.* stubborn; *n.m.* blockhead
thé *m.* tea

théorie *f.* theory
tibia *m.* shinbone
tiède tepid, lukewarm
tiens here, take it; look! well! —! —! well! what do you know!
tiers *m.* third
tige *f.* stem
tigre *m.* tiger
tilleul *m.* linden tree
tint (*v.* **tenir**): **elle le —** she held it
tinter to tinkle, ring (bell)
tir *m.* shooting; shooting range
tirer to pull; draw, derive; take; **ce mot seul lui tirait des larmes** this word alone brought tears to his eyes; **s'en — mal** pull through badly, blunder
tiroir *m.* drawer
tissu *m.* material, fabric
titre *m.* title; qualification; title deed (to property); security
toi *pron.* thou, you
toile *f.* web
toilette *f.* costume; washing; dressing; **faire sa —** to dress, freshen up
toit *m.* roof
tôle *f.* sheet metal
tombeau *m.* tomb
tomber to fall; **— en arrêt** point (dogs)
tombereau *m.* tipcart
ton *m.* intonation; air, manner; breeding
tonnelier *m.* barrel maker
tonner to thunder; roar
tonnerre *m.* thunder
toque *f.* flat cap, bonnet
tordre to twist; warp; **se —** turn, twist, writhe; **se — de rire** laugh hilariously
tordu twisted, bent
tort *m.* wrong, mistake; **à — et à travers** without rhyme or reason; **avoir —** be wrong; **faire — à** do harm to
tôt early, soon
touchant touching, moving
toucher to touch; move; concern;

intimate; **sans avoir l'air d'y —** without seeming to

touffu : un style — an involved style

toujours *adv.* always; still

Toulon French naval base on the Mediterranean, forty-two miles southeast of Marseilles

toupet *m.* false wig, tuft of hair

tour *m.* turn, revolution; circuit; *f.* tower; **à mon —** in my turn; **à — de bras** with all his might; **nous lisons — à —** we take turns reading; **à — de rôle** in turn

Touraine *f.* province in central France, capital Tours

tourbillon *m.* whirlwind, tornado

tourbillonner to whirl (around)

tourelle *f.* turret

tourment *m.* torment, torture

tourmenter to torment

tournant *m.* turn, bend, curve

tourner to turn; **cela tournait au cauchemar** it was becoming a nightmare; **— le dos à** turn one's back on; **il tourna très mal** he came to no good, he went to the dogs

tournoi *m.* tournament

tournure *f.* figure, shape, form; **les –s d'usage** current expressions

Tours capital of the province of Touraine, 135 miles southwest of Paris

tous: –deux both of them

tousser to cough

tout *adj.* all, whole, entire; any; **— le monde** everyone; **tous (toutes) les deux** both; *pron.* everything, anything; **de — temps** always; *adv.* wholly, quite, very; however; while; completely, all; **— à (d'un) coup** suddenly; **— à fait** completely, entirely; **causer de —** to talk about anything; **— de même** just the same; incidentally; **— près** very near; **— de suite** right away, immediately; *n.m.* **un —** a whole

toutefois however, at any rate, yet

toute-puissance *f.* omnipotence

tracasser to bother, worry

traduire to translate

trahir to betray

trahison *f.* treason, betrayal

train *m.* mode of living; **en — de** in the process of; **je suis en — de faire qch** I'm busy doing sth.; **il prit le — du libertinage** he became a libertine

traînant dragging

traînée *f.* trail, train (of gunpowder); track

traîner to drag

trait *m.* feature, trait; characteristic; speck

traité *m.* treatise

traiter to treat, deal with; **voilà pour —** here's enough to treat (serve)

traître *m.* traitor

traîtreusement treacherously

trajet *m.* way; journey; distance, course

tranche *f.* slice

tranquille quiet, calm; at ease (mind); **soyez —** rest assured; don't worry

tranquillisé reassured, in (at) peace

transir to chill; become chilled

transport *m.* transfer

transporter to carry (away), bring

transversalement transversely; **rencontrer —** to intersect

traquer to track down, run to earth

travail *m.* work, labor

travaillé polished, elaborate (style)

travailler to work

travers *m.* failing; bad habit; **à — through, across; au — de through; regarder qn de — to scowl (look askance) at s.o.; à tort et à — without rhyme or reason**

traverse *f.*: **le chemin de — short cut**

traverser to cross, go across, go through

trèfle *m.* clover
treille *f.* vine arbor
tremblant trembling, quaking
tremblement *m.* trembling; — de
terre earthquake
trempe *f.* quality, stamp, temper
(of steel); character
tremper to drench, soak; bathe
trentaine: la — about thirty
trente thirty
trépigner to stamp (foot), have a
tantrum
très very; most
trésor *m.* treasure
trésorier *m.* treasurer
tressaillir to shudder, quiver; be
startled; jump (from surprise)
tresser to braid (yarn); plait (hair)
tribu *f.* tribe; crowd
tribunal *m.* law court; trial
trier to sort (out)
triompher to triumph
triste sad, unhappy; pitiful
tristesse *f.* sadness
trivial commonplace
trompe *f.* horn, trumpet; trunk (of
elephant)
tromper to deceive, fool, betray;
se — be mistaken
tromperie *f.* deceit, fraud
trompette *f.* trumpet
trompeur *adj.* misleading; *n.m.*
cheat, deceiver, fraud
tronc *m.* trunk (of tree)
trône *m.* throne
trop too, too much, too many
trophée *f.* trophy
troquer to exchange
trotter to trot, be on the go
trottiner to run lightly
trottoir *m.* sidewalk
trou *m.* hole, gap
troublant confusing
trouble *adj.* dull, lusterless; *n.m.*
confusion, disturbance, turmoil;
anxiety
troublé confused, mixed-up; dull
troubler to confuse; disturb,
bother; se — get confused; be
disturbed, embarrassed; get
cloudy

troué full of holes
trouée *f.* gap, opening
troupe *f.* troop; company (of
actors); gang; herd, flock
troupeau *m.* herd, flock; troop
trousseau *m.* obs. quiver (of
arrows)
trouver to find; se — be, be found
(situated); happen; s'en — bien
be satisfied with it
truite *f.* trout
tu (*v.* taire): il s'est — he kept
quiet
tube *m.* pipe
tuer to kill; se — kill o.s.
tumultueux tumultuous, violent,
agitated
Tunis capital of Tunisia, North
Africa
turpitude *f.* depravity, baseness
tussor *m.* dark silk, shantung
tutoyer to use the tu form in
speaking
type *m.* fellow, guy

U

un a, one; l'— one; l'— l'autre
each other
uni united; smooth; uneventful
unir to join, unite
univers *m.* universe
universel universal; légataire —
residuary legatee
usage *m.* use, usage, custom; faire
— de to use
usé worn out; ruined
user to wear out, use, make use of;
que je ne le connaîtrais qu'à
l'— that I would know him only
after living with him (for a long
time)
usine *f.* factory
utile useful
Uzès small town in southern
France, near Nîmes

V

va! go! you may go! comme il —
chercher loin des arguments! he

certainly goes out of his way to look for arguments!

vacances *f.pl.* vacation

vache *f.* cow

vacillement *m.* vacillating, oscillation; wavering

vaciller to shake; waver

vagabond *m.* tramp, wanderer

vague indefinite; dim, hazy; wandering (mind)

vague *f.* wave

vaillance *f.* bravery

vaillant valiant

vaille (*v.* valoir): **rien qui —** nothing worthwhile

vain useless, vain; idle; meaningless

vaincre to conquer, overcome

vainement in vain

vainqueur *adj.* victorious, conquering; *n.m.* conqueror

vaisselet *m. obs.* small casket

vaisselle *f.* dishes

val *m.* vale, small valley

valable valid, good

valet *m.* (man) servant; **— de chambre** valet; **— de pied** footman

valeur *f.* value, worth; asset; **il vous donnera la —** he will pay you the present price

vallée *f.* valley

vallon *m.* small vale, valley

valoir to be worth, worthy of; cause, bring on; **faire —** point out, assert; **se faire —** get in the limelight, show (o.s.) off; **— mieux** be better, be worth more; **tout cela se valait** everything was equal

valse *f.* waltz

valser to waltz

vanter: se — de to boast of

va-nu-pieds *m. or f.* barefoot tramp

vapeur *f.* steam, vapor, mist; *n.m.* steamer

varier to change, vary

vase *f.* mud, slime

vaste immense, great

vaurien *m.* good-for-nothing

vautour *m.* vulture

veau *m.* calf; veal

veille *f.* day (night) before; eve; **un état de —** state of awakening; **la — au soir** the night before

veiller to watch; sit up

veine *f.* vein

velin *m.* vellum, fine parchment

velléité *f.* desire

vélo *m.* bike

velours *m.* velvet

velouté velvety, soft

velu hairy, shaggy

vendange *m.* vintage; **–s** grape harvest

vendémiaire *m.* first month in the calendar of first French Republic—Sept. 22 (23)—Oct. 21 (22)

Vendôme: la place — famous square in Paris, near the Opera

vendre to sell

vendredi *m.* Friday

vendu *n.m.* traitor

vénéneux poisonous

vénerie *f.* (art of) hunting

venger to avenge; **se — de** take revenge on (for)

venir to come; **en — à** touch upon, come to the point of; **je vous vois —!** I see what you're driving at! **faire — qn** call in s.o.

vent *m.* wind; gas; breath

vente *f.* sale

ventre *m.* stomach, belly; body; **à plat —** flat on one's stomach; **serrer le —** tighten one's belt; **— à terre** at full speed

venu *n.m.* comer, one who comes

venue *f.* approach; arrival

vêpres *f.pl.* vespers

ver *m.* worm

verdure *f.* greenery, greenness

verger *m.* orchard

verglas *m.* frozen rain, sleet, ice

véridique truthful

véritable true, real

vérité *f.* truth; **à la —** to be truthful, really; **en —** really, truthfully; **un homme dans toute la — de la nature** a man in every way true to nature

verre *m.* glass

vers about (time); toward, in the direction of

vers *m.* verse

Versailles city eleven miles southwest of Paris

versant *m.* slope; side, bank

verser to pour, spill; shed (tear)

vert green; vigorous

verticale: à la — vertically; tourner à la — *av.* make an Immelmann turn

vertige *m.* dizziness

vertu *f.* virtue

veste *f.* coat, jacket

vestibule *m.* hall(way)

vestige *m.* trace, mark; *pl.* remains

veston *m.* (man's) jacket, suit coat

vêtement *m.* dress; *pl.* clothes, clothing

vêtir to dress, clothe, robe

vêtu (*v.* vêtir) dressed; — en dressed as; — de dressed in; — de neuf dressed in new clothes

vétusté *f.* age; decay

veuillez (*v.* vouloir) please, be kind enough to

veuve *f.* widow

viande *f.* meat, flesh; *pl.* food

vibrer to vibrate

vide *adj.* empty; *n.m.* emptiness; gap, space; — de not containing

vider to empty, clear

vie *f.* life; être en — to be alive

vieillard *m.* old man

vieille *f.* old woman

vieillesse *f.* old age

vieillir to grow old

vierge *f.* virgin; la Sainte Vierge the Blessed Virgin

vieux, vieil, *f.* vieille *adj.* old; *n.m.* old man; le plus — the oldest

vif bright, intense; keen; strong

vigne *f.* vineyard

vigoureux vigorous

vigueur *f.* vigor, strength

vil vile

vilain ugly; mean, bad; agir en

— to be nasty (*lit.* act like a peasant)

vilain *n.m.* mean fellow, heel; peasant

vilenie *f.* low action, meanness

villageois *adj.* rustic; country

ville *f.* town, city

vîmes (*v.* voir) nous le — we saw him

vin *m.* wine; le — pur undiluted wine

vinaigre *m.* vinegar

vinaigrier *m.* vinegar manufacturer (merchant)

vindicatif resentful

vingt twenty

violâtre purplish

violemment violently; vigorously

violent strong

violette *f.* violet

virer to turn; *av.* bank; — plein nord turn and head straight north

virgilien Vergilian, of Vergil

virilement like a man

visage *m.* face; faire mauvais — à qn to be sullen (scowling)

viser to aim

visionnaire visionary

visite *f.* call

visiter to visit; check, inspect

visqueux slimy, sticky

vite *adj.* fast, quick; *adv.* quickly, soon; au plus — as quickly as possible

vitesse *f.* speed; swiftness

vitre *f.* window pane

vitré: porte —e glass door

vivacité *f.* vivaciousness, liveliness

vivant living, alive

vivement in a lively way, quickly

vivre to live; *n.m.* food; *pl.* provisions, supplies

vœu *m.* wish, vow; *pl.* hopes

voguer to sail; drift

voici here is, here are; this is, these are

voie *f.* way, track; road; trail, course; destination

voilà there is, there are; ago; — qui

est! that's something!; **comme vous —!** what a state you are in!; **vous —!** here you are! **que — that** you see there

voile *f.* sail; *m.* veil, *pl.* widow's weeds

voiler to veil, cover, conceal

voir to see, foresee; understand; **à — seeing; je vous vois venir!** I see what you're driving at! **faire — show; voyez à cette bête** see what's wrong with that animal

voirie *f.* sewer disposal; roads; street-cleaning; dump

voisin *adj.* near, neighboring; *n.m.* neighbor

voisinage *m.* neighborhood

voiture *f.* carriage; car

voiturier *m.* teamster

voix *f.* voice; **à — douce** in a soft voice; **à mi- —** in a low voice, murmuring, muttering; **la — publique** public opinion

vol *m.* flight, flying; theft; robbery

voler to steal, rob; fly; rush; hunt (with falcons); **je me sentais un peu volé** I felt myself a bit cheated

volet *m.* shutter

voleter to flutter, flit about

voleur *m.* thief

volonté *f.* wish, will, will power; **à leur —** as they wished, at their will

volontiers willingly, gladly

voltiger to perform on horseback; fly about (bird); **à — in** horsemanship

volupté *f.* voluptuousness; delight, ecstasy

vorace voracious

vouloir to want, wish, will; re-

quire; **en — à** be angry with, bear a grudge against

voûte *f.* vault; arch, archway

voûté stooped, bent

voûter: se — to arch

voyager to travel

voyageur *adj.* traveling; *n.m.* traveler; **humeur voyageuse** wanderlust

voyons! come now! really!

voyou *m.* hooligan, hoodlum

vrai *adj.* true, real; *adv.* truly, really; **aussi — que** as truly as; **à vous dire le —, à — dire** to tell you frankly; **pour de —** for keeps

vraiment truly

vraisemblable probable, likely

vraisemblance *f.* probability

vu (*v.* voir) seen; **être bien —** to be popular

vue *f.* view; sight; **dans la — de** with the view of; **être en —** to be in the limelight, be well-known

vulgaire vulgar, common; average

W

Westphalie: la — Westphalia, German province bordering Holland and the Rhine

Y

y there, here; to it, in it; by them; **il — a** there is, there are

yeux *m.pl.* of œil eyes; vision; **aux — de** in the eyes of

Z

zèle *m.* zeal